KB171587

신이 죽어가는 과정 [개정판]

신이 죽어가는 과정 [개정판]

발　행 | 2023년 02월 19일
저　자 | 강다준, 민설해
펴낸이 | 한건희
펴낸곳 | 주식회사 부크크
출판사등록 | 2014.07.15.(제2014-16호)
주　소 | 서울특별시 금천구 가산디지털1로 119 SK트윈타워 A동 305호
전　화 | 1670-8316
이메일 | info@bookk.co.kr

ISBN | 979-11-410-7241-4

www.bookk.co.kr

신이 죽어가는 과정

[개정판]

강다준
민설해

CONTENT

<강다준>

하나도 안 힘들었어요. 원래도 필체가 비슷하고, 또 서로 시놉부터 피드백해서 좀 같이 쓴 느낌이 강하다고 해야 하나? 함께 쓴 줄거리를 각자 타이핑한 느낌이에요. 아무래도 제가 주도적으로 출판하는 거다 보니 민설해 작가님께서 많이 맞춰주기도 하셔서 제가 어려운 건 딱히 없었던 것 같아요. 제 개인 사정 때문에 꽤 오래 걸려서 작업하기도 했고요. 그래도 솔직히 말하자면 글 쓰는 것도, 작가님 피드백해드리는 것도 굉장히 힘들었답니다! 그래도 수고하셨어요, 작가님! 그리고 이 책을 구매해서 지금 저희의 소감을 봐주시고 있는 모든 분께도 정말로 감사 말씀 전하고 싶어요! 기다려 주셔서, 또 봐주셔서 감사합니다.

<민설해>

유익한 경험이었다고 생각합니다. 다준 작가님 아니면 제가 이렇게 출판할 일도 없을 것이고, 또 그동안 잠시 글을 손에서 놓고 있었거든요. 오랜만에 쓰는데도 잘 이끌어주신 다준 작가님께 감사드리며, 또한 이런 기회를 만들어주신 것도 감사히 생각합니다. 함께할 수 있어 영광이었습니다. 작가님께서도 수고 많으셨어요. 또, 구매해 주신 분들 모두 감사드립니다.

제1화 너는 예뻤다

자세히 보아야 예쁘기에 두 눈을 씻고 너를 쳐다보았고, 오래 보아야 사랑스럽기에 눈도 깜박이지 않은 채 너를 눈에 담았다. 그러나 이제는 알 수 있었다. 타고나게 예쁘고 사랑스러운 사람은 흘겨봐도 예뻤다. 그리고 그런 네게 시선을 고정할 수밖에 없는 건 당연한 일이었음에 이런 일이 벌어진 건 내 과오였다. 조금만 더 주의했더라면, 내가 조금만 더 빨리 알아차렸더라면 좋았을 텐데.

***

살랑살랑 불어오는 바람이 귓가를 간질였다. 천천히 내리감는 눈 사이로 벚꽃 비가 내렸다. 무심코 손을 뻗으니 벚꽃잎 하나가 손바닥에 안착했다. 하얀빛과 옅은 분홍빛을 동시에 띠고 있는 벚꽃잎에서는 달콤한 향이 났다. 그 향을 맡으며 여유를 만끽하고 있었다. 숨을 깊게 들이마시며 꽃향기를 폐 속에 가뒀다. 천천히 눈을 감았다 떴다. 속눈썹의 그림자가 얼굴 위에 졌다. 시야 속 들어오는 네 모습에 두 눈을 동그랗게 떴다. 누구…? 빼끔거리며 묻는 목소리에 들려오는 대답은 없었다. 그저 너는 나를 바라보며 싱긋 미소 짓고 있을 뿐이었다.

뒷짐을 진 채 허리를 약간 숙인 네게서 머리카락이 흘러내렸다. 긴 갈색의 웨이브 진 머리카락 위에 벚꽃잎이 자리했다. 자연스레 손을 뻗어 벚꽃잎을 떼어주었다. 나도 모르게 한 행동에 놀라 손이 공중에 멈췄다. 그런 나를 보며 너는 멀뚱거리더니 푸핫, 하며 웃음을 뱉어냈다. 배꼽이 빠져나갈 듯 웃는 네가 하얗고 긴 검지로 눈물을 닦아내더니 내게로 한 걸음 다가왔다. 나에게로 뻗는 손길에 잠시 움찔거리자 너는 부드러운 미소를 지어주었다. 점차 가까워지는 거리에 두 눈을 꾹 감았다. 짧은 감촉과 함께 멀어지는 온기에 천천히 실눈을 떠봤다.

웃음을 참고 있는 너의 손가에는 나처럼 벚꽃잎이 하나 들려 있었다. 그제야 상황 파악이 된 얼굴에서 열기가 느껴졌다. 어영부영하며 시선을 피하고 있던 때, 너는 피식 웃으며 벚꽃잎을 바람에 날려 보내고는 내게 말을 건넸다. 이름이 뭐야? 너의 물음에 입이 뻐끔거렸다. 바로 알려주면 되는데 왜 알려주지를 못하는 건지. 붉어진 얼굴을 애써 모르는 체하며 천천히 입을 열었다. …현수. 내 대답에 너는 밝게 웃었다. 빙글 몸을 돌리자 너의 머리카락이 공기 중에 휘날렸다. 벚꽃잎 새로 또 다른 꽃향기가 느껴졌다. 나는 예린이라고 해.

예린…. 너의 이름이 입속에서 맴돌았다. 바깥으로 나가지 못한 목소리가 혀에 진동을 전했다. 웅얼거리는 목소리는 너에게 닿지 않았다. 너는 그런 나를 아는지 모르는지 그저 웃고 있을 뿐이었다. 손에 들려 있던 벚꽃잎을 바라보던 시야를 천천히 들어 올렸다. 너와 눈이 마주치자 너는 그 눈을 예쁘게 반으로 접어 웃어 보였다. 현수, 이름 예쁘다. …네 이름도 예뻐. 차마 맞추지 못한 시선을 돌려 나무를 올려다보았다. 화사하게 핀 벚꽃들이 공기 중에 휘날리고 있었다. 천천히 눈을 내리감으며 찬찬히 생각해보았다. 아무리 생각해보아도 너는 참 예쁜 사람이었다. 그냥 그랬다.

***

너는 화사한 사람이었다. 화사한 미소를 보이며 꽃이 만개한 듯한 미소를 띠었다. 처음 보았을 때랑 변하는 일이 없었다. 늘 한 걸음 앞서가다 빙글 몸을 돌리고는 나를 향해 웃어주었다. 그 깊고도 그윽한 눈이 나를 담을 때면 심장이 쿵쾅거렸다. 호숫가처럼 잔잔한 눈이 나를 담자마자 일렁거릴 때면 마음속에서부터 알 수 없는 쾌감이 응어리져 모습을 불려 나가기 시작했다. 이 감정을 뭐라고 부르는지 모를 정도로 어린 나이는 아니었기에 너를 볼 때마다 가슴이 아려오고 심장이 쿵쾅거리며 얼굴에 열이 오르는 것을 모른 체 할 수 없었다.

현수야! 익숙한 목소리가 내 이름을 불렀다. 고개를 다 돌릴 틈도 없이 몸에서 커다란 반동이 느껴졌다. 슬쩍 찌푸린 미간 새로 보이는 건 익숙한 갈색의 머리카락과 하얀 피부, 그리고 코끝에 닿는 꽃향기. 예린아. 내 부름에 예린이 품에서 부비적 거리던 고개를 들어 나와 시선을 맞췄다. 헤헤, 짧게 웃는 소리가 바람에 흩날렸다. 눈이 마주치자 얼굴에 열이 오르는 게 느껴졌다. 뜨거운 귓가에 고개를 돌려 시선을 피했다. 뜨끈한 얼굴에 손등을 들어 얼굴에 대었다. 아까보다는 시원해진 것 같은 느낌에 옅은 안도의 한숨을 내쉬었다.

너는 몇 번을 봐도 익숙해지지 않는 사람이었다. 그냥 네가 내 취향이라는 것은 둘째치고도 너는 참 예쁜 사람이었다. 너를 자세히 보지 않은 사람도, 그저 스쳐 지나가는 사람도 너를 자꾸만 쳐다보게 될 정도로. 너의 아름다움을 제대로 알지도 못하는 사람들이 자꾸만 너를 본다는 것이 마음에 들지 않았다. 사실 너의 진가는 아름다운 외모보다도 아름다운 마음에서 우러러 나오는 것이었는데, 외면만 보고 너의 존재를 판단하는 사람들은 역시나 마음에 들지 않았다. 너는 늘 나를 쳐다보며 웃느라 그런 사람들이 있다는 것도 눈치채지 못했겠지만. 너는 나를 쳐다보았고, 나는 너를 쳐다보는 사람들을 쳐다보았다. 늘 그랬다.

현수야, 뭘 그렇게 봐. 네가 내 손을 잡아끌었다. 순간 너에게로 시선이 맞춰졌다. 얼굴에 열이 오르는 것이 느껴졌다. 윽, 짧은 단말마와 함께 손으로 하관을 가렸다. 너를 똑바로 바라보는 건 아직도 힘들었다. 너는 부루퉁한 표정으로 나를 물끄러미 쳐다보더니 휙 하고 고개를 돌렸다. 너의 귀가 붉었다. 너의 귀여운 모습에 피식 웃음을 흘리며 손을 뻗어 너를 끌어안았다. 앞에서부터 느껴지는 온기가 따스하게 느껴졌다. 너는 그런 나를 보며 옅은 한숨을 내쉬더니 이번만 봐준다며 웃어 보였다. 너는 늘 웃었다. 나를 보며 웃어주었다. 너는 참 예뻤다.

손을 풀어 너를 놓아주었다. 앞서 걷는 너의 머리카락이 흔들거렸다. 너의 뒤를 따라 걷자 너에게서 흘러나오는 꽃향기가 공기를 꾸며주었다. 그 달콤한 향기를 맡으며 너의 뒤를 따랐다. 순간 네가 몸을 비틀어 나를 쳐다보았다. 당황한 나를 보며 씩 웃는 너는 예뻤다. 봄바람보다는 조금 더 짙어진 여름 바람이 공기를 날려 보냈다. 열기가 스며져 있는 바람이 불어왔다. 봄바람을 받는 너도, 여름 바람을 받는 너도 예뻤다. 살랑거리는 머리카락이 공기 중을 수놓았다. 네가 나를 보고 있는 것을 알면서도 너를 쳐다보는 사람들은 수두룩할 정도로.

네가 날 좋아한다는 것쯤은 이미 알고 있었다. 나도 너와 같은 마음이라는 것도 이미 알고 있었다. 하지만 지금 우리의 사이는 처음 만났을 때와 변하지 않았다. 봄이 시작하던 그 날, 선녀처럼 강림한 네가 눈앞에 나타난 그 날. 너를 처음 만났을 때가 아직도 생생했다. 그때처럼 너는 여전히 너무 예뻤기에, 변하지 않고 늘 예뻤기에, 오히려 그때보다 더 예뻐졌기에 너에게 내 마음을 고백하기에는 두려웠다. 너는 너무 예뻤고, 그랬기에 나는 너를 제대로 쳐다볼 용기도 내지 못했고, 나에게 너는 너무나 과분한 사람이었으니까.

친구, 그 명칭 속 거리는 생각보다도 꽤 먼 거리였다. 친구라는 선에서 만족할 수 있다고는 하지만 우리의 사이가 깊다고 치부할 수도 없을 정도의 거리. 손을 뻗고 다리를 뻗으면 닿을 수 있는 거리였지만 그 정도의 용기도 내게는 없었기에 네가 오기를 기다리는 수밖에 없었다. 네가 내게 완전히 닿을 때까지 보호하기 위해 너를 보는 사람을 쳐다보았다. 그 누가 너를 쳐다보고 있을지, 그 누가 네게 어떤 감정을 내비치고 있을지 알아야 했으니까. 빠르게 달려오는 오토바이에 손을 뻗었다. 너의 허리를 쥐고 내 쪽으로 강하게 끌어당겼다. 옆으로 지나가는 오토바이가 일으킨 바람이 너의 머리카락을 휘날렸다.

네가 두 눈을 깜박이며 나를 눈에 담았다. 그 투명한 눈 속 비친 내 모습은 꽤 당황한 듯 보였다. 잠깐만 한눈팔았으면 네가 위험할 뻔했다. 두근거리는 심장은 내가 긴장했다는 것을 알려주었다. 옅은 한숨을 내쉬며 너를 놓아주었다. 너는 여전히 멀뚱거리며 나를 쳐다보았다. 왜 보냐 묻는 물음에 너는 눈을 반으로 접어 예쁘게 웃어 보였다. 고마워. 아, 그 한마디에 오늘은 만족스러울 하루라고 장담할 수 있었다. 내 손으로 너를 구했으니까.

***

“조심히 들어가.”

손을 내저어 너를 보냈다. 싱긋 미소를 그려내며 네게 인사를 건넸다. 여전히 나는 주변에 시선을 두고 있었다. 너는 그런 내게 손을 흔들어주던 것도 잠시, 곧 부루퉁한 표정을 지으며 내게로 달려왔다. 폭, 품에서 느껴지는 보드라운 살결과 따스한 온기에 고장이라도 난 듯 움찔거렸다. 뭐지? 무슨 일이 일어난 거지? 그저 두 눈만 깜박이며 고장 난 머리로 지금 상황을 이해하려 애썼다. 예, 린아…? 바람이 불어와 내 목소리를 앗아갔다. 네게 닿지 못한 목소리가 공기 중에 흩날렸다. 너에게로 고정된 시선은 움직일 생각을 하지 않았다.

어깨를 부여잡는 손길에도 너는 고개를 들지 않았다. 내 품에 얼굴을 파묻은 채 고개를 저을 뿐이었다. 예린아, 왜 그래. 네가 드디어 고개를 들었다. 나와 마주친 올곧은 시선에 다시금 열이 올랐다. 어쩔 줄을 몰라 허둥지둥거리며 시선을 피했다. 그런 나에 너는 손을 뻗어 내 얼굴을 움켜쥐었다. 두 눈을 동그랗게 뜨며 너를 쳐다보았다. 화나서 그런 건지 붉어진 얼굴로 씩씩거리는 모습이 두 눈에 들어왔다. 왜 화가 났지? 내가 무슨 잘못이라도 했나? 빠르게 머리를 굴려보았지만 짚이는 건 없었다. 평소와 같은 하루, 평소와 같은 일상, 평소와 같은 대화…. 달라진 것 따위는 없었다. 알 수가 없어 당황한 얼굴로 손을 뻗었다. 손가락을 스치고 지나가는 너의 부드러운 머릿결이 느껴졌다.

"…좋아해."

"……어?"

퍼뜩 정신을 차리며 너와 눈을 맞추었다. 지금, 뭐라고…. 좋아한다고. 단호하게 말하는 목소리가 귓가를 웅웅 거렸다. 알고는 있었다고 해도, 지금 이 상황을 머릿속에서 몇 번이나 시뮬레이션 해봤다고 해도 현실로 닥치니 고장이 난 로봇처럼 삐그덕거렸다. 저, 그게, 그러니까……. 잇지 못 하는 말이 점차 작아져 모습을 감췄다. 너는 그런 나를 물끄러미 쳐다보더니 손을 뻗어 내 손을 감싸 쥐었다. 부드러이 그러쥐는 손가락 사이사이 하나마저 꽉 채워주는 온기에 왠지 모르게 안도감이 느껴졌다.

처음 만났을 때부터 너한테 관심이 있어서 다가갔어. 그리고 너도 나한테 관심이 있다고 생각했어. 그래서 네가 나한테 고백하기를 기다리려 했는데…, 너는 늘 나를 바라보지 않았어. 내 주변을 바라볼 뿐이었지. 아, 그게 문제였구나. 머리를 한 대 얻어맞은 듯 멍했다. 일렁이는 너의 눈동자 속에 담긴 내 얼굴에는 당황이 서려 있었다. 나는 너를 기다렸고, 너는 나를 기다렸다. 우리는 서로가 다가와 주기를 기다렸다. 그래서 이렇게 멀리, 빙

돌아왔다. 손을 뻗어 너의 허리를 끌어안았다. 맞닿은 체온이 따스했다.

이제 너만 볼게. 오글거리는 진심을 내뱉었다. 네가 원한다는데 이루어주지 않을 리가 없었다. 처음 만난 그 순간부터 너는 내 전부나 다름없었으니까. 아니, 일부였다고 하더라도 시간이 지난 지금 너는 내 몸과 마음을 점령했다. 네가 원하는 것은 다 이루어줄 수밖에 없도록 설계되어 버렸다. 너는 내 말에 두 눈을 동그랗게 뜨다 점차 환한 미소를 피워냈다. 그럼 이제 우리 사귀는 거야? 피식 웃음을 흘리며 너의 어깨에 얼굴을 묻었다. 웅얼거리는 목소리가 네 살결을 타고 흘러갔다. 응, 우리 사귀는 거야. 등에 닿은 손의 온기가 느껴졌다. 힘을 주어 너를 더 꽉 끌어안았다. 너는 버둥거리지도, 피하려 하지도 않았다. 오히려 나와 마찬가지로 더 꽉 끌어안을 뿐이었다. 새삼스럽게도, 나를 보며 웃고 있는 너는 정말 예뻤다.

***

너와 함께하는 날들은 변하지 않았다. 이전과 비슷했다. 그저 우리 사이의 관계가 조금 더 진전되었을 뿐이었다. 이전에도 마음은 같았고 지금도 마음은 같으니 변하는 건 별로 없었다. 그저 조금 더 당당하게 다녔고, 조금 더 과감한 스킨십을 했고, 나는 너만을 눈에 담고 있다는 것 정도. 자세히 보아야 예쁘고 오래 보아야 사랑스럽다 했다. 스치듯 보기만 해도 예쁜 너를 자세히 보면 심장이 멈추는 것만 같았고, 오래 보면 사랑스러워 미치는 것만 같았다. 그리고 이제 그런 너만을 바라봐야 했고, 계속해서 바라봐야 했다.

마주 잡은 손에 힘이 들어갔다. 따스한 온기가 퍼지며 바람이 서서히 불어왔다. 기분 좋게 살랑거리는 바람이 우리의 사이를 메꿨다. 기뻤다. 좋았다. 솔직하게 말하자면 이전과는 비교도 되지 않을 정도로 기분 좋은 나날들을 보내고 있었다. 어떻게 지금까지 고백하지 않고 버텼는지는 상상도 되지 않을 정도로, 정말 그 정도로 행복한 나날이었다. 계속해서 너를 바라봤으니까. 너만을 보았으니까. 비록 너를 보는 다른 사람들을 견제했다고는 하지만 너만을 마음에 담았다는 사실은 변하지 않았으니까.

매일 너와 함께했다. 하루의 아침을 너와 함께 시작했으며 자기 직전까지 너와 함께했다. 톡 방에 비례하는 하얀색과 노란색의 조화가 마음에 들었다. 얼굴에 띈 미소는 지워질 생각을 하지 않았다. 날마다 구름 위에서 사는 것만 같은 기분이 들었다. 통통 튀는 그 느낌. 부드러운 구름이 나를 감싸 안았다. 이 기분을 계속해서 느끼고 싶었다. 놓치고 싶지 않았다. 손가락에 깍지를 끼고 기도했다. 부디 예린과 앞으로도 계속해서 오랫동안 함께할 수 있게 해주세요. 나는 영원히 예린을 사랑할 자신이 있으니 예린이 저를 영원토록 사랑할 수 있게 해주세요. 부디 그 누구도 이 행복을 앗아갈 수 없도록.

-현수야.

-응, 예린아.

-집 가는 길인데 나 심심해.

-뭐할까?

-전화해줘.

메시지가 오자마자 걸려 오는 전화에 피식 웃음을 흘렸다. 목을 가다듬고 전화를 받았다. 수화기 너머 들려오는 목소리가 예뻤다. 조금 숨이 찬 것 같은 목소리는 분명 방금 들은 것 같은데 이렇게 들으니 사뭇 달게 느껴졌다. 실실 새어 나오는 웃음을 삼키며 너하고 대화를 나눴다. 오늘 하루는 어땠냐는 둥, 밥은 뭐 먹었냐는 둥, 내 생각은 얼마나 했냐는 둥. 맞아, 나 오늘 엘리베이터 고장 나서 계단으로 올라가고 있는데 힘들어 죽을 거 같

아. 그래? 힘들겠다. 시시콜콜하면서도 연인이라고 티를 내듯이 달콤한 말들을 건네고 답했다. 두근거리는 심장박동이 엇박자로 들려왔다. 얼굴에 오른 열이 뜨끈하게 느껴졌다. 손등으로 얼굴에 열을 식히며 너의 말을 들었다.

-응, 힘들어. 우리 집 10층이잖아.

"그러게, 힘들겠다."

-응, 그래도 네 목소리 들으니까 좋다.

"다행이네."

-근데 뭔가 이상해.

"응? 뭐가?"

-계단에서 마치 날 따라오는 것 같은 발소리가….

삑삑거리며 도어락을 누르는 소리가 들려왔다. 문이 열리는 소리와 동시에 말이 끝맺어지지 못했다. 너의 목소리가 들려오지 않았다. 문을 여는 소리와 겹쳐서 그런 거겠지. 그렇게 생각하면서도 불안한 건 다름없었다. 쿵쿵거리는 심장의 박동이 더는 들려오지 않았다. 가슴께를 더듬거리며 심장이 잘 뛰는지 확인했다. 떨리는 입을 겨우 열어 목소리를 끄집어내었다. 성대가 울렁이며 토할 것만 같은 기분이 들었다.

"예린아."

대답이 들려오지 않았다.

"예린아?"

손톱을 물어뜯는 듯 딱딱거리는 소리만이 들려왔다.

"…예린아, 무슨 일이야."

불안감이 스멀스멀 기어올랐다. 발끝에서부터 살며시 기어 올라오는 불안감이 점차 나를 끌어당겼다. 바닥이 늪으로 변한 것만 같은 기분이 들었다. 발목을 집어삼키고 점차 종아리를 빨아들이고 있었다. 예린아, 예린아. 허공에 대고 이야기를 하는 듯 닿지 않는 너의 이름이 버겁게 느껴졌다. 따각 거리며 손톱을 물어뜯었다. 불안감이 온몸을 지배했다. 순간 전화기 너머에서 커다란 굉음이 들려왔다. 벌떡 자리에서 일어나 너의 이름을 외쳤다. 전화의 볼륨을 가장 키워 스피커를 귀에 가져다 대었다.
무언가 깨지고 떨어지는 둔탁하고도 날카로운 소리가 귀를 찔러댔다. 움찔거리며 귀를 떼어내려 한 것도 빈번했다. 애써 고개를 저으며 귀를 더 가까이 붙였다. 저 멀리서 공기를 가르는 너의 비명이 들려왔다. 그와 동시에 전화가 끊어졌다. 아무런 생각도 하지 않았다. 옷도 걸치지 않았다. 슬리퍼를 신을 틈도 없어 신발장을 나설 때 발밑에 있던 신발 하나를 신고 밖으로 뛰쳐나왔다. 구겨진 구두와 맨발의 조화가 도로 위를 뛰어다녔다. 5초 단위로 거친 숨을 내뱉었다. 그 이상 숨을 쉴 여유도 없었다. 폐가 찢어질 듯한 고통과 심장이 터질 것만 같은 기분을 느끼며 달렸다. 멈추지 않았다.
여름의 더운 바람이 뺨을 스치고 지나갔다. 유리 조각과 자갈들이 박힌 발바닥이 따끔거려왔다. 유리 조각이 박혀 상처를 벌려도 멈추지 않았다. 더 빠르게 달릴 생각만 했다. 옆으로 지나가는 택시에 손을 뻗어 잡았다. 안에 타고서 네 주소를 불렀다. 최대한 빠르게 달려 달라고. 신호 어겨도 그냥 다 내가 값 낼 테니 제발 도와달라고. 창문 밖으로 스쳐 지나가는 거리가 불안하게만 느껴졌다. 발바닥에 박힌 유리 조각을 빼낼 생각도 하지 않고 불안감에 다리를 떨어댔다.
도착, 도착이었다. 인사도 건네지 못하고 뒷좌석에 5만 원 4장을 던져 나왔다. 거친 숨을 내뱉으며 네 집을 바라보았다. 왠지 모르게 오늘따라 커다랗게 보이는 네 집이 버겁게만 느껴졌다. 후들거리는 다리를 뻗어 네게로 다가갔다. 하필이면 엘리베이터도 고장이라 계단으로 올라갔다. 몸무게가 실릴 때마다 깊숙이 박혀오는 유리 조각에 미간을 찌푸릴 틈도 없었다. 빠르게 움직이는 다리가 이미 한계치에 달했다. 누군가 옆을 스치고 지나갔다. 비린 향이 났다. 그런데 그걸 신경 쓸 틈이 없었다. 왜 그랬을까. 비린 향이 나는 걸 왜 진즉에 알아차리지 못했을까.

누군지 신경 쓸 겨를이 없었다. 지금 내 머릿속에는 온통 너로 가득했다. 예린이라는 이름만이 머릿속에서 웅웅 거리며 아무런 생각도 하지 못하게 했다. 고통과 두려움이 뒤섞인 머릿속이 멍해졌다. 캑캑거리는 숨은 차마 내쉬지도 못한 채 목구멍에 걸려버렸다. 후들거리는 무릎을 짚고 흐릿한 시야를 선명하게 했다. 애써 숨을 고르며 네 집 문손잡이를 잡았다. 차가운 금속의 감촉이 느껴지며 온몸에 소름이 돋게 했다. 비번을 누르려고 손을 뻗었다. 분명 뻗었다.

덜컥, 문이 열렸다. 왜 문이 열리지? 왜? 왜 왜 왜 왜 왜 왜 왜 왜 왜 왜. 도대체 왜. 왜 그냥 열리는 거야. 이빨을 빠득 갈며 문을 열어젖혔다. 문을 열자마자 그 자리에 주저앉을 수밖에 없었다. 거실 한복판에 널브러져 있는 저게 정녕 네가 맞는 걸까. 덜덜 떨리는 다리는 제 쓸모를 다했다는 듯 마음대로 움직일 생각을 하지 않았다. 거의 기어가다시피 너에게 다가갔다. 천천히 떨리는 손을 뻗어 너를 품에 안았다. 차갑다. 너무나도 차가웠다. 늘 따스한 온기를 지녔던 네가 너무나도 차가웠다. 여름인데 얼음장같이 차가웠다.

예린아, 예린아. 목구멍으로 넘어가는 침과 함께 너의 이름을 삼켰다. 너의 머리를 쓰다듬자 내 손이 붉은색으로 물들었다. 아, 아아……. 미간을 찌푸리며 너의 품에 얼굴을 묻었다. 들이켜는 숨에 너의 체향이 더는 느껴지지 않았다. 예린아, 다시 눈 좀 떠줘. 내 이름 좀 불러줘. 엄지가 너의 입술을 쓰다듬었다. 불그스름했던 앵두 같은 입술에는 핏기가 사라졌다. 떠는 손길로 너의 손에 깍지를 껴 잡았다. 아무런 박동도 온기도 느껴지지 않았다. 너에게 얼굴을 가까이해 입을 맞췄다. 너무나 차가웠다. 아니라고 해줘, 예린아.

이거 다 꿈이잖아. 그렇지? 네가 내 곁을 떠날 리가 없잖아. 그냥, 그래, 네가 나한테 고백한 것부터 꿈이라고 하자. 내가 너의 주변에서 눈을 뗀 게 잘못이니까. 그니까 그때부터 모두 꿈이라고 하자. 제발. 뚝뚝 떨어지는 눈물이 너의 핏물 위로 떨어졌다. 너의 색을 옅게 물들이지도 못하는 나라는 존재가, 너의 아픔을 증표를 옅게 만들지도 못하는 내가 미웠다. 울컥거리는 감정에 너의 품으로 얼굴을 묻었다. 가뒀다. 도대체 누가 너에게 이런 짓을 저질렀을까. 나의 전부인 너에게 무슨 짓을 한 걸까. 눈물이 뺨을 타고 흘러내려 바닥으로 떨어졌다. 아, 예린아. 예린아….

"감히 겁도 없이 누가 네게 이런 짓을 저질렀을까…?"

살며시 너의 차가운 뺨을 쓰다듬어보았다. 내 손에 묻어 있던 너의 혈흔이 너에게 다시금 옮겨갔다. 그런 너를 물끄러미 바라보다 허리를 숙여 너의 볼을 핥았다. 비린 맛이 입안에 가득히 퍼졌다. 그래도 괜찮았다. 너의 맛이었으니까. 너의 모든 것 하나 놓치고 싶지 않았는데 결국 누군가 너를 내게서 앗아가 버렸다. 이빨을 갈았다. 짓이긴 입술 새로 또 다른 비린 맛이 느껴졌다. 번뜩이는 눈빛이 창문에 비쳐 보였다. 창문을 향해 손을 뻗다 그 손을 거두어 내 얼굴을 매만졌다. 붉은색으로 물들어가는 내 얼굴에 표정이 굳어갔다.

우선 신고하는 게 먼저였다. 핏물로 범벅이 된 휴대폰을 집어 들어 112에 신고했다. 범인 좀 제발 찾아주세요. 예린이를 죽인 사람을 꼭 찾아주세요. 예린이의 복수를 할 수 있게. *내가 그를 죽일 수 있게.* 웃는 얼굴이란 가면 뒤에서 진심을 내비쳤다. 예린아, 내가 꼭 복수해줄게. 나의 모든 것을 앗아간 그 인간에게 복수해줄게. 마지막으로 너의 목덜미와 가슴에 한 번씩 입을 맞췄다. 나에게서 멀어지는 너를 보며 멍하니 그 자리에 서 있었다. 투둑, 창문을 노크하는 소리에 시선을 돌려보았다. 반갑지 않은 손님이 찾아왔다.

빠르게 내리는 빗물이 대지를 적셨다. 마치 아까 네 방바닥처럼 적셔져 갔다. 창문에 손을 가져다 대었다. 창가에서 느껴지는 냉기가 너를 떠올리게끔 했다. 으득, 이빨이 갈리는 소리가 들려왔다. 애써 마음을 차분히 가라앉히며 주먹을 쥐었다 폈다. 내뱉는 숨이 떨려오고 있었다. 죽인 사람을 찾는 건 그다지 어렵지 않았다. 나와 예린이 함께하고 나서부터 늘 예린을 따라다녔으니까. CCTV에도 몇 번 포착되었고, 무엇보다 예린의 집을 따라 들어가는 것이 CCTV에 고스란히 찍혀 있었다. 경찰들이 수사를 시작했다. 내가 먼저, 선수를 쳐야 했다.

발걸음을 옮겨 집으로 향했다. 나를 때리는 비는 생각도 하지 않고 그저 걸었다. 오히려 차가운 빗물이 머리를 식혀주는 것 같은 기분도 들었다. 멍하니 걷다 우뚝 멈춰 서서는 하늘을 올려다보았다. 구멍이라도 뚫린 듯, 너의 죽음을 애도하기라도 하는 듯 폭포수처럼 쏟아지는 비가 웅덩이를 자아내고 있었다. 발을 뻗어 웅덩이를 짓밟았다. 발밑에서부터 튀어 오른 물방울들이 바짓가랑이를 적셨다. 눅눅히 살점에 붙어가는 옷이 질척였다. 천천히 떨어지는 발걸음이 무거웠다. 늪지대에 일렁이는 것만 같은 기분. 주변을 둘러보았다. 너는 없었다. 나의 빛인 네가 없었다.

***

집에 도착해서는 온 곳을 뒤졌다. 네가 없는 적막을 참을 길이 없었다. 미간을 찌푸린 채 여기저기를 뒤지며 칼을 찾아내었다. 땡그랑, 바닥에 떨어지는 소리가 낯설게 느껴졌다. 천천히 손을 뻗어 손잡이를 그러쥐었다. 분명 너를 위해 매일같이 잡아 오던 것인데, 이제는 다른 의미로 너를 위해 이 칼을 잡고 있었다. 너를 죽인 놈은 스토커. 나를 만나고부터 생긴 스토커였다. 내 잘못이 아니라는 것은 알고 있지만 나에게로 잘못을 돌려야지만 지금 내가 버틸 수 있을 것 같아서 날카로운 날에 손끝을 대어 보았다. 힘을 주어 누르자 깊이 베인 살에서 피가 새어 나왔다.

투둑, 툭, 바닥으로 떨어지는 핏방울들의 향연이 짙어져 갔다. 멈추지 않고 늘어가는 핏방울의 양이 점차 웅덩이를 자아내었다. 너에 비하면 적은데, 그런데 이 이상 흘려보내면 안 될 것 같았다. 아까부터 뛰어서 그런 건지는 몰라도 지금도 눈앞이 흐려지고 있는데 너만큼 흘리면 어떻게 되겠는가. 따가운 발바닥을 치료할 틈도 없었다. 저벅저벅 걷는 길에 붉은색 꽃이 피어났다. 신발도 제대로 신지 않았다. 어차피 버릴 몸, 끝난 몸. 슬쩍 뒤를 돌아보았다. 네가 없는 적막은 어색하기만 했다. 잘근 씹어진 입술이 부드럽지 못했다. 차라리 아까 전 네 입술이 더, 더….

한 걸음 내딛는 발걸음이 무거웠다. 질척이는 옷이 더 들러붙어 떨어지지 않았다. 샤워한 듯 푹 감아진 머리가 눈 앞을 가렸다. 건물 앞에 멈춰 서자 번개가 내리쳤다. 마치 공포영화의 클라이맥스처럼. 피식 흘기는 비소가 비에 묻어나왔다. 칼을 더 세게 쥐며 건물 내부로 들어섰다. 불빛 하나 없이 어두운 건물의 적막을 깨는 소리가 들려왔다. 저벅거리며 물이 뚝뚝 떨어지는 소리가 들려왔다. 퀴퀴한 냄새가 코끝을 찔러댔다. 미간을 찌푸려지게 하는 냄새. 이제 여기서 죽치고 있으면 되겠지. 경찰들은 범인을 추적하러 갔으니까.

천둥이 건물 내부로 들어왔다. 좁은 길을 울리는 소리가 들려왔다. 동굴에 들어온 듯 웅웅 거리는 이명이 들려왔다. 쾅, 한 번 더 천둥이 쳤다. 번쩍이는 번개의 빛 속 그림자가 졌다. 천천히 고개를 들어 내가 내려온 계단을 바라보았다. 그때 스치고 지나간 사람. 그 사람이 보였다. 비에 푹 젖은 채 나를 내려다보며 미소 짓고 있었다. 그 역겨운 미소에 미간을 찌푸리고 손을 휘둘렀다. 푹, 너무나도 쉽게 내 칼을 받아냈다. 복부를 뚫은 감촉이 느껴졌다. 손을 비틀었다. 칼이 돌아가며 신음을 참는 소리가 들렸다. 뭐지? 무슨 상황이야. 비에 젖은 손이 점차 다른 것으로 질척이고 있었다. 미간을 찌푸린 채 몸을 떼어냈다.

"…시발, 기분 나쁘게."

웃고 있었다. 씩 웃고 있었다. 뭐가 그렇게 기분 좋은 건지 알 수가 없었다. 제 복부를 부여잡으며 울컥거리는 핏물을 목구멍으로 넘겼다. 비틀거리며 난간에 몸을 기대고는 나를 똑바로 바라보았다. 그 눈 속에 담긴 내 모습이 역겨웠다. 그는 비소를 흘리며 점차 말을 건넸다. 예린은 볼수록 아름다운 사람이라 계속해서 끌리게 되었다고. 시선을 뗄 수가 없었다고. 그리고 정신을 차렸을 땐… 이미 늦은 뒤였다고. 그렇게 말하며 그가 눈을 감았다. 뭔, 뭔 개소리야. 그게 어떻게 예린을 살해할 동기가 되는데. 도대체 왜? 어째서?

눈물이 폭포수처럼 흘러내렸다. 빗물과 뒤섞인 눈물이 바닥을 적셨다. 고인 물웅덩이는 눈물인지 빗물인지 핏물인지 분간이 가지 않았다. 허탈했다. 허무했다. 이게 다 뭐지. 예린아, 나는 분명 네 복수를 했다고 생각했는데 왜 이렇게 허무한 걸까. 내 모든 걸 바쳐도 아깝지 않은 너를 위한 일이었는데… 왜 이런 상황이 벌어졌을까. 터덜터덜 건물을 나왔다. 내 발에서 나온 피인지, 그의 피인지 알 수 없는 피가 바닥에 새겨졌다. 빗물이 그를 쓸어갔다. 허탈한 미소를 흘리며 하늘을 눈에 담았다. 눈 위로 떨어지는 빗물이 따갑게 느껴졌다. 빗물이 웅덩이를 자아내고 있었다. 발목을 적시다 못해 점차 깊이 빠져드는 것 같은 느낌. 나를 옭아매어 숨을 앗아가는 것만 같았다. 숨을 내뱉는 것마저 괴로워졌다. 헉헉거리며 내뱉는 거친 숨이 축축한 공기를 채웠다.

사는 게 괴로워졌다. 애초에 내가 너 없는 세상에서 살 수 있을 리가 없는데. 애초에 불가능한 일이었는데. 너를 처음 만난 그 순간부터 네가 없는 세상은 상상도 할 수 없을 정도로 너로 가득 찼는데. 내 인생이 너로 물들었는데. 그런데 이제 내 인생인 네가 없었다. 내 세상인 네가 없었다. 나의 신, 나의 모든 것이었던 예린이 더는 이 세상에 존재하지 않았다. 나의 신이 겨우 저딴 것한테 죽어버렸다. 웅웅 거리는 이명이 시끄러웠다. 쿵쾅 거리는 심장이 튀어나올 것만 같았다. 덜덜 떨리는 손이 네가 없어 일어나는 강박증으로 느껴졌다. 헛웃음이 새어 나왔다. 아, 예린아 그냥 나도… 네 곁으로 가는 게 좋겠어.

망설임 틈도 없었다. 네가 없는 세상은 내게 있어서 아무것도 아니었으니까. 가슴을 관통하는 날카로운 금속의 감촉이 생생하게 느껴졌다. 빗물에 의해 씻겨져 내려가는 핏물이 눈에 아른거렸다. 숨이 거칠어지며 눈앞이 흐려졌다. 차가운 아스팔트 바닥에 쓰러져 내 피가 빠져나가는 장면을 생생히 지켜보았다. 천천히 내리감는 시야 새로 네가 보이는 것만 같은 착각이 일었다. 아무리 손을 뻗어보아도 네게 닿지 않았다. 아른거리는 네 모습이 점차 흐려질 뿐이었다. 온몸에 힘이 빠져나갔다. 툭 떨어진 손을 맞잡아주는 사람은 없었다. 아, 예린아. 어차피 이렇게 끝날 거였다면…… 마지막까지 너를 좀 더 자세히 보다 갈 걸 그랬나 봐.

제2화 갇힌 시간 속에서

깜박, 서서히 눈을 떴다. 눈을 뜨자 보이는 것은 아무것도 없었다. 그저 어둠. 그 하나뿐이었다. 빛 하나 없는 캄캄한 어둠은 내 손마저 보이지 아니하게 하였다. 아무리 손을 쥐락펴락해봐도 그 행위가 느껴질 뿐 눈에 보이지는 아니하였다. 한 치 앞도 보이지 않을 정도로 어둠으로 가득하였다. 나는 누구이며, 어찌하여 이곳에 있는 건지 알 수 없었다. 그저 내가 기억하는 것은 오로지 둘뿐. 내 이름인 청운과 누구의 성함인지 알 수 없는 화연이라는 함자였다. 화연, 화연…. 누구의 것인지도 모를 함자를 몇 번이고 외며 이곳에서 시진을 보내었다. 그것이라도 하지 아니하면 머저리가 되어버릴 것만 같았다. 두 눈을 깜박이다 후에는 그도 포기하였다. 어차피 감으나 뜨나 똑같은 것을 굳이 힘쓰고 싶지 아니하여 그러하였다.

얼마만큼의 시진이 흘러갔는지 알 수 없었다. 이곳에서는 아무것도 느껴지지 아니하였으니 그 또한 감각이 없었다. 내가 어찌하여 이곳에 있는 건지 알고 싶었으나 기억이 없으니 그 또한 알 길이 없었다. 애당초 이승이 맞는 건지 의구심이 들었다. 답답할 뿐이었다. 화연, 화연. 하도 부르다 보니 입에 붙은 성싶었다. 부를 때마다 영 낯설지 않은 것이 자주 부른 것 같기도 하였다. 잠시 고뇌하다 한 번 더 입 밖으로 내보았다.

"…화연 아씨."

그러자 거짓처럼 눈앞이 개었다. 빛이 들어오기 시작하였다. 멍하니 그 빛을 따라 걸었다. 무작정 앞으로 걷기만 하였다. 따스한 빛이 내 온몸을 감싸였을 때, 눈을 감을 수밖에 없었다. 눈을 뜨자 보이는 것은 왠지 모르게 익숙한 낯이었다.
"누, 누구세요?"
가냘픈 목소리가 귓가를 울려대었다. 그 주변에서는 빵빵거리는 소음이 귀를 뚫고 지나갔다. 욱신거리는 머리와 귀에 눈살을 찌푸리었다. 낯선 것들 사이 유일하게 익숙한 낯이었다. 그 낯은 나를 걱정하는 듯싶었다. 살짝 미간을 좁힌 채 나를 이리저리 살피다 허리를 펴고 내려다보았다.
"다친 곳은 없는 것 같네요."
그러며 자리를 뜨려는 듯싶어 급히 손목을 잡았다. 나 또한 왜 그러하였는지는 몰랐다. 그녀가 놀란 듯 돌아보자 그제야 정신을 차리고 잡았던 손목을 놓았다. 어딜 가녀린 처자의 손목을 함부로 낚아채었는가. 차림새를 보아하니 낮은 신분도 아닌 것 같거늘. 불경죄로 잡혀가고 싶은 것인지 억제하지 못한 나 자신을 스스로 타박하였다.
무슨 일이 있는 것이냐며 묻는 그녀의 걱정 어린 목소리에 입을 붙였다 떼기를 반복하였다. 무엇을 말해야 하는 것일까. 아무런 기억이 없는데 당신의 낯만큼은 익숙하여 도움을 청할 수 있겠냐고? 광인 취급할 것이 분명하였다. 머리가 굴러가지 아니하였다. 애당초 머리가 좋았으면 과거를 보고 관직을 받았을 터였다. 그러고 보니 나는 무엇이었기에 과거를 보지 않았던 것인지 기억나지 아니하였다. 글자를 안다는 것은 어느 정도 지식은 있는 것인데. 기억이 흐리멍덩하였다. 마치 산에 안개가 낀 듯 기억날락 말락 하는 것이 기묘하기도 하고 답답하기도 하였다.
"도, 도와주시오."
"네?"
그녀의 동공이 좌우로 흔들렸다. 어찌할 도리가 없었다. 낯선 곳에 홀로 떨어진 내가 할 수 있는 것 따위는 없었다. 평민은 아닌 듯하니 자비를 베풀어준다면 허기를 달랠 수 있을지도 모르는 일이었다. 그녀는 잠시 고민하는 듯하더니 떨떠름한 표정을 감추지 못하면서도 고개를 끄덕이었다. 마음씨가 선한 이인 듯하였다. 낯선 이에게 도움의 손길을 건네는 것은 쉬이 할 수 있는 일이 아니니. 화연 아씨가 그러했던 것처럼….

한데 대관절[1] 화연 아씨라는 이는 누구인 것일까. 누구이기에 이리도 그리운 감정이 사무치게 드는 것인지. 가슴께에 손을 얹고 중얼거려 보아도 알 수가 없었다. 가슴의 아릿함을 저 너머에 묻어둔 채, 그녀의 뒤를 따를 수밖에 없었다.

***

"이곳은…?"

낯선 장소에 주변을 둘러보았다. 온통 알 수 없는 해괴한 것들로 가득 차 있었다. 이질감은 자연스레 미간을 찌푸리게 하였다. 그녀는 나를 의자라는 곳에 앉히어놓고는 탁한 푸른 옷을 입고 있는 이들에게 가 말을 건네었다. 그들이 그녀와 대화를 나누며 손을 움직일 때마다 타닥거리는 소리가 들리어 왔다. 그들의 모습이 참으로 군관 같기도 하였다. 믿을만한 자들일까, 손가락을 꼼지락대며 그녀의 뒷모습을 올려다보았다. 그 순간 그녀가 몸을 돌려 눈이 마주치었다. 순식간에 공기가 굳었다. 우리는 서로에게서 먼저 시선을 거두지 못하였다. 이전에도 이런 적이 있었던 것 같았다. 아니, 정확히 말하자면 이 반대의 모습. 그러니까 내가 내려다보고, 그녀가 올려다보던 때.

그녀의 머리카락은 지금과 달리 길었고, 허리춤까지 내려온 채 땋은 상태였다. 오색 빛 한복을 입고 있었고, 작게 찢어진 눈매가 날카로웠다. 지금과 똑 닮은 얼굴이 그때는 더 앳돼 보이었다. 장작을 패느라 땀을 뚝뚝 흘리고 있던 때, 그녀가 뚱한 표정

[1] 대관절: 여러 말 할 것 없이 요점만 말하건대. 도대체.

으로 수놓은 천을 내밀었다. 왜 그런 표정을 지었는지는 알지 못하였다. 다만 작은 눈 속에 비친 내 얼굴이 참으로 이상한 낯이었다는 것만은 알 수 있었다.

이게 웬 것이냐 묻자 그녀는 아니, 화연 아씨는 새침하게 고개를 돌리었다. 그 천을 받아든 채 가만히 아씨를 바라보았다. 제게 주시는 겁니까? 여쭙는 말에 화연 아씨는 날카로운 어투로 말하였다. 그럼 네게 주었겠지, 누구에게 주었겠느냐? 살짝 돌아간 고개, 그 새로 나를 쳐다보는 시선, 새침하게 낀 팔짱까지. 주인마님이 아시면 경을 치실 것이 분명하였지만 그때 화연 아씨의 모습은 누구나 웃음 짓게 만들었을 터였다. 피식, 바람을 타고 흘러가는 웃음이 화연 아씨께 닿았다. 그러한데 아씨는 그것이 참으로 못마땅하였던 모양이다.

아씨는 슬쩍 나를 쳐다보다 답답하다는 듯 손을 내밀었다. 그 위에 천을 얹자 내게 손가락질하였다. 살짝 무릎을 굽혀 아씨와 시선을 맞추자 그녀는 손을 뻗어 천으로 친히 내 낯을 닦아주었다. 이전까지만 해도 말 한 번 제대로 섞어보지 못한 아씨였는데, 갑자기 이런 호의를 베푸니 당황스러웠다. 살짝 달아오른 낯은 아마 장작을 팼기 때문이었으리라.

"아, 아씨, 손이 더러워지십니다."

"손이야 씻으면 그만이다."

"저도 씻으면 됩니다. 분명 주인마님께서 아시면 경을 치실 텝니다. 이러시면 아니 됩니다."

"너는 혼나지 않을 것이다. 내 그리하마."

"하나…."

더는 듣지 않겠다는 듯 고개를 휙 돌려버린 아씨에 입을 닫을 수밖에 없었다. 미천한 내가 어찌 아씨의 심기를 거스를 수 있었겠는가. 나는 그저 아씨의 뜻을 따라 그녀의 손길을 받아낼 뿐이었다. 하나 심려가 쌓이면 화를 불러일으키는 법, 그 일은 주인

마님의 귀까지 들어가 볼기짝[2)]을 맞았다. 물론 아씨께서는 전해지지 아니하였다. 이 일은 암암리에 묻히었으니.

그다음 날은 욱신거리는 허리를 부여잡고 달달 떨리는 다리를 붙들었다. 아씨께 걱정을 끼치지 아니하기 위해 노력하여야 하였다. 심호흡하며 자리에서 일어섰다. 그런데 그런 나를 아씨가 보고 있었다. 알아차리자마자 깜짝 놀라 그 자리에 주저앉을 뻔하였다. 아, 아씨? 내 부름에 아씨는 마루로 모습을 드러내었다. 하나 아씨는 내 손을 붙잡고 다시 방으로 들어갔다. 불 꺼진 방에 들어가 나를 물끄러미 올려다보는 낯에 몸 둘 바를 몰랐다. 미천한 신분으로 감히 아씨를 내려다보고 있다는 것부터 말이 되지 아니하였다. 있어서는 아니 되는 일이었다.

"아, 아씨. 남녀칠세부동석이거늘 어찌하여 저같이 미천한 것과 한방에…."

"그 입 다물지 못할까. 바지춤이나 내려보거라."

순식간에 입이 다물어졌다. 더는 말을 할 수 없었다. 조용히 바지춤을 내리자 아씨는 핏줄이 다 터져 붉어진 다리를 보며 혀를 찼다. 쯧, 그 소리에 나도 모르게 움츠러들었다. 아씨는 소매에 있던 연고를 꺼내더니 내 다리에 살살 발라주었다. 아씨께 묻고 싶었다. 아씨는 어찌하여 제게 이런 호의를 베푸시는 것인지, 지난 삼 해 간 아는 체도 하지 않으시더니 갑작스레 이리 허울없이 구시는 건 어떤 연유에서인지, 고작 노비가 맞은 것일 뿐인데 그리도 가슴 아린 낯을 보이시는 건 어찌하여서인지, 왜 자꾸만 삼 해 전에 접은 마음을 흔드시는 것인지….

그래, 내 눈앞에 있는 그녀는 화연 아씨와 닮았다. 내가 그 암흑 속에서 외던 함자는 연모하던 이의 함자였다. 닮은 이를 마주하자 알 수 있었다. 눈이 마주치었음에도 시선을 뗄 수가 없었

[2)] 뒤쪽 허리 아래, 허벅다리 위의 양쪽으로 살이 두둑한 부분. 둔부(臀部).

다. 내 눈앞에 있는 그녀와 화연 아씨가 닮았다는 것을 알고 나서부터. 그 순간부터 두근거리기 시작한 심장박동이 점차 거세지는 것을 느끼었다. 가슴께를 부여잡은 채 살짝 고개를 숙이었다. 차마 그녀를 계속해서 바라볼 수가 없었다. 더 바라보다가는 심장이 터질 것만 같아서, 화연 아씨와 입을 처음으로 맞췄던 그때 그 기억이 안개가 걷히면서 새록새록 떠올라서.

아씨는 연고를 바르다 말고 나를 물끄러미 바라보았다. 괜찮냐 묻는 말에 고개를 끄덕이자 갑작스레 멱살을 잡아당겨 입을 맞추었다. 그 기억을 어찌하여 잊고 있었는지, 어찌하여 잊을 수 있었는지. 아직도 그날 일만 생각하면 가슴이 터질 것만 같고, 심장은 거세게 뛰며 얼굴은 새빨갛게 달아올랐다. 금시 생각해보아도 내가 백일몽을 꾼 것은 아니었을까 하며 의구심이 든다. 마치 홍당무가 된 듯 붉어진 얼굴을 매만지다 어깨를 톡톡 치는 손길에 고개를 들었다. 그녀였다.

"저, 이름이 뭐예요?"

"제 이름…… 청운입니다."

그녀는 내 이름을 듣자 볼일이 끝났다는 듯 아무런 미련도 없이 몸을 돌리었다. 애당초 처음 본 이에게 무슨 미련이 있겠냐마는. 그러고는 아까 그 푸른 옷을 입고 있는 이들에게 가 다시금 이야기를 나누었다. 무슨 이야기를 이토록 오랫동안 하는 것인지, 그녀의 표정에 어찌하여 당혹이 서렸는지 알 수 없었다.

"당신…… 누구예요?"

***

처음부터 청운이라는 이름이 있던 것은 아니었다. 노비에게 이름이라니, 과분한 것이었다. 내게 이름을 칭하여 주신 것은 당연지사하게도 화연 아씨였다. 첫 입맞춤 이후, 우리는 누가 뭐라

할 새 없이 정인이 되었다. 정인이 되자 연심을 고백한 것은 아니었으나 서로 느낄 수 있었다. 서로가 서로에게 연심을 품고 있다는 것을. 아씨를 책임질 여력은 없으나 최선을 다하겠노라 결심하였다. 아씨는 내게 이름을 물었다. 그러나 대답할 이름 따위 없었기에 차마 답하지 못한 채 침묵을 유지했다. 그에 내 처지를 알아차린 아씨는 직접 이름을 내려주셨다. 청운, 성은 없었으나 그것이 더 마음에 들었다. 노비에게는 과분하지만 어디에도 귀속되지 아니하는 느낌이 들어서였다. 스스로 귀속될 곳을 정할 수 있을 것만 같아서, 나는 귀속될 곳이 화연 아씨의 곁이기를 바라서. 화연 아씨께서 이름을 내려주셨을 때는 날아오를 듯이 기뻐, 그녀를 안고 마당 한 바퀴를 돌았다.

둘만 있을 때는 늘 이름으로 불리었다. 내가 바란 것은 아니었으나, 화연 아씨가 그러기를 바랐다. 물론 나는 아씨를 붙였지만 말이다. 아씨는 마음에 들지 아니하는 듯하였으나 이내 타협하였다. 화연 아씨, 처음 그 함자를 불렀을 때 아씨는 천지 만물을 다 가진 듯이 웃으시었다. 그 환한 미소에 나도 덩달아 웃을 수 있었다. 아씨는 천지를 다 가진 듯이 웃었더라면, 나는 그 천지를 가진 아씨를 가진 듯하였으니.

아씨는 얌전한 것은 아니었으나 몸짓과 말투 하나하나에 기품이 숨어있었다. 아씨의 머리칼은 검은빛의 윤기가 도는 것은 아니었으나 비단결같이 고왔다. 아씨의 피부는 백옥같이 흰 것은 아니었으나 갓 태어난 아이처럼 부드러웠다. 아씨의 눈은 컸으나 고이 접어 미소 지을 때면 옆 마을 팔방미인 김씨네 처녀 뺨칠 듯 아름다웠다. 아씨의 입술은 작았으나 사과를 품은 듯 붉었다. 아씨의 뒷모습 한 번 보려 옆 고을에서까지 오기 마련이었다. 그러면 아씨는 직접 '웬 잡것들이냐, 썩 물러가지 못할까!'하며 쫓아내기 일쑤였다.

호다닥, 꽁무니 빠지게 도망치는 도령들의 뒷모습을 볼 때면 왜인지 기분이 좋지 아니하여 빗자루로 그들이 있던 길가를 쓸곤 하였다. 그러다가도 그런 나를 발견하여 아씨께서 아까 그 사내를 대할 때와는 달리 웃는 얼굴로 내게 다가오시면 환히 미소짓곤 하였다. 그 또한 내가 느낄 수 있는 가장 큰 행복이었다.

가끔은 달빛밖에 없는 깊은 밤에 단둘이 밀회를 가지기도 하였다. 모두가 잠들었을 인시[3]에 아울러 뒤뜰에 가 꽃을 구경하기도 하며 풀벌레의 연주를 듣기도 하였다. 함께 있다는 것 자체로도 행복한 나날이었다. 내가 글을 배우고 싶다 하니 아씨께서는 초와 서책을 가지고 나와 글귀를 읊어주기도 하였고, 내게 종이와 붓, 먹을 주어 글을 쓰게도 하였다. 나 같이 미천한 이에게 넓은 아량을 베푸시어 그리도 귀한 것들을 선뜻 내어주시니 감사하면서도 죄송스러운 마음뿐이었다. 내가 아씨께 돌려드릴 수 있는 것이라고는 이 몸뚱이밖에는 없었으니.

이런 마음을 아씨께 말하여 보아도 그 몸이면 충분하다 하였을 것이 분명해 차마 말하지 못하였다. 아씨께서는 선한 이였다. 본인은 그리 생각하지 않으셨을지도 모르지만, 선천적으로 선하였다. 아씨께서는 불운에 처한 이를 그냥 지나치지 못하였고, 도움이 필요한 이에게 아량을 베풀었다. 가끔은 그저 내가 불쌍하여 아씨의 눈에 들었고, 옆에 있다 보니 아씨께서 안타까움과 가련함, 동정을 연심으로 착각한 것이 아닌가 하는 생각이 들었다. …그러면 어떠하리, 기이 아씨를 놓을 수 없었다. 인간의 욕기, 이기적인 마음이었다.

"청운아."

직접 내려주신 나의 이름을 아씨가 부를 때면 천하가 내 품으로 들어온 듯하였고.

"무얼 하느냐."

나에 대해 궁금해할 때는 나만을 향해 있는 그 눈을 독차지하

---

3) 인시: 24시간 가운데에서 다섯 번째 시간. 새벽 3시 반부터 4시 반까지를 말한다.

고 싶었으며.

"나를 보아라."

살며시 얼굴을 붉히며 시샘하는 것도, 여인의 미덕을 어겼지만 그리 아름다울 수 없었다. 그러면 나는 아씨 외엔 그 무엇도 볼 수 없었다. 아무것도 허락되지 아니하였다. 허리를 숙인 내 뺨 위에 아씨가 제 손을 얹으면 그 온기가 내게 전해져왔으며, 살며시 허리를 숙여 입을 맞추면 그 부드러움이 느껴지었다. 당장에 죽어도 여한이 없을 정도로 행복하였던 그 시절이 이제는 아득히 먼 옛날로 느껴지었다. 지금 내 눈앞에 있는 이는 아씨가 아닌, 아씨와 닮은 외관을 지닌 다른 여인이었으니.

"말씀드렸지 아니합니까. 청운이라 하옵니다."

"청운이라는 이름을 지니고 당신과 같은 얼굴을 한 사람은 존재하지 않아요. 게다가 성은 뭔데요?"

"성은 존재하지 아니합니다."

"아니, 그러니까…."

어찌 보면 당연한 일이었다. 청운이라는 이름은 아씨께서만 아는 이름이었으니, 이들이 들어봤자 알 수 있을 턱이 없었다. 그러하다 하여 저리도 두려운 표정으로 나를 볼 것은 무엇이던가. 내가 저들에게 해를 끼칠 것처럼 보였던 것일까. 혹여나 그럴까 싶어 살짝 뒤로 물러서며 손을 내저었다.

"제게는 아무런 힘도 없소이다. 불경죄를 저지르지도 않았으니, 그런 표정 짓지 마시지요."

그리 말하여도 그들의 표정은 바뀌지 아니하였다. 큰일이라도 벌일 듯한 표정이 꽤 심기를 거슬리게 하였다. 도움을 구한 것은 나라고 하지만, 인의[4]를 갖추지 못한 듯하여 믿음직스럽지 아니하였다. 자리를 뜨는 것이 좋겠다 생각되어 결국 그 자리에서 일어설 수밖에 없었다. 그러자 그녀는 당혹감을 감추지 못한 채 나

4) 인의: 사람으로서 마땅히 행하여야 할 도리.

를 따라나섰다.

"저, 잠시만요."

"무슨 일이시온지요."

"당신… 숨기는 게 있는 것 아닌가요? 말해봐요. 힘이 닿는 한 도와줄 테니."

"없사옵니다. 그럴 연유조차 있지 아니하고요."

"…아까부터 궁금했던 건데, 그 말투랑 옷 혹시 컨셉인가요?"

"컨셉이…… 무엇이죠?"

알 수 없는 단어들이 귓가에 나열되었다. 의아하였다. 고개를 갸웃거리자 그녀는 잠시 머뭇거리었다. 빠끔거리며 떨어진 입이 무거워 보이었다. 정말, 아무것도 모르는 표정이네요…. 살짝 떨어진 고개가, 벌어진 입술 새로 바람이 새듯 흘러나오는 말이 내게 닿을락 말락 하였다. 그녀는 잠시 고민하는 듯하다가 내 눈을 똑바로 바라보았다.

"당신, 지낼 곳 없죠? 나 따라와요."

당차게 말하는 그녀의 모습에, 나는 또 화연 아씨를 빗대어버리었다. 자신감 넘치는 표정이, 올곧게 바라보는 눈빛이, 그 모든 것이 화연 아씨를 떠올리게 하였다. 그래서 그러하였다. 그녀가 내민 손을 살 떨리는 느낌을 주지 않도록 살며시 붙잡고, 그녀가 이끄는 대로 따른 것은.

아아, 화연 아씨. 당신께서는 어찌하여 내가 당신에게서 벗어나지 못하게 하시덥니까. 당신은 진정 나를 놓아줄 생각이 없으시덥니까. 대관절 당신은 무엇이기에, 나 스스로 당신에게 얽매여 있게 하시덥니까….

***

화연 아씨는, 당찬 이였다. 여인의 미덕을 어겼을지언정 그 누구도 타박하지 아니하였으며, 오히려 남들의 시선을 끌게 만드는 매혹적인 이였다. 기녀(妓女)가 되었더라면 미색으로 천하를 다스릴 상이었으며, 사내였더라면 그 위엄으로 천하를 통치할 상이었으며, 시대를 타고났더라면 여인의 몸으로 하고자 하는 일을 모두 해낼 상이었다. 아씨는 저가 여인이라는 것을 애통해하고는 하였다. 나의 지독한 이기심이라 차마 입 밖으로 꺼내지는 못하였건만, 나는 아씨가 여인이라 다행이라 생각하였다. 아씨의 진가를 알아보는 사람은 나밖에 없다는 것에, 아씨가 사내가 아니어 나와 만날 수 있었다는 것에.

아씨는 가끔 마루에 걸터앉아 하늘을 바라보고는 하였다. 별을 바라보며 그 별들을 손으로 잇다 문득 나를 보며 고개를 괴었다. 살포시 올라간 입꼬리와 대비되게 처진 눈이 서글픈 분위기를 자아내었다. 차마 무슨 일이 있냐 묻기 저어하여[5] 여쭐 수 없었다. 장옷[6]을 가져와 아씨에게 덮어줄 뿐이었다.

"밤바람이 찹니다, 아씨. 장옷이라도 걸치시지요."

그러면 아씨는 살짝 고개를 까닥이며 그전보다 더 서글픈 미소를 흘리었다. 아니, 고개를 숙인 탓에 그림자가 져 그러하였을지도 모르겠다. 그저 내 눈에는 그리 보이었다.

"고맙구나."

손에서 스르륵 빠져나가는 장옷의 스침이 간질거렸다. 아씨를 꽉 껴안고 싶었다. 아씨가 내게 기대기를 바라였다. 과한 욕심이었다. 무릇 인간의 욕망이란 끝이 없는 것이라고들 하였다. 아씨와 함께하는 것만으로도 감사해야 할 따름인데, 나라는 인간은 그보다 더 많은 것을 바라였다. 주춤거리는 손끝이 아씨의 머릿결에 닿았다. 아씨는 알아차리지 못한 듯하였다. 차마 더 뻗지 못한 손을 거두었다. 아씨가 먼저 나를 원하기 전까지 내가 원해

---

5) 저어하다: 두려워하다.

6) 장옷: 예전에, 부녀자가 나들이할 때 얼굴을 가리느라고 머리에서부터 길게 내려쓰던 옷.

서는 아니 되었다.

탐욕적인 어두운 마음을 은닉하며 애써 심신을 다스리었다. 아씨의 마음, 몸짓, 숨결 하나하나 모두 내 것이 되기를 바라였다. 품어서는 안 되는 마음을 품고 독기를 내뿜었다. 저 보드라운 입술에 입 맞추며 나만을 바라보라 하고 싶었다. 나만을 입에 담으라고 하고 싶었다. 나만을 위해 노래하라 하고 싶었다. 차마 내뱉을 수 없는 말을 애써 목구멍으로 억누르고 짓누르고 삼키었다. 피비린내가 목구멍에서 진동하는 기분이었다. 역류할 것 같은 숨을 참았다.

"아씨…."

욕망이 결국 참지 못하고 흘러나와 마음 한구석을 적시었다.

"…제가 감히 당신께 입을 맞추어도 되겠습니까."

"허하마."

작게 미소 지으며 허락하는 아씨에 떨리는 숨을 가다듬고 입을 맞추었다. 아씨의 숨결이 내게 닿자 심장이 떨어질 것만 같은 기분이 들었다. 애써 호흡을 고르고, 손의 떨림을 감추며 아씨에게 입을 맞추었다. 고개를 비틀 때마다 적나라하게 느껴지는 촉감에 눈을 감았다. 숨이 젖고, 입술이 젖고, 눈빛이 젖었다. 서로를 끈덕지게 바라보며 탐하고자 하는 욕망이 피어올랐다. 가장 가까이 있음에도 서로가 부족하여 탐하는 것이 참으로 욕망의 덩어리인 듯싶었다.

하나 아씨, 제가 그런 당신의 모습을 보며 기뻐했다는 사실을 알게 되신다면…… 당신은 웃으시겠습니까, 화를 내시겠습니까?

***

"…이것이 그러, 그러니까… 제가 생각하는 것이 맞사옵니까?"

"뭘 생각하셨는데요?"

"그, 그러니까… 저희가 같은 처소에서 지낸다는……."
"맞는데요?"
"나, 남녀칠세부동석이거늘, 어찌 혼례도 치르지 않은 처자가 외간 남성을 홀로 사는 처소에 들인단 말입니까?"
낯에 열이 오른 것이 느껴지었다. 어찌 아씨와 유사한 외관을 지니고, 성질도 유사한 것만 같은지. 자꾸만 그녀와 아씨를 겹치어 보게 되는 것 같았다. 기억 저편에서 아씨에 대한 기억이 한 아름씩 떠오를 때마다, 그녀와 아씨가 겹쳐 보일 때마다 자꾸만 그녀에게 다가가고 싶어졌다. 아니 된다는 것을 알고 있음에도, 그녀는 아씨가 아니라는 것을 알고 있음에도 마음 한구석에서 아씨를 그리는 마음이 멋대로 허튼 마음을 품었다. 내가 역겨웠다. 이런 사내와 한 지붕 아래에서 지낸다는 것은 말도 아니 되는 일이었다. 그녀를 위해서도, …나를 위해서도 한 지붕 아래에 있는 것은 피하는 것이 옳았다.
하나 그녀는 아무렇지 않은 성싶었다. 의문이 가득한 눈동자로 고개를 갸웃거리는 것이 아씨가 새로운 것을 발견하여 호기심 가득한 눈동자로 나를 쳐다보던 것과 유사하였다. 문득 아씨가 생각나 웃음을 흘리는 것도 잠시, 마주친 시선에 몸이 굳었다. 어, 어찌 그리 보십니까? 내 물음에 그녀는 어깨를 으쓱이었다. 내민 손을 물끄러미 바라보고만 있자 잡으라는 듯 까닥이었다. 남녀가 유별나거늘, 어찌 이리도 스스럼없이 구는 것인지 알 수 없었다. 이마저도 아씨와 닮아 귀 끝에 열이 오르는 것만 같은 기분이었다.
"그러고 보니 우리 통성명도 안 했잖아요. 물론 저는 그쪽 이름 알지만, 그쪽은 제 이름 모르니까."
"아…… 그러하군요. 함자를 여쭈어도 되겠습니까?"
내 물음에 그녀는 무릎을 모아 끌어안았다. 그러고는 그 무릎에 얼굴을 기대며 나를 비스듬히 쳐다보았다. 그녀의 시선이 닿은 곳에서 열이 나는 것만 같았다. 마음에 든다는 듯이 미소 짓는 것이 퍽이나 고왔다. 분칠하지 않았음에도 보드라워 보이는 얼굴과 비단결같이 고운 머릿결, 오밀조밀 작은 눈과 입. 참으로 이상한 여인이었다. 옷차림을 보지 않았더라면 아씨라고 단단히 착각할 수 있을 정도로 아씨와 닮은 이.

"서연화라고 해요. 편하게 연화라고 불러줘요."

"연, 화……."

어찌하여서 그녀의 이름을 입에 담는데, 아씨의 생각이 나는 것인지. 연화는 내 말에 싱긋 미소 지었다. 그 미소가 참으로 아씨가 생각나게 하는 미소라, 나도 모르게 눈물을 흘리고 말았다. 사내대장부로 태어나 눈물을 보이다니, 수치스러운 일이었다. 연화는 놀란 듯하더니 급히 뒤지[7]로 보이는 것을 가져다주었다. 뒤지를 건네받아 눈가를 닦아내었다. 다행히 흘린 수준이라 많이 묻어나오지는 아니하였다. 괜히 여인의 앞에서 눈물을 보인 것이 부끄러워져 헛기침만 해대었다.

"흠, 흠. 저는 청운이라 불러주시면 됩니다."

"그래요, 청운."

울음기 때문에 살짝 새버린 발음을 타박하지 아니하였다. 별것도 아닌 일 가지고 또 아씨가 생각나 울컥, 마음을 꾹꾹 억눌러 겨우 눈물을 참을 수 있었다. 진정 아씨가 보셨더라면 뭐 그까짓 일로 눈물을 흘리며 웃으시었겠지만, 내게 미소 지어줄 아씨는 곁에 있지 아니하였다. 그 사실이 가슴에 와 닿는 것 같아 눈시울이 또 뜨거워지었다. 내게 눈물이 이리도 많았던가, 새삼스레 놀라운 사실이었다. 아씨가 그리운 밤이었다.

***

[7] 뒤지: 밑씻개로 쓰는 종이.

타닥.

타닥.

…운.

무슨 소리가 들리는 것 같은데, 눈앞은 칠흑 같은 암흑뿐이었다. 아니, 내가 뜨지를 못하는 것인가?

…눈을…… 라.

익숙하고도 그리운 목소리였다. 나는, 나는 분명 이 목소리를 알고 있을 터인데. 그러니 이리도 눈시울이 뜨끈하게 열로 차오르고, 금방이라도 눈물을 터트릴 수 있을 것만 같고, 이토록 사무치게 그리운 마음이 드는 것일 터인데. 지금 당장이라도 눈을 떠 이 목소리의 주인을 눈에 담고 싶은데 떠지지 않았다.

눈을 뜨란 말이다, 청운!

허억! 거친 숨을 내뱉었다. 땀으로 푹 젖다 못해 흘러내리는 것이 비가 내리는 듯싶었다. 이불은 땀으로 다 젖어 축축하였고, 베개는 눈물인지 땀인지 분간도 가지 않았다. 땀에 젖어 눌어붙은 머리카락을 손으로 쓸어 넘겼다. 하아……. 깊은 한숨을 푹 내쉬며 마른세수했다. 이맘때쯤 되면 자꾸만 이 악몽을 꾸었다. 대 가옥[8]이 커다란 불에 휩싸여 잡아먹히고, 사람들의 비명이 속속히 들려왔다. 그 가운데서 가장 명확하게 들려오는 한 여인의 목소리, 그립고도 익숙한 그런 목소리. 추측건대 아마 화연 아씨일 터였다. 익숙한 가옥, 그 가옥에서 나의 이름을 아는 이는 화연 아씨 외에는 없었으니. 아씨의 부름에 눈을 뜨면 사방은 온통 불기둥이었으며, 아씨의 모습은 불에 녹아 형체를 알아볼 수도 없었다. 그러면 나는 땅속으로 꺼져 다시금 아무것도 볼 수 없는 어둠 속으로 빨려 들어갔다.

"또 악몽 꿨어?"

"아…… 네."

---

8) 가옥: 사람 사는 집

연화와 함께 지낸 지도 어언 삼 해가 흘렀다. 연화는 익숙하다는 듯 수건을 가지고 와 내 땀을 닦아주었다.

“생일마다 이러니 마음이 아프다.”

“괜찮아요. 연화가 챙겨주니까.”

내 미소에 연화는 피식 웃음을 흘렸다. 노비 신분이라 본디 태어난 날을 자세히 알 수 없었는데, 여기에 오니 더 알 수 없어 내가 온 날을 기점으로 챙겨주었다. 그리고 그날을 기점으로 나는 해마다 악몽을 꾸었다. 악몽을 꾸고 나면 꼭 몸살을 앓았다. 열이 펄펄 끓고, 눈앞이 흐려지고, 몸을 가누기도 힘들 정도로 비틀거리었다. 생일이라고 칭하기는 하였지만 정작 제대로 보낸 적은 단 한 번도 없었다. 연화랑 있을 때뿐만이 아니라, 화연 아씨랑 아울러 있을 때도.

연화에게는 내 사정을 모두 말하였다. 믿는 눈치는 아니었으나, 잠시 지내보니 내가 그리 나쁜 사람이 아니라고 생각하였는지 내가 있는 것을 허락해주었다. 연화도 회사에서 연차가 쌓여 있는 덕에 객식구 하나 먹여 살리는 일쯤은 어렵지 않았다. 물론 노비로 생활했던 덕에 집안일에 어느 정도 일가견이 있는 것도 내가 머물 수 있는 것에 한몫하였다. 연화랑 지내는 것은 즐거웠다. 가끔 연화를 아씨에 이입하여 본 적이 단 한 번도 없었다면 거짓이겠지만 아씨와는 별개로 연화는 매력적인 이였기에, 아씨를 떠올리지 아니하게 된 건 좀 되었다.

연화와 함께 지내게 되며 이곳 생활에도 어느 정도 익숙해지기는 하였다. 이곳은 내가 원래 살던 곳이 아닌, 그보다 훨씬 지난 다른 시대라는 것을 알았다. 연화의 도움을 받을 수 있어 다행이었다. 아직 말투나 단어, 기계 같은 프로그램을 다룰 때는 어색하기는 하나 그러하여도 이 정도로 적응할 수 있었던 것은 모두 연화의 덕이었다. 아씨를 잊은 것은 아니었다. 돌아갈 방도를 찾지 않은 것도 아니었다. 하나 아직 이 시대에서 그런 것까지 발명한 적은 없었거니와 화연 아씨의 집안이 역사서에 있지도 아니하였기에 내가 살던 시대를 찾을 방도도 없었다. 그러니 이곳에 머무는 동안은 내가 할 수 있는 최선을 다하기로 하였다.

"아, 해봐."

연화는 부드러웠다. 다정하였으며, 사랑스러웠다. 아마 아씨와 전혀 닮지 않았더라도 연화에게 끌렸을 것이었다. 그만큼 연화는 강인하고도 굳건하여 사람을 끌어당기는 매력을 지니었다. 그 인자하고도 따스한, 아리따운 성품이 연화를 더욱 돋보이게 해주었다. 연화가 미소 짓는 것이 보기 좋았다. 그래서 더 열심히 하였다. 연화의 미소를 받을 때면, 내가 인정받는 기분이 들어서였다. 그곳에서는 결코 받을 수 없었던 인정이, 내가 해야 당연한 일이었던 것들이, 잘하였어도 하여서는 아니 되는 일이었던 것들이 너무나 많았기에. 쥐 죽은 듯이 살아야 하였다. 그것이 내 존재의 연유였으며 살아남을 수 있는 수법이었다. 들어도 못 들은 척, 봐도 못 본 척. 욕심이 생기어도 아닌 척, 갖고 싶지 않은 척…… 그런 것이 우리 노비의 숙명이었다.

이리 가버릴 줄 알았더라면, 차라리 조금 더 티 내어 볼 걸 그러하였지요. 어찌 되었든 죽었을 목숨, 조금 더 아씨를 기쁘게 해드릴 걸 그러하였지요. 이리 후회하여 보았자 이미 늦은 것이며, 돌이킬 수 없다는 것을 알고 있음에도. 인간은 후회의 동물이라는 것이 맞는 표현인가 봅니다.

"나갈까?"

연화는 늘 다음날이 되면 내게 나가자 하였다. 생일날 제대로 놀지 못하였으니, 그다음 날이라도 만족스러운 하루가 되어야 한다는 말이었다. 연화의 말을 거스를 리가 없었다. 그럴 수 있을 리가 없었다. 연화가 내민 손을 붙잡고, 그녀의 뒤를 따랐다. 그녀의 발자취를 좇았다. 그게 내게는 옳은 길이었으며, 내가 가야 할 길이었다. *사실, 본디 가야 할 길은 따로 있는데도.*

연화와 유사한 옷을 입고, 그녀와 아울러 거리를 거닐었다. 늘 맡는 향으로 가득한데, 연화와 아울러 걸으면 그 향이 더 달게 느껴지었다. 맞잡은 손이 어색하게 느껴질 때도 분명 있었으나 이제는 이 온기가 없다는 것이 더 어색하였다. 연화와 맞잡은 손에 더 힘을 주었다. 그러면 연화는 기분이 좋다는 듯 발걸음이 조금 더 가벼워지었다. 그러다 마음에 드는 것을 발견하면 나를 끌고 그곳으로 갔다. 본인이 마음에 드는 것을 내게 주고, 내가 마음에 드는 것을 본인이 가지었다. 그게 연화였다.

"저기 봐, 청운. 예쁘다."

"그러게요. 어여쁘네요."

참으로 어여뻤다. 연화가 어여뻤다. 이런 감정이 들 때쯤 문득 아씨가 떠올랐다. 사무치도록 그리운 감정이 나를 잠식하였다. 마음 놓고 연화에게 향하고 싶은데, 차마 그러지를 못하였다. 어느 순간부터 둘을 동일선상에 두고 저울질하지 아니하리라는 확신이 없었다. 나는 일평생 화연 아씨만을 바라보고 살아왔으며, 앞으로도 그러리라 다짐하였다. 그리고 그 다짐이 무색하게 아씨의 외관을 가진 다른 여인에게 끌려 버리었다.

그러하다면 나는 진정으로 아씨를 연모하는 것이 아닌, 아씨의 외관을 지닌 그 누구라도 연모할 수 있다는 것인가? 그런 의구심을 가진다면 아니라고 확연히 답할 수 있었다. 나는 연화가 아씨의 외관을 가져서가 아니라, 아씨처럼 그녀 스스로 빛나기에 그녀에게 끌리는 것이었다. 나는 달도, 별도 아닌 태양을 원하였다. 한낱 노비 주제에 크나큰 환상이었다. 하나 이 욕심을 하늘은 채워주었다. 내게 화연 아씨의 마음을 내어주었으며, 연화의 곁을 내어주었다. 내가 이 이상 욕심을 낸다면 연화 또한 화연 아씨처럼 될 것 같아 차마 어찌할 수 없었다.

"……청운."

"…아 불렀나요, 연화?"
"응."
나를 물끄러미 쳐다보았다. 연화의 눈 속에 내가 있었다. 나만이 담겨 있었다. 아아, 나는 연화의 이 눈을 알고 있었다. 아씨가 이런 눈으로 나를 바라보았다. 그러니 나는 아마도 이다음 말까지 예상할 수 있었다.
"좋아해."

***

상대방에게 연심을 고백하기란 결코 쉬운 일이 아니었다. 특히나 내가 살던 그 시대에서는 더욱이. 여인의 몸으로 사내에게 연심을 고백한다면 마치 절개를 어기는 것과도 같아 여인들은 연심을 가지고 있음에도 입을 다물어야 하였다. 집안이 있는 여인들은 집안에서 정해준 이와 정혼하고, 그의 아이를 낳고, 기르고, 섬겨야 하였다. 그리고 그의 아이가 아들이라면, 그의 아이가 자랐을 때 또 그의 아이를 섬겨야 하였다. 그것이 여인의 숙명이었다. 그리고 연화 아씨는 본인의 숙명을 지겹도록 싫어하였다. 아니, 혐오하였다.
"내가 왜 그런 인생을 살아야 하는 것이지?"
"……."
"말해보거라, 청운. 내가 어찌하여서 어른들의 도구로 사용되어야 하는 것이냐? 액받이로서 나는 생을 마쳐야 하는 것이냐?"
"액받이라니요. 언행이 지나치십니다."
"내가 틀린 말을 하였더냐."
아씨는 피식 웃음을 흘리었다. 사실 아씨의 말이 틀린 것 하나 없었다. 여인에게 자유란 존재치 않았다. 아씨는 그것을 지겨워하였다. 이 시대를, 이 세상을, 여인으로 태어난 본인을. 그러하여서 아씨는 나를 더 탐하였을지도 몰랐다. 비록 노비라 자유란 없다지마는 남성의 몸이며 오히려 신분이라는 것이 없었기에 본인이 원하는 이에게 연심을 고백할 수 있다는 것을 부러워하였다. 그 부러움이 머리끝까지 치달을 때마다, 아씨는 나를 탐하였다. 내 몸 구석구석을 만지고 탐닉하며 본인의 욕구를 채우기 위해 나를 이용하였다. 그렇게라도 아씨가 나를 필요로 하신다면 기꺼이 이용당할 자신이 있었다.

아씨는 그 시대 여성들에 맞지 않게 자유분방한 분이셨고, 나는 그런 아씨의 모습에 끌리었다. 연모할 수밖에 없었기에 연모하는 건 당연한 이치였다. 그런 아씨가 나에게 먼저 연심을 고백하였을 때, 매일같이 당당한 모습이라 생각하였으나 사실은 작고도 여린 모습이었다는 것을, 혹여라도 거절당할까 두려워하는 모습이었다는 것을, 그런데도 작은 기대를 품고 있는 모습이었다는 것을 나는 알았다. 아씨의 그런 모습을 나만 볼 수 있었다는 만족감과 우월감에 심취하여 가져서는 아니 될 마음을 품고 가져서는 아니 될 욕심을 품었다.

"내 너를 연모한다, 청운."

그 말 한마디가 얼마나 기뻤는지 당신은 영영 모르실 텝니다. 천하를 가진 듯한 기분이었다는 것을 당신은 아셨을지 모릅니다. 당신의 가녀린 손목을 부여잡을 때, 내 심장이 떨어지지 않으려 같이 부여잡아야 했다는 것을 당신은 모르실 텝니다. 그토록 이 몹쓸 것이, 주제도 모르는 것이 당신을 연모하였습니다.

그런 아씨였다. 그리고 그런 아씨와 같은 외관을 지닌 다른 여인에게, 화연에게 또 같은 연심을 들었다. 나 또한 같은 연심을 품고 있었다. 이것은 숙명인가? 하늘의 천명인가? 나는 이 여인에게 마음을 내어줄 수밖에 없는 것인가? 이 여인은 기어코 나의 마음을 앗아가야지만 직성이 풀리는 것인가? 싫지 아니하였다. 그것이 문제였다. 나 또한 연화를 원하고 있다는 것이 문제였다. 차라리 연화의 짝사랑이었더라면 좋았을 것이었다. 차라리 그러하였더라면 나는 기이 마음에 품고 있는 여인이 있노라, 하며 연화를 쉬이 거절할 수 있었을 터였다. 하나 그러지 못하였기에, 나 스스로 내게 떳떳하지 못하였기에 연화를 거절할 수 없었다. 그럴 수 있을 리가 없었다. 이미 알고 있었다. 인간이란 욕망의 덩어리기에, 나는 그리고 그러한 순수한 인간이기에 내 욕망에 솔직하였다.

바들거리는 손을 천천히 뻗었다. 살며시 연화의 손을 맞잡았다. 연화도 떨리고 있었다. 그때 아씨처럼, 그때 나처럼, 금시 나처럼. 연화도 두려워하고 있었다. 마음에 있던 연심을 고백함으로써 우리가 친우 사이로도 돌아가지 못할까 두려워하였다. 입술이 빼끔거렸다. 여기서 무슨 답을 해야 할까. 연화도, 나도 웃을 수 있는 그런 대답. 하나밖에 없다는 것을 알고 있었다. 마음속 응어리가 아직 풀리지 않았으나, 연화가 웃는 얼굴을 보고 싶었다. 그녀가 나를 바라보며 미소 지어주길 바라였다. 이것이 나의 추악한 욕망이었다. 지극히 이기적인 욕기.

"나도 좋아해요, 연화."

그때 연화의 얼굴은 천하를 가진 듯하였다. 나 또한 그러하였다. 그 순간만큼은 천하에 그 누구보다도 행복하다고 말할 자신이 있었다. 맞잡은 손에서 힘이 느껴지었다. 서로의 얼굴에 핀 웃음꽃이 우리의 사이를 말해주고 있었다. 그렇게 나는 두 번째 정인이 생기었다.

***

"청운."

"불렀어요, 연화?"

우리의 일상은 크게 뒤바뀌지 아니하였다. 연화는 바깥일을 하였고, 나는 집안일을 하였다. 새삼 아씨와 이 시대에 살았더라면 이런 모습으로 지내었을 것 같아 웃음이 나왔다. 그러다 문득 연화와 눈이 마주치었다. 이러면 안 된다는 것을 알고 있음에도 문득문득 튀어나오는 아씨의 생각은 어찌할 도리가 없었다. 심장이 쿵, 내려앉는 기분이었다. 연화에게 느껴지는 죄책감이 스멀스멀 기어 올라와 발목을 묶었다. 나를 점차 지하로 끌어당기는 기분이었다. 연화가 나를 부르는 소리에 애써 생각을 정리하고서는 고개를 돌려 미소 지었다.

"무슨 생각을 그렇게 해?"

"아니, 아무것도 아니에요. 단지… 오늘 연화가 참 예뻐서요."

"으, 오글거려."

하하 웃을 수밖에 없었다. 내가 할 수 있는 일이 그것밖에는 없었다. 허탈한 웃음이었다. 연화는 진절머리 난다는 듯 몸을 부르르 떨었지만 아마도 이상하다는 점을 눈치채었을 터였다. 이상하리만치 나에 대해서는 잘 아는 연화였으니. 아마 그냥 모르는 체해주는 것일 터였다. 다음에도 이런다면 캐묻지 않으리라는 보장이 없었다. 그러니 마음을 잡아야 하였다. 화연 아씨와 연화 사이에서, 더는 갈팡질팡해서는 아니 되었다. 연화와 정인이 되기로 마음먹은 이상, 아씨를 잊어야 하였다. 이 세상에 물들어야 하였다. 처음부터 이 세상 사람인 마냥, 처음부터 화연 아씨는 만나지 않았던 마냥, 내게는 오로지 연화밖에 없다는 듯이. …그것이 옳은 것이었다.

연화의 손을 맞잡았다. 손등 위에 입술을 맞추었다. 그 행위에 연화는 얼굴을 붉히었다. 뺨 위로 발그레하게 띄는 붉은빛이 참으로 어여뻤다. 나도 모르게 손을 뻗어 연화의 뺨을 부드럽게 쓰다듬었다. 연화에게서 전해지는 온기가 따스하였다. 자꾸만 아씨가 생각나 결국 눈을 감았다. 내 평생을 다 바칠 여인이라 생각하였던 만큼, 아직도 아씨는 내게 남아있었다. 그 흔적이 자꾸만 모습을 내비칠 때마다 가슴이 욱신거리고 연화에게 죄책감이 들었다. 죄책감이 든다는 것은 내가 잘못하였다는 것을 알고 있기 때문인데, 잘못을 알고 있음에도 나는 어찌하여서 고치지를 못하는 것인지. 애통하고 애석해 내가 못나면서도 불쌍하였다.

"연모… 아니, 사랑해요, 연화."

"갑자기? 나도 사랑해."

갑자기라 물었으나 웃음을 감추지 못하였다. 연화는 사랑스럽다는 듯 내게 입을 맞추었다. 웃음이 나왔으나 결코 기쁨만으로 물든 웃음이 아니었다. 오로지 연화만을 바라보며 미소 지을 수 있어야 하는데, 나라는 인간은 아직도 화연 아씨의 그늘에서 벗어나지를 못하였다. 한심하였다. 이해하지 못하는 것은 아니었으나, 그렇다고 하여 못 할 일도 아니었기에 한심하였다. 나에게서 아씨를 뺀다면 남는 것이 없었기에, 아씨가 없는 나는 무능력하고 무의미한 것이었기에 존재 가치에 대해서조차 생각해본 적 없었다. 그러니 이제 와 아씨를 버리고 다른 이를 마음에 들여야 한다는 것은 무의식적으로 거부반응을 일으킬 수는 있었다. 하나 내가 택한 길이었기에, 이것이 옳았다.

내가 달라져야 하였다. 연화에게 나를 맞춰야 하였다. 말투부터, 행동 하나하나까지 전부. 화연 아씨가 가르쳐준 말을 잊고, 연화가 가르쳐준 말을 배워야 하였다. 연모라는 말 대신 사랑을, 정인이라는 말 대신 연인을, 화연이라는 말 대신…… 연화를.

***

탁, 탁. 째깍거리는 시계 초침이 한 구간에 멈춰서 움직이지 못하였다. 아니, 정확히는 무언가에 걸린 듯하였다. 반복하여서 탁탁거리는 시계를 그저 바라만 보았다. 끝도 없는 어둠 속에서 시계만이 보이었다. 그 시계를 가만히 쳐다보다 천천히 손을 뻗었다. 시계는 잡힐 듯 잡히지 아니하였다. 시계를 잡기 위해 발을 떼었으나 거리는 좁혀지지 아니하였다. 어느 순간, 시계 밑 양옆으로 연화와 아씨가 보이었다. 선택의 갈림길과도 같았다. 그와 동시에 시계가 빠르게 돌아가기 시작하였다. 마치 내게 선택을 강요하는 듯하였다. 갈팡질팡하며 어디로 향해야 할지 고민하고 있을 때, 머릿속에서 초 세기가 시작되었다.

10, 9, 8, 7……. 긴장되기 시작하였다. 압박하는 듯하였다. 어서 빨리 선택하라며 등을 떠미는 것만 같았다. 주어진 시간은 겨우 10초였다. 10초 안에 두 사람에게 모두 갈 수 있을 리가 없었다. 그렇더라면 단 한 사람만을 선택할 수 있다는 뜻인데, 누구에게 가야 할지 감이 잡히지 아니하였다. ……2, 1. 결국 고르지 못한 채 끝나버리었다. 잠에서 깨어남과 동시에 거친 숨을 몰아쉬었다. 식은땀이 온몸에 흥건하여 이불을 적시었다. 옆에서는 연화가 잠들어 있었다. 새근거리는 숨소리가 마음을 안정시켜주는 듯하였다. 피식 웃음을 흘리며 연화에게로 손을 뻗으려던 순간 멈추었다. 내가 과연 연화를 만질 자격이 있을까? 나는 아직도 아씨의 그늘에서 벗어나지 못한 채 연화와 정인의 관계를 맺었다. 연화에게 해서는 안 될 짓이었다.

하, 깊은 한숨이 자리하였다. 결국 손은 연화에게 닿지 아니하였다. 닿지 못하였다. 꿈이 의미하는 바가 무엇이었을까. 둘 중 하나를 선택해야 한다는 것? 복잡하기만 하였다. 머리가 아파 앓는 소리를 내자 연화가 깨어나 걱정스러운 목소리로 물어보았다.

"어디 아파…?"

"아…… 아니에요. 괜찮아요. 깨워서 미안해요."

다시 연화에게 이불을 덮어주고서는 다독이었다. 연화는 비몽사몽 한 상태로 잠시 두 눈을 깜박이다 다시금 잠들었다. 그 모습을 물끄러미 바라만 보았다. 연화를 지켜주고 싶었다. 아씨는 지켜주지 못했던 만큼, 연화만큼은 내 손으로 지키고 싶었다. 연화의 손을 잡았다. 맞잡아주지는 아니하였지만, 나 혼자라도 잡고 있었다. 더는 후회하고 싶지 아니하였다.

***

불, 불이었다. 커다란 홍염이 일어 눈앞에 일렁이었다. 금방이라도 나를 덮칠 듯 다가오던 홍염은 닿을 듯 말 듯 한 거리에서 타오르고 있었다. 그 속에서 비명이 들려왔다. 작게 사라짐과 동시에 메아리처럼 다시 울려대었다. 머릿속에서 울리는 것 같기도 하였다. 지끈거리는 머리에 귀를 틀어막으며 비틀거리었다. 균형감각이 사라진 기분이었다. 윙윙거리는 것이 초음파라는 것 같았다. 시야에 온통 홍염으로 꽉 차 있었다. 마치 주작과 같은 모습이었다. 두렵고 기이함과 동시에 아름답고도 황홀한 모습이었다. 이런 느낌이 든다는 게 낯설기만 하였다. 내 기분 같지 아니하였다. 강제로 느끼게 하는 것만 같은 느낌.

……운.

…청….

두 목소리가 들려왔다. 알고 있는 목소리였다. 그 목소리들을 듣자마자 귀에서 손을 떼어내고 고개를 들었다. 어디지? 어디서 들려오는 거야. 주변을 둘러보았다. 어서 찾아야 하였다. 만일 저 불 속에서 나는 것이라면, 아니, 그러하여서는 아니 되었다. 불길이 점차 거세지고 있었다. 열기가 점점 뜨거워지었다. 이 자리에서 벗어나고 싶었다. 그런데 자꾸만 나를 끌어당기는 이 목소리가, 비명이 신경 쓰였다.

"화연 아씨, 연화…!"

"청운……!"

연화의 목소리였다. 고개를 돌려 연화에게로 달려가려 하였다.

그 순간 불길 속에서 아씨의 목소리가 들려왔다. 순간 멈칫하였다. 몸이 멋대로 움직이지 아니하였다. 이제 정말 연화에게 가기로 마음먹었는데, 조금만 더 다가가면 연화에게 갈 수 있는데 몸이 움직이지 아니하였다. 목소리가 점점 가까워졌다. 고개를 비틀어 홍염을 바라보자, 그 속에서 화연 아씨가 보였다. 불에 타들어 가고 있는 모습을 바라보자 오싹, 하고 소름이 돋았다. 구슬피 울며 나의 이름을 부르는 것이, 마치 귀신 같아서.

"청…… 우…, 운……."

뚝뚝 끊어지는 목소리가, 낮게 울려대는 음이, 타오르는 불이, 뜨거운 열기가, 무너져 내리는 얼굴이 모두 두렵게만 다가왔다. 천하에서 가장 연모하였던 옛 정인의 모습이 두려움이라는 색으로 가득히 물들어 있었다. 손을 맞잡아주고 싶은데 떨림이 전해져 왔다. 그래, 아니 되었다. 연화에게 다가가야 하였다. 그 열기를 뚫고 연화에게 다가가려 발을 내디뎠다. 나를 부르는 연화의 목소리가 위태로웠다. 그리고 마침내 연화에게 손을 뻗는 순간, 꿈에서 깨어났다.

거칠게 숨을 내뱉었다. 캑캑대며 하는 기침이 무언가 목에 걸린 듯하였다. 눈물이 핑 돌며 식은땀이 온몸을 적시었다. 이러다가는 또 연화를 깨울 것만 같아 겉옷을 챙기고서 급히 자리를 떴다. 새근거리는 숨소리가 왠지 자리를 뜨지 못하게 만들었다. 계속, 연화의 곁에 있고 싶었다.

밖에 나와 찬바람을 쐐서 그러한지 어느 정도 괜찮아지었다. 나온 김에 산책이라도 할까 싶어 잠시 걸었다. 새벽 공기는 맑았다. 잠시 눈을 내리감고 폐부 깊숙이 숨을 들이켰다. 차가운 산소가 폐를 순환해 그 속에 있는 노폐물을 비워내는 느낌이었다. 마치 금시 고민을 씻어 가는 것만 같은 기분이었다. 아릿한 가슴에 괜히 미간을 찌푸리었다. 어차피 이제 화연 아씨는 내 곁에 없는 이였다. 모든 미련을 떨쳐내야 하였다. 아까 꾼 꿈도 그와 같은 의미를 내포하고 있으리라 믿었다. …그러기를 바라였다.

"야밤에 어디 다녀왔어?"

"아, 그냥… 생각할 게 조금 있어서요. 걱정했다면 미안해요."

"아니야, 그래도 다음부터는 연락이라도 해줘."

"꼭 그럴게요."

더는 연화를 불안하게 하고 싶지 아니하였다. 연화를 품에 안고서는 맹세하였다. 저울질하는 일 없을 것이라고, 헷갈리는 일 없을 것이라고, 다시는 그리 허무하게 포기하는 일 따위 없을 것이라고. 스스로 다짐하고 맹세하였다. 그 다짐을 연화가 알 일은 만무하였다. 그런데도 연화는 그런 내 다짐에 응답하듯 나를 꼭 껴안아 주었다. 그 품에 따스해서, 꿈이라면 영원히 깨어나고 싶지 아니하였다. 차라리 영원히 이 꿈에 틀어박혀 나오고 싶지 아니하였다. 연모하는 이와 함께하는 이 소중한 시간을 헛되이 흘려보내고 싶지 아니하였다. 그랬어야 하였다. 나는 그 시간을 조금 더 귀히 여겼어야 하였고, 행복이라는 꿈에서 깨어나면 아니 되었다. 그 모든 것을 너무 뒤늦게야 깨달아버리었다.

***

"으윽……!"

"또야? 괜찮아?"

"아, 네…… 저는 괜찮은, 데, 연화에게 늘 미안해요."

"나한테 미안할 게 뭐가 있어."

연화가 뾰로통한 표정을 지었다. 어색하게 웃어 보였지만 누적된 피로는 어찌할 도리가 없었다. 요즘 잠들기만 하면 그 악몽을 꾸었다. 연화와 화연 아씨, 둘 중 하나를 선택해야 하는 꿈. 나는 늘 연화에게 갔는데, 늘 연화의 손을 잡기 전 꿈에서 깨어나버리었다. 지끈거리는 머리의 통증이 가시지를 아니하였다. 애써 통증을 떨쳐내려 머리를 저어보았지만 바뀌는 건 없었다. 연화는 걱정스러운 얼굴이었다. 그도 그럴 것이 근래 잠을 통 자지를 못하였다. 아마 몰골도 말이 아닐 것이었다. 어딘가에 머리를 붙이면 바로 잠들 만큼 피곤한데, 잠들기만 하면 그 악몽에 시달리니 정말 죽을 노릇이었다. 연화를 두고 죽으면 안 되는데도 말이다.

이제는 익숙하다는 듯 물수건이 옆에 자리하였다. 내가 악몽으로 인하여 잠에서 깨면 언제든 닦아줄 수 있도록. 그마저도 미안하기만 하였다. 연화는 연인 사이에 이 정도는 당연한 것이라 하였다. 하나 마음이 불편한 것은 어찌할 도리가 없었다. 본디 내가 이런 일을 하던 처지였는데, 그 일을 받는 건 연화와 같은 얼굴을 지닌 화연 아씨였는데. 그런데 이리 보살핌을 받으니 가슴 언저리가 쿡쿡 쑤시었다. 해서는 안 될 짓을 하는 느낌이었다. 아니지만, 더는 내가 살던 그곳이 아니지만 나는 여전히 그 시간에 갇혀 있는 기분이었다. 그때 그 시절 청운으로.

"요즘 네 걱정에 말이 아니야."

"뭐가…… 요?"

"너 혼자 두고 가기 겁이 난달까?"

"왜……?"

"눈을 떼면 금방 어디론가 사라질 것 같아서."

그러며 연화는 내 이마를 손수건으로 툭툭 치었다. 시원한 느낌이 퍼지며 점차 눈이 감기었다. 왠지 연화의 말에서 서글픔이 느껴지었는데, 꼭 껴안아 주고 싶은데 그럴 힘이 없었다. 애써 꿈틀거린 손가락에 툭 치인 연화의 온기, 그 온기에 기댄 채 잠들 수밖에 없었다.

요즘 문득 정신을 차리면 모르는 장소에 있고는 하였다. 그럴 때마다 연화에게 연락하였다. 연화는 얼마 지나지 않아 내게 와 주었고, 그러면 나와 연화는 함께 집으로 들어갔다. 또 길을 잃을까 연화의 손끝을 붙잡고 걸었다. 앞서 걷고 있는 연화의 뒷모습을 바라볼 때면 정신이 아득해지고는 하였다. 그 모습이 자꾸만 화연 아씨의 모습과 겹쳐 보이어서. 그 모습에 홀린 듯 넋을 놓다 보면 어느새 집에 도착해있고는 하였다. 가끔 생각해보면 영혼을 잃는 느낌도 들었다. 이 세계에, 이 시간에 내가 존재하면 안 되는 사람이듯 자꾸만 배척당하는 느낌이었다.

그런데 이런 말을 하면 또 연화가 염려할까 봐 걱정되어서, 혹여라도 제 탓이라 생각할까 봐 걱정되어서 차마 아무 말도 하지 못하였다. 불안한 감정은 꾹꾹 억누른 채 늘 같은 일상을 보내었다. 하나 이상한 일이 계속해서 반복되면 우연이 아니듯, 연화 또한 눈치채는 것은 분명히 있었다. 집에 있어야 할 내가 밖으로 돌아다니는 것을 불안해하였다. 아직은 내가 이 세상에 완전히 익숙해지지 못한지라, 차량에 박을까 염려하고 신호를 지키지 못할까 염려하고 이상한 사람을 만날까 염려하고 길을 잃을까 염려하였다. 가끔가다 보면 이리 걱정으로 가득 찬 우리의 관계가 과연 올바른 것인지 의문이 들었다. 우리가 과연 맞는 길을 함께 걸어가고 있는가에 대하여.

청운. 내 이름을 부르는 연화에 고개를 내렸다. 어우러진 시선이 허공에서 맴돌았다. 알 수 있었다. 연화의 눈에는 불안감이 담겨 있었다. 나를 잃을까 두려워하고 있었다. 뻐끔거리는 입은 결국 그 어떠한 언어도 내뱉지 못하고 닫혀버리었다. 내가 무엇을 해야 하는지, 무엇을 할 수 있는지 모든 한계선이 명확해져버린 기분이었다. 아니, 사실상 그 한계가 어디인지도 잘 모르겠다. 저 멀리 있어서 더 가도 되는지, 아니면 당장 코앞에 있어서 한 발자국도 내디뎌서는 안 되는지. 그런데 또 이 못난 사내의 마음은 나를 잃을까 두려워하는 것에서 사랑을 느끼었다. 사랑이라는 감정이 참으로 무섭게 느껴지었다.

그런데 나 또한 불안하였다. 나 자신이 사라지는 느낌이 자꾸만 들어서, 연화의 곁을 끝까지 지키지 못할 것만 같아서. 화연 아씨의 곁을 끝까지 지키지 못하였던 것처럼, 연화도 지키지 못할까 두려웠다. 마음을 굳게 먹으려 애써도, 말처럼 쉬이 되지 않는다는 것이 그저 애달프기만 하였다. 연화의 손을 꼭 맞잡으면서도 바람결에 사라질까 두려웠다. 연화가 나를 잃을까 두려워하는 만큼 나 또한 두려웠다. 잃고 싶지 않았다. 무력하게 당하고 싶지 아니하였다. 그런데 내게는 힘이 없었다. 화연 아씨를 지킬 힘도, 연화를 지킬 힘도. 그것을 알기에 더 무력하였다. 이러하여서는 안 된다는 것을 알고 있으면서도 그리되는 건 어찌할 수 없었다. 괜히 눈시울이 뜨거운 것만 같았다.

연화는 내 상태를 살피더니 안 되겠다며 소파에 앉히었다. 연화…? 내 부름에 연화는 끄떡도 하지 않더니 주방으로 가 무언가를 준비하기 시작하였다. 무얼 하냐 묻자 죽을 만든다 하였다. 아마 미음일 터였다. 멍하니 연화의 뒷모습을 바라보고 있었는데 가스 불을 켜자마자 눈앞이 암전되는 느낌이었다. 깜짝 놀라 주변을 둘러보았다. 칠흑 같은 어둠이 나를 둘러싸고 있었다. 갑자기 이게 무슨 일인지 알 수 없었다. 나는 그저 연화가 켜는 가스 불을 보았을 뿐인데, 그 불길이 갑작스레 커지어 나를 덮치더니 암전되어 버리었다. 내가 처한 상황을 이해할 수 없었으나, 곧 알아차릴 수 있었다. 지금 내 상황이 늘 꾸던 악몽과 같았다.

주변을 배회하였다. 무작정 걷고 뛰었음에도 그 어디에도 부딪히지 아니하였다. 한참을 걸었다. 얼마나 걸었는지도 모르겠다. 목이 살짝 타는 것 같기도 하였다. 캑캑대며 작게 기침하자 서서히 불길이 보이는 듯하였다. 그 불을 따라 무작정 걸었더니 갑자기 빛이 나를 덮치었다. 처음 연화를 만났을 때 그 느낌이었다. 하얀빛이 나를 덮치더니, 보이는 건 붉은색이었다. 온통 붉은, 불로 타오르고 있던 주변. 알 수 있었다. 알고 있었다. 이 커다란 불길에 잡아먹히고 있는 대 가옥은 화연 아씨의 가옥이었다.

"아씨!"

아씨를 불렀다. 부르고, 부르고, 또 불렀는데도 아씨에게서 돌아오는 대답은 없었다. 사람들의 비명, 신음, 타오르는 소리, 무너지는 소리. 모든 것들이 한데 모여 커다란 소음을 만들어내었다. 그 소음은 화연 아씨를 찾는 데 더 큰 방해를 해대었다. 헉헉대며 주변을 둘러보았다. 땀이 온몸을 적시었다. 나는 어찌하여서 아무런 도움이 되지 못하는 것인가. 나는 정녕 무력한, 아무것도 하지 못하는 인간인가? 두 눈을 꾹 감았다. ……운. 저 멀리서 익숙한 목소리가 들려왔다. 급하게 그쪽으로 노선을 틀었다. 달리고, 달리고, 또 달리었다. 폐가 찢어질 것만 같았다. 그래도 멈추지 아니하였다. 멈출 수 없었다. 화연 아씨가 나를 부르고 있었기에, 나의 주인이, 나의 신이 부르고 있었기에.

"아씨, 아씨. 한 번만 더 대답해주세요. 아씨!"

내 부름에 응답하기라도 하는 듯 아씨의 목소리가 들려왔다. 하나 급한 상황이었다. 점차 옅어지는 숨결도 함께 느껴지었다. 어서 빨리 찾아야 하였는데, 아씨가 어디 있는지 알 수가 없었다. 여러 곳에서 울리는 듯하였다. 아픔을 꾹 참으며 주변을 둘러보았다. 그 순간 무너진 가옥 밑에서 아씨의 목소리가 들린다는 것을 알 수 있었다. 급하게 가옥 쪽으로 다가갔다. 불길에 휩싸여 있는 건조물[9] 파편을 걷어내며 아씨를 불렀다.

내 부름에 신음으로 끊어지는 소리가 들리었다. 아씨의 목소리였다. 오랜만이었지만 알 수 있었다. 잊을 수 없는, 하나뿐인 나의 아씨의 목소리. 급하게 허리를 수그리었다. 아씨에게 더 밀착하며 귀를 기울이었다. 작게 기어들어 가는 목소리가 타오르는 소리와 겹쳐 들리었다. 잘 들리지 않는 목소리에 더욱이 기울이고, 또 기울이었다. 이윽고 그 목소리가 내게 닿았을 때, 나는 아씨의 손을 잡을 수 있었다. 하나, 잡는다고 하여 빼내었다는

[9] 건조물: 건조한 가옥·창고·건물 따위의 총칭.

말은 아니었다. 말 그대로 맞잡았을 뿐 달라진 건 없었다. 아씨는 다 뭉개지는 발음으로 내 이름을 불렀다. 그 애달픔이 느껴지어 가슴이 아릿하였다. 이럴 시진이 없는데, 어서 빨리 아씨를 빼내어야 하는데 힘이 들어가지 않았다. 허공에서 허우적거리는 느낌이었다. 아니, 지금과 어울리지는 않지만 물속인 것 같기도.

아씨가 나를 잡아당기었다. 어디서 이런 힘이 나왔는지는 모르겠지만, 그러하였다. 나는 속수무책으로 끌려갔고, 귓가에 아씨의 숨결이 닿았다. 얼굴에 불길 때문인지 아씨 때문인지 모를 열이 올랐다. 아씨는 더 이상 나오지도 않는 목소리로 내게 작게 속삭이었다. 바람 소리 같기도 했다. 그만큼 위태로웠다.

"청, 운. 너, 라도 살, 아……."

고개를 저었다. 무슨 말씀을 하시는 겁니까 아씨. 저희는 수어지교(水魚之交)[10] 아닙니까. 어찌 저를 당신에게서 떨어트려 놓으시려는 겁니까. 제가 바로 오지 못하여 그러시는 겁니까? 제 실책이 모두 맞으니, 그러니 제발…… 부디 눈을 떠 주십시오….

닿지 않는 말이 타들어 갔다. 눈물도 아씨에게 닿지 못하고 증발 되어버렸다. 그런데도 불길은 계속하여 번지고 있었다. 등이 화상을 입을 듯 뜨거웠다. 뒤늦게나마 아씨를 빼내어 보려 했지만 빠지지 않았다. 이대로라면 나마저도 죽을 위기였다. 사실 그건 별로 중요치 않았으나 아씨가 살라 하셨기에, 그 명령은 내게 절대적이었기에 살아야 하였다. 그런데 무언가 이상하였다. 분명 나는 꿈을 꾸고 있는 것일 터인데, 그저 단순히 꿈일 터인데 너무나도 익숙하였고, 슬펐고, 괴롭고, 불안한 감정이 들었다. 꿈, 애당초 이게 꿈은 맞는 것인가? 머리가 지끈거리었다. 살갗이 재가 되어버릴 것만 같은 느낌은 너무나도 선명하였다. 이것을 정녕 꿈이라 할 수 있는지 모르겠다. 나는 꿈을 꾸고 있는가?

정신이 혼미해지었다. 이 꿈이 의도하고자 하는 것이 무엇인지

---

10) 수어지교(水魚之交): 고기와 물과의 관계처럼 떨어질 수 없는 특별한 친분.

알 수 없었다. 그러고 보니 연화에게서 들은 것이 있었다. 꿈이란 본디 본인의 욕망이나 경험을 토대로 나타나는 것이라고. 이것이 내 욕망일 리는 없었다. 아씨를 구하지 못하는 게 내 욕망일 리가 없었다. 그렇다면 이것은 내 경험, 그러니까 내 과거인가? 쿵. 심장이 떨어지는 느낌이었다. 숨이 죄어오며 잘 쉬어지지 않았다. 캑캑대며 기침을 연신 내뱉기를 몇 번, 눈앞이 흐릿해지었다. 그제야 기억났다. 이것은 내 과거였다. 정확히 말하자면 화연 아씨를 잃은 현실이자 과거. 그 현실을 만든 과거. 결국 나는 이때 화연 아씨를 구하지 못하였고, 그러하였기에 아씨를 잃었으며, 무엇의 힘으로 인하여 끝이 없는 시공간 속에 갇히게 되었다. 그리고 그 공간에서 빠져나와 만난 이는 연화였다.

"이 무슨 운명의 장난이란 말인가."

연화에게 모든 것을 내바치기로 마음먹었는데 결국에 또 내게 이런 과거를 보여주었다. 내 마음이 흔들리게 하였다. 아니, 아니. 나는 연화에게 가기로 마음먹었다. 그러니 인제 그만 연화에게로 가야 한다는 말이었다. 이 꿈에서 깨어나야 하였다. 이 시간에 갇혀 살 수 없었다. 나의 신을 버리고, 나의 신이 죽었다는 것을 인지 하고서 새로운 신을 모셔야 하였다. 그 신의 곁으로 가야 하였다. 연화가 보고 싶었다.

"연, 화……."

손을 뻗으면 연화에게 닿을까. 그런 바람을 가진 채 바들거리는 손을 뻗어보았다. 닿는 건 없었다. 칠흑 같은 어둠만이 나를 가두었다. 내게 일어난 일이 무엇인지, 앞으로 일어날 일이 무엇인지, 이 세상이 나에게 원하는 것이 무엇인지. 결국 이 세상 앞에서 나는 너무나도 무력한 존재였다.

***

삑. 삑. 삐—. 귀를 찌르는 소리가 울려 퍼지었다. 천천히 두 눈을 깜박이었다. 이 공간을 알고 있었다. 이전에 연화가 쓰러졌을 때 왔던 곳이었다. 응급실. 연화는 이곳을 그리 불렀다.

욱신거리는 몸을 일으키었다. 오랫동안 움직이지 않았던 것인지 움직일 때마다 우둑거리는 소리가 귓가를 메웠다. 손등에는 링거라는 것이 꽂혀 있었고, 옷은 원래 입고 있던 옷이 아니었다. 움직일 때마다 온몸이 따끔거리는 것이 필시 예삿일이 아닌 듯하였다. 주변을 둘러보다 부리나케 움직이는 한 남성을 붙잡아 물었다. 일전에 연화가 간호사라고 하였던 적이 있었다. 내가 왜 여기 있냐는 물음에 간호사는 내 이름을 보더니 아, 하며 짧은 탄식을 내뱉었다. 잠시 머뭇거리면서도 신속히 알려주었다.

"환자분 집에 불이 났었어요."

"……예?"

무슨 말을 하는 건지 알 수 없었다. 혹 티브이 속 예능에서 자주 나오던 사람을 상대로 하는 몰래카메라라는 것인가. 이거 꽤 몹쓸 것이라는 생각이 들었다. 애써 웃었다. 웃지 아니하면 버티지 못할 것만 같아서. 하하. 농이지요? 내 물음에 간호사는 입을 다물었다. 굳게 닫힌 입이 열릴 생각을 하지 않았다. 바들거리는 입술을 꾹 깨물다 겨우 정신을 차렸다. 연화, 연화는요? 나와 함께 있던 여인 말입니다. 그녀는 어디 있습니까? 여전히 그는 대답이 없었다. 결국 분을 이기지 못하고 그의 멱살을 잡아 소리쳤다. 그의 잘못은 그 무엇 하나 없다는 것을 알고 있으면서도.

"왜 그리 입만 다물고 계십니까. 제발…… 무슨 말이라도 해달란 말입니다! ……불안하지 않습니까……."

결국 흐느끼고야 말았다. 어찌하여서 내게 이런 일이 일어난 건지 알 수 없었다. 이 세상이 내게 원하는 것 또한 무엇인지 알 수 없었다. 아니, 실은 알고 있었다. 내 세상이, 내 모든 것이.

나의 신이 죽었다.

제3화 여울

네가 좋아한 여름,
내가 좋아한 겨울.

폭풍우가 쏟아진 여름,
눈보라가 쏟아진 겨울.

너를 덮친 겨울,
나를 덮친 여름.

결국엔
여¿울.

***

사람들은 다 미친 것 같다. 이렇게 더운 날 어떻게 저렇게 패딩을 입고 다닐 수 있는 걸까? 그러면서 나에게 손가락질한다. 내가 잘못된 게 아니잖아. 내가 이상한 게 아니잖아. 저들이 잘못된 거잖아. 그렇지, —아?

***

너, 라는 사람은 한순간에 피고 지는 꽃이 아닌 마치 천상계에서 존재하는 영원의 꽃을 닮았다. 처음 너를 보았을 때, 그런 네 모습에 빠져들어 사랑할 수밖에 없다고 생각했으니까. 하늘에서 떨어지는 벚꽃을 잡아 미소 짓던 네 모습. 차가운 네 손에 벚꽃은 얼어붙었을지도 모르지만 네 손아귀에 잡혔다는 것만으로도 벚꽃이 부러워지는 순간이었다.

나는 너를 꽤 오랜 시간 짝사랑했다. 대학교 입학식 때, 신입생 대표로 앞에 서서 떨지도 않으며 말을 차분히 이어 나가는 네 모습을 동경했고, OT 때 자연스럽게 사람들 사이에 섞여 웃는 모습에 빠져들었고, 처음 본 내가 술에 취해 어쩔 줄 모르고 있자 몰래 불러내 숙취해소제를 건네주던 다정함에 사랑에 빠졌다. 너는 그 이후에 나를 잊었을지도 모르지만, 나는 항상 너를 바라보고 있었다.

그런 너와 정식적으로 이야기를 나눌 수 있는 사이가 된 것은 조별 과제 때였다. 사람과의 관계를 그렇게 깊이 생각하지 않아 딱히 친구가 없었던 터라 혼자 동떨어져 있는 나를 네가 챙겨줬다. 다른 애들은 조금 떨떠름해 보였지만, 네가 웃는 모습을 보며 괜찮다고 혼자 다독이는 듯했다. 나를 끼워준 너를 위해서라도 열심히 해야 했다. 지금까지 했던 과제 중 가장 열과 성을 다했다. 네게 칭찬받았고, 그때부터 너와 조금씩 더 가까워졌다.

첫걸음은 네가 모든 조별 과제에서 나와 함께했던 것이다. 그때 내가 인상 깊고 마음에 들었는지 너는 항상 나와 함께 과제를 하려 했다. 물론 매 순간 최선을 다했다. 너는 학점도 열심히 챙기는 멋진 사람이어서, 나를 곁에 두는 게 좋은 일이라고 생각했던 것 같다. 네가 나를 이용하는 것이라 해도 상관없었다. 너에게 이용당하는 것마저 기뻤다. 아마, 첫사랑이라 더 그랬을지도 모른다.

"있잖아, 이거…."

"어? 벌써 다 한 거야? 빠르다!"

"내가 빨리해야 네가 편하니까…."

"고마워! 덕분에 PPT 제작 좀 여유롭게 할 수 있겠다."

미소 짓는 네 얼굴을 보는 게 좋았다. 네가 나를 보며 미소 지어주는 게 좋았다. 너와 함께 있을 때 느낄 수 있는 충족감과 만족감이 나를 벅차오르게 했다. 너는 몰랐겠지만 너를 향한 내 마음은 그렇게 매일같이 몸집을 거대하게 불려 나가고 있었다. 그리고 아마 우리가 사귀게 된 결정적인 날은 그날이었을 것이다. 차갑게 불어오던 겨울바람이 살을 에던 날.

"선배, 저 선배 안 좋아한다니까요."

"네가 먼저 나한테 꼬리 쳤잖아. 어디서 발뺌이야?"

"선배. 제가 선배에게 하던 행동은 누구에게나 하던 행동이에요."

"이 여우 년이…!"

뺨을 치려던 선배 사이에 끼어들어 내가 대신 뺨을 맞았다. 선배도 있는 힘껏 후려쳤던 건지 귀가 먹먹하고 욱신거렸다. 뜨끈한 것이 흘렀다. 고막이 터졌으니 아마 피였을 것이다. 너는 비명을 지르며 나를 부축했다. 어질어질한 눈에 네 도움을 받아 겨우 두 다리로 서 있을 수 있었다. 선배는 이럴 줄은 몰랐는지 흠칫 놀라며 뒷걸음질 쳤다. 다행히 네가 바로 신고한 덕에 선배도 붙잡혔고, 나도 바로 병원으로 이송될 수 있었다.

"미안, 나 때문에…."

"아니야, 내가 끼어든 건데 뭐. 그나저나 너는 안 다쳤어?"

"응, 네 덕분에…."

"다행이다. 그럼 됐어."

귀가 조금 먹먹할 뿐, 네가 멀쩡했으니까 다행이었다. 배시시 미소 지으며 너를 올려다보았다. 너는 울먹이다가 괜스레 옷소매로 두 눈을 벅벅 닦았다. 눈 따가울 테니까 하지 말라고 해야 했는데, 어지럽고 열이 나는 것도 같아서 아무 말도 못 한 채 욱신거리는 머리만 부여잡았다. 아마 제대로 맞았던 모양이다.
"열 나?"
"아, 그렇게 심한 건 아니…."
"이리 와 봐."
너는 그러며 내 이마에 네 손을 올렸다. 깜짝 놀라 얼굴이 달아오르던 것도 잠시, 차가운 네 손에 점차 열기가 내려가는 게 느껴졌다. 단 한 번도 네 손을 잡은 적은 없었으니 네 손이 그렇게 차가운 줄은 처음 알았다. 열기를 단 한 번에 날려버릴 정도로 차가운 손. 그런 손을 가지고 있는 네 건강이 조금 걱정되기도 했지만, 이내 고개를 저었다. 너와 함께 있다는 것만으로도 꿈만 같았으니까.
너는 나를 참 지극정성으로 돌봤다. 죄책감이 뒤섞인 약간의 애정이 눈에 보여서, 그게 또 좋았다. 앞으로도 그런 일만 있기를 바랐다. 그리고 그 꿈이 현실이 되는 건 얼마 지나지 않아서였다. 퇴원하고서 점차 가까워지던 날들, 썸이라고 부를 수 있을 정도의 설렘과 얄팍한 거리감 두근거림이 바라던 열망이 현실이 되는 것은 그렇게 오랜 시간이 걸리지 않았다. 우리의 설렘은 여름처럼 뜨거웠고, 다툼은 겨울처럼 차가웠다. 그래도 여름이 더 길었기에 그것이 좋았다. 언제나 여름만이 지속되기를 바랐다. 우리만의 여¿울이. 계→속↓해↑서←.
그래서 너는 지금 어디에 있어¿

***

언제였더라, 기억도 안 나는 과거에 한 장면이다. 낮인지 밤인지 구별이 되지 않을 시간에 눈을 떴다. 뭔가 이상한 일이 있었던 것 같은데, 잘 기억은 나지 않았다. 두 눈을 깜박거리다가 다시 감았다. 다시 천천히 눈을 떠보니 내 눈앞에 네가 있었다. 너는 부드러운 미소를 지어주며 내 옆에 앉았다. 나는 네게로 기어가 네 무릎에 머리를 얹었다. 그러면 너는 다정한 손길로 내 머리를 쓰다듬어줬다. 네 품이 좋아 바르작거리며 네게 기어들어갔다.

너는 참 차가웠다. 수족냉증이 있는 걸 감안하고서도 차가웠다. 몸의 온도 자체가 낮은 터라 넌 여름을 참 좋아했다. 나는 몸의 온도가 전체적으로 높은 터라 겨울을 좋아했지만, 네가 좋다니 여름이 더 좋아지는 듯했다. 무더운 여름날, 차가운 네 손을 붙잡고 있으면 모든 더위가 싹 가시는 듯했으니까. 그때도 그랬다. 열기가 땅바닥을 타고 스멀스멀 올라오는데, 뜨거운 몸을 가진 나는 그걸 이겨낼 수 없었다. 그래서 네게 다가갔고, 너는 차가운 손으로 내 열기를 식혀줬다.

"좋다…. 그렇지?"

너는 대답 없이 고개를 끄덕였다. 왜 대답이 없나 싶었지만, 너도 더워서 기력이 없는 거라고 생각하니 그리 말도 안 되는 상상은 아니었다. 몸을 뒤척거리며 네게로 더 파고들었다. 파고들면 파고들수록 더 짙어지는 냉기가 기분 좋았다. 숨을 크게 들이쉬자 냉기가 폐부로 가득 들어와 채웠다. 숨을 내쉬면 내 몸속 열기가 빠져나가 너를 덥혔다. 서로의 상호관계. 우리는 참 잘 맞는 커플이었다.

너를 올려다보며 헤실헤실 미소 짓자 너도 미소 지으며 내 앞머리를 쓸어올렸다. 차가우면서도 부드러운 네 손길을 익숙하다는 듯 받아들였다. 네 손길보다 부드러운 것은 이 지구 세상에 존재하지 않을 터였다. 너는 그렇게도 내가 걱정되는지 나를 지극정성으로 살폈다. 특히, *그¿~!↑곳↓*에?서 눈을 뜬 후로부터.

네 손을 맞잡고서 네게 얼굴을 비벼댔다. 네가 언제 이렇게 살이 많이 빠졌더라. 앙상하다 못해 딱딱한 느낌이었다. 원래 이렇지 않았던 것 같은데, 마지막 기억은 이것보다 조금 더 살이 많았던 것 같은데. 여름이라 식욕이 떨어졌나. 가끔 그럴 때가 있었으니 무리수는 아니었다. 식욕을 붙이도록 내일은 냉면을 먹어야겠다고 생각하며 다시금 눈을 붙였다.

그래서, 그날이 며칠이었더라¿

***

여름, 여름. 끝나지 않는 여름이 지속됐다. 너와 함께하면 언제나 시간이 빠르게 지나가 버렸는데, 요즘은 그렇지 않았다. 항상 똑같은 날이 반복되는 것 같은 느낌. 무더위에 지쳐 피부가 붉어져도 네 손길 하나면 다 괜찮아졌다. 반 팔 반바지를 입은 채 너와 함께 거리를 활보했다. 다른 사람들이 힐끔거리며 쳐다보는 시선에 미간이 찌푸려졌다. 혹여라도 너를 지켜보는 건 아닐까, 너를 조롱거리로 삼는 건 아닐까. 그런 생각에 너를 내 품에 꽉꽉 숨겼다. 아무한테도 보여주고 싶지 않았다.

사람들이 수군거리는 소리. 나를 보고 있는 건지, 너를 보고 있는 건지 분간 가지 않았다. 그냥 그러려니 하며 네 손을 꼭 맞잡았다. 무더운 여름에도 네 손 하나면 되는데, 무엇이 더 필요할까. 그렇게 있으면 가끔 너와 함께했던 과거가 떠오르곤 했다. 여름날 냉면집에서 데이트했던 기억, 여름의 열기를 식히자며 공포영화를 보는 바람에 무서워서 혼자 자지를 못하자 귀엽다며 웃고는 함께 있어 준 날의 기억, 같이 자고 일어난 다음 날 아침 매미의 알람을 듣고 깼던 기억, 더워서 네 손을 붙잡은 채 산책하던 기억, 함께 수영장에 갔던 기억, 바다에 갔던 기억, 스키장에 갔…… 갔었나? 내가, 너와, 스키¿ 장에?

헉! 무슨 생각을 하냐며 나를 툭툭 치는 너에 겨우 정신을 차렸다. 걱정스러운 네 얼굴이 시야에 들어왔지만 괜찮다며 웃어 보였다. 난 정말 괜찮았다. 너만 곁에 있다면 전부 괜찮았다. 안 괜찮아도 괜찮아야 했다. 그렇지 않으면 네가 불안해할 게 뻔했으니까. 가던 길을 마저 걸었다. 사람들은 여전히 우리를 쳐다보고 있었다. 기분 나쁜 시선. 눈깔을 다 뽑아버리고 싶었다. 너는 괜찮다는 듯 내 손을 다독였다. 그래, 괜찮았다. 너와 함께 있으니까. 네가 나와 함께하고 있었으니까. 그러니까 괜찮았다.

그런데, 그때 내가 무슨 생각을 하고 있었더라¿

"있지, 나는 요즘 너무 행복해."

다행이라는 듯 미소 짓는 네 모습에 웃음을 흘렸다. 앞으로도 늘 영원히 지금처럼 일상이 이어졌으면 좋겠다. 네가 싫어하는 겨울 따위는 존재하지 않고, 네가 좋아하는 여름만이 계속되는 세상. 이 세상 속에서 우리가 함께라면 힘들 일 따위는 없었다. 존재하지 않을 게 분명했다. 나는 너 하나만 있으면 전부 괜찮고, 너를 힘들게 할 것 따위는 내가 전부 없애버릴 테니까. 그러니까 너만 내 곁에 있어 주면 된다. 그렇게 생각했다.

차가운 네 두 손을 마주 잡은 채 깍지를 꼈다. 너는 미동 없이 나를 내려다보며 웃음을 흘렸다. 네 무릎베개를 베는 날이 많아졌다. 너는 힘든 기색도 없이 항상 무릎을 내어주었다. 괜찮다고 하는데도 너는 항상 나를 눕혔다. 나를 내려다보는 게 좋은가 싶었다. 배시시 미소 지으면, 너도 웃으며 내 볼을 두어 번 쓰다듬다가 고개를 숙여 입을 맞췄다. 입에서부터 전해지는 냉기가 기분이 좋았다.

"너는 계속해서 내 곁에 있어 줄 거지?"

미소 짓는 네 고개는 미동이 없었다. 조금 서운한 것 같기도 했지만 네가 옳은 걸지도 몰랐다. 사람은 언젠가는 죽게 되어 있고, 우리도 그렇게 사랑했다지만 언제 헤어질지 모르는 사이였다. 물론 그렇게 생각하고 싶지는 않았지만 어쨌든 그런 게 연인이라는 이름이었다. 법적으로 묶인 부부마저도 쉽게 이혼하는 세상에서 도대체 뭐가 영원이라는 걸까. 괜스레 미간을 찌푸린 채 네 품으로 조금 더 파고들었다. 너는 그런 내 등을 두어 번 두드려줬다. 네 손길이 기분 좋았다.

있잖아…. 말꼬리를 흐렸다. 그 이후에 무슨 말을 했는지는 기억나지 않는다. 그저 네게 무슨 말을 건넸고, 너는 그 말에 미소 지어줬던 것 같다. 네가 웃었으면 됐다. 그것 하나만으로도 만족스럽다. 네가 미소 짓는 것이 내게 있어 가장 큰 행복이니까. 네 행복이 내 행복이다. 영원이라는 것은 존재하지 않는다고 해도 너를 향한 내 마음은 영원할 것이다. 이것은 정해진 사실이다. 천명이다. 아마 내가 너를 사랑하는 것은, 절대로 거스를 수 없는 운명과도 같은 것. 처음 너를 보았을 때부터 정해진 것이었다. 그러니까 나는 너를 잊을 수 없다. 네가 없는 세상에서 살아갈 수 없다. 그곳은 지옥과도 같으니까, 세상이 아니니까.

***

조금은 이상한 날들을 보냈다. 너와 함께 봄을 보내고, 여름을 보내고, 가을을 보내고, 또 여름이 됐다. 다른 한 계절이 또 있었던 거 같은데, 왜인지는 모르겠지만 잘 기억나지 않는다. 네가 옆에서 함께 웃어주기만 한다면 모든 것을 잊어도 좋을 듯하다. 무더운 여름, 햇빛이 강해 눈을 제대로 뜰 수조차 없는 계절. 두 눈을 감은 채 하늘을 올려다본다. 여전히 너와 맞닿은 손은 시원하다 못해 차갑다. 손가락도 잘 움직이지는 않는다. 감각도 잘 느껴지지 않는다. 너와 함께하면 현실 감각이 사라져서 그런 걸까. 그저 웃음만 나온다.

—아, 네 이름을 입에 머금는다. 차마 뱉지는 못한다. 꽉 눌어붙은 입술은 떨어질 생각을 하지 않아 나를 고통스럽게 한다. 뜨거운 여름날의 햇살에 성대가 녹아 눌어붙어버렸나. 아니면 성대

가 녹아 목구멍을 막아버렸나. 아니면 혀가 녹아 입을 막아버렸나. 금붕어도 할 수 있는 뻐끔거림조차 하지 못해 너를 부르지 못한다. 그저 네 손을 더 꽉 잡아보는 것밖에 할 수 없다. 그러면 너는 이런 내 마음을 아는지 모르는지 그 예쁜 얼굴로 눈을 반 접은 채 나를 향해 웃어 보인다. 눈처럼 사르르 녹아내리는 마음은 너에게만 약하다. 그런데 눈?이 뭐¿더라.

오늘은 밖에 나가지 않는다. 장마 시즌은 아닌 거 같은데 비가 추적추적 내린다. 습하지도 않고 건조하기만 한데, 왜 이렇게 비가 내리는 건지 모른다. 나는 비가 싫다. 비를 맞으면 축축한 옷이 살갗에 진득하니 달라붙고, 물웅덩이 속 흙탕물이 튀어 옷을 더럽힐 수도 있다. 이것저것 안 좋은 일투성이다. 그래서 나는 비가 싫다. 아무리 여름을 좋아하는 너여도 비를 좋아하지는 않는다. 그런데 왜인지, 오늘따라 저 바깥에서 내리는 비가 지독히도 꼴 보기 싫다. 유독, 저 비가.

그런데도 사람들은 뭐가 그리 좋은지 밖에 나가 뛰어논다. 우산도 쓰지 않은 채로 털모자만 쓴 채 밖을 뛰어다니는 꼴이 우습다. 저 광장에 우뚝 솟아 있는 트리는 또 어떻고. 마치 크리스마스라는 것처럼 트리의 빛이 밝다. 사람들의 얼굴에 웃음꽃이 피어있다. 슬쩍 너를 흘겨본다. 나가고 싶어 하지는 않는 것 같지만 그렇다고 여기 있는 게 썩 즐거워 보이지도 않는다. 내가 뭘 어떻게 해야 네가 더 예쁘게 웃어줄 수 있을까. 곰곰이 생각해봐도 정답은 나오지 않는다.

"우리 잠깐 나갔다 올까?"

네가 고개를 갸웃거린다. 그래도 꽤 들떠 보인다. 비가 오는데 나가고 싶었던 걸까. 두근거린다는 듯 얼굴에 옅게 올라온 홍조가 보인다. 이런 네 모습은 오랜만에 봐서 괜스레 웃음이 새어나온다. 그래도 바깥은 축축할 테니 짧게 입고서 우산을 챙긴다. 두 개 챙길까 싶다가 큰 우산을 쓰고 너와 단둘이 걷는 것도 좋을 것 같아 하나만 집었다. 네 손을 맞잡은 채 바깥으로 향한다. 비가 와서 그런가, 약간 서늘한 것 같기도 하다.

네가 비를 맞지 않도록 우산을 기울인다. 비가 좀 천천히 떨어지는 듯하다. 비에 젖은 어깨는 서서히 물들어간다. 괘의치 않고 너와 손을 맞잡은 채 거리를 거닌다. 창으로 봤을 때는 웃음꽃을 맘껏 피워낸 채 즐겁게 웃고 있던 사람들이 우리의 등장만으로 웃음꽃을 꺾어버린 채 조용해진다. 많고 많은 사람 중 대다수 사람이 우리에게 집중하고 있다는 사실은 꽤 부담스럽다. 이래서 별로 나오고 싶지는 않았지만, 네가 좋다니 어쩔 수는 없다.

왜 사람들은 우리를 쳐다보고 있는 걸까. 네가 너무 예쁜 탓일까. 그렇다고 하더라도 이렇게 많은 사람의 시선을 모두 가져갈 정도인가? 왜 이렇게 많은 사람은 축제를 즐기지 않고 우리를 쳐다보는 걸까. 어, 왜 축제라고 언급했지? 나는 왜 비가 오는데 축제라고 생각했을까? 너무나도 당연하게 생각한 말에 혼란스럽다. 이해가 가지 않는다. 요즘 이해가 가지 않는 일투성이다. 그날, 땅바닥에서 눈을 뜬 이후로 쭉.

길거리에 있는 사람들은 모두 패딩을 입고 다닌다. 나와 너만 반 팔 차림이다. 덥지 않은 걸까? 비까지 오는데 그렇게 덥게 입고 있으면 금방 습기가 차 짜증이 치밀어오를 게 분명하다. 물론 지금은 그다지 습하지는 않지만…. 아무튼 그런데도 꾸준히 입고 있는 것을 보아하면 사람들은 참 대단한 것 같다. 멈칫, 발걸음을 멈춰 선다. 너는 고개를 갸웃거리며 나를 올려다본다. 약간 어지러운 것 같다. 나한테 무대공포증이라도 있었나? 조금 어지럽고, 조금 춥고, 조금…….

“우리 이만 돌아갈까…?”

네 옷자락을 잡아끈다. 너는 꿈쩍도 하지 않는다. 왜지? 네가 아무리 밖에 나가고 싶다고 해도 내 의견도 존중해 주던 너다. 그런데 왜 지금 너는 내 말은 무시하고 그 자리에 꿈쩍 않고 서 있는 걸까. 이해가 가지 않는다. 너무 추워서 머리가 굳어버렸나? 아니, 그런데 나는 왜 춥다고 생각하는 걸까? 너와 맞잡은 손이 조금 차가워 손끝에서 감각이 느껴지지 않기는 하지만, 그래도 추운 날씨는 전혀 아닌데. 아니, 아니 추운가? 아니야, 지금은 여름인걸? 아니, 아닌가? 어? 어¿

머리를 잡아 뜯는다. 주변에서 웅성거리는 소리가 커진다. 사람들은 나를 손가락질하며 나를 앞에 세워둔 채 수군거린다. 왜 나만? 나한테만 왜 그러는 거지? 너도 내 곁에 있는데, 너도 분명 내 곁에…….

"—아?"

네 이름이 뭐였더라? 기억나지 않는다. 왜지? 왜? 수없이 불렀던 네 이름이다. 뭐가 잘못된 걸까. 우리 사이에 무슨 일이 일어난 걸까? 세상이 핑 도는 것 같다. 뭔가 잘못된 거다. 내가 잘못된 건 아니고, 이 세상이 잘못된 거다. 그래, 이건, 너를 앗아간 이 세상의 잘못이다.

"—아!"

"아, 안 돼. 안 돼!"

손을 뻗어보아도 닿지 못하는 곳에서 나는 너를 잃었다. 무참히 너를 떠나보낼 수밖에 없었다. 내가 할 수 있는 일이라곤 없었고, 빠르게 스키를 타고 내려가는 내 뒤로 너는 눈 속에 파묻혔다. 내가 그때 혼자 달아나지만 않았어도 나는 지금쯤 네 곁에 있을 수 있었을까?

그래, 스키장을 가지 말았어야 했다. 스키장에서 갑작스러운 산사태로 너는 실종됐고, 한참 후에 발견된 네 시신은 얼음장처럼 차가웠다. 아니, 그냥 얼음장 그 자체라고 해도 맞을 정도였다. 나는 그런 너를 안고 몇 날 며칠을 울었다. 그렇게 탈진하고서 병원에서 깨어났다가 다시 잠들었고, 그 후 깨어난 게 내 집이었다. 어떻게 옮겨진 지 기억나지는 않는다. 아마 퇴원하고 나서의 기억이 사라진 듯하다. 여름을 좋아했던 너, 겨울을 좋아했던 나. 겨울이 싫어졌다. 미워졌다. 혐오스러웠다. 그래서, 그래서…… 내게서 겨울을 없애버렸다. 사람들은 한여름에 패딩을 입고 다니기 시작했고, 나와 내 기억 속의 너만 반 팔을 입고 다녔다.

나는 결국 물웅덩이 위로 쓰러진다. 아니, 이건 아마 눈이다. 눈덩이 위로 쓰러져 사람들의 비명이 귀를 뚫고 지나간다. 온몸이 차갑다. 움직이지 않던 몸은 결국 손가락 하나 까닥할 힘조차 사라진다. 결국 내가 가는 계절도 겨울이다. 아니, 여름인가? 이건…… 여울이다.

네가 좋아한 여름,
내가 싫어한 겨울.

눈보라가 쏟아진 여름,
폭풍우가 쏟아진 겨울,

너를 덮친 겨울,
나를 덮친 여름.

결국엔
여울.

제4화 여우비

“태민아.”

“왜요?”

“그냥…. …우리…놀이공원 갈까?”

“그래요.”

아마 오늘이 마지막이다. 나는 또 황태민의 손을 꽉 잡는다. 그러면 황태민은 대답하듯 손을 맞잡아준다. 다 큰 남자 둘이 온 놀이공원은 꽤 작게 느껴지기도 하지만, 아직 다 컸다고 하기에는 미숙한지라 이 시간을 즐기고 싶다. 금방이라도 터트릴 것 같은 눈물을 애써 꾹꾹 눌러 담는다. 먼저 앞서 걷는 모습을 뒤에서 지켜보다 황태민도 따른다. 마지막 퍼레이드에 발을 들인다.

…아, 여우비다.

***

황태민은 정말 우연히 만났다. 어느덧 고3이 돼버려서 정신 차리고 공부해야겠다며 도서관에 박혀 살았는데, 책이랑 딱히 잘 맞는 편은 아니라 농땡이 부리는 게 대다수였다. 그날도 마찬가지였다. 점심 후다닥 먹고 와서 공부 좀 하려고 책 폈는데 하필이면 그날 점심에 상추가 나와서 식곤증이 밀려왔다. 꾸벅꾸벅, 병든 닭처럼 졸고 있는데 머리가 훅 떨어졌다. 그 순간 깨서 머리에 힘주려고 했다가 안 들어가는 바람에 그대로 책상에 박을 뻔했다. 그때 누군가 잡았다. 아니, 받쳤다.

괜찮냐고 묻는 말에 깜짝 놀라 시선을 들었다. 예쁘장하게 생긴 남자애가 나를 내려다보고 있는데, 아직 그 손에서 얼굴을 안 뗐다는 사실을 깨닫고서는 급하게 몸을 일으켰다. 슬쩍 시선을 내려 명찰을 봤는데 이름 석 자도 정갈하게 황태민이었다. 황태민의 얼굴을 살폈다. 3년 다닌 학교에서 단 한 번도 본 적 없는 얼굴이었다. 2학년과도 원만하게 지냈으니 남은 건 1학년밖에 없었다.

몇 학년이냐 묻는 말에 돌아온 대답은 당연하게도 1학년이었다. 왠지 모를 뿌듯함을 느끼며 3학년이라 했다. 그러자 황태민은 또 고개를 끄덕. 오늘 공부는 글렀다 싶어 황태민과 친해지기로 마음먹었다. 다짜고짜 번호 교환하자고 했는데 황태민은 조금 난처한 눈치였다. 아니, 정확히는 관심이 없어 보였나. 손을 뻗어 휴대폰을 들고 있는 내 손을 살짝 밀어내는데, 그 손이 또 부드러워 순간 움찔거렸다. 이상했다. 가슴이 쿵쾅거리며 뛰는 것이 아까 머리를 박을 뻔한 게 많이 놀랐나 싶었다.

"왜 나랑 번호 교환 안 해줘?"

"…우리 안 친하잖아요?"

"친해지면 해줄 거야?"

"글쎄요? 그때 가서."

황태민의 선 긋는 대답에 괜히 부루퉁했다. 혼잣말을 중얼거리고 있으려니 황태민이 자리에서 일어났다. 나도 모르게 손목을 붙잡았는데, 황태민은 조금 불편한 기색이었다. 천천히 손목을 놓자 제 손목을 만지작거리던 황태민이 몸을 돌려 도서관을 빠져나갔다. 휑한 도서관에 나 혼자 남아 멍하니 닫힌 문만 바라보았다. 열린 창문에서 살며시 들어오는 봄바람이 내게 닿았다. 넘어갈 듯 말 듯 한 책 페이지가 팔랑거리고 있었다. 두근두근. 뛰는 가슴 위에 손을 얹었다. 얼굴에 오른 열이 느껴졌다. 팔랑, 책 페이지가 넘어갔다. 머릿속에 드는 생각은 단 하나였다.

황태민의 손목이 참 가늘다는 거.

***

황태민에 대해 알아내는 건 어렵지 않았다. 친구들에게 물어 물어 알아내다 보니 몇 가지 정보를 수집할 수 있었다. 황태민은 엊그제 전학을 왔다. 왜 왔는지는 모르고, 그냥 학기가 시작한 지 2달이 지났는데 어중간한 시기에 온 전학생이니 꽤 화젯거리가 됐다. 그뿐 아니라 얼굴도 예쁘장하게 생겼으니 말 다 했다. 특히 2, 3학년 여자들한테 인기가 많다고 했는데, 또 도도해서 강아지상이랑 안 어울린다고 했다. 괜히 아까 점심시간에 있던 일이 생각나 고개를 끄덕거렸다. 정보를 알려주면서 하나같이 묻는 말이 '갑자기 황태민은 왜?'길래 그냥 웃으며 신경 쓰지 말라고 했다.

알면 알수록 황태민에 대해 궁금해졌다. 황태민은 왜 학기 시작 두 달 후에 전학을 왔을까? 그 예쁘장한 얼굴을 써먹으면 학교생활도 편할 텐데 왜 써먹지를 않을까? 생긴 건 강아지인데 사람 꼬시는 걸 보면 완전 여우였다. 근데 그게 본인이 원해서 꼬시는 게 아니라는 게 더 웃겼다. 그냥 홀리는 것처럼, 진짜 여우처럼 가만히 있기만 한데 사람들이 황태민을 좋아했다. 물론 황태민은 그걸 싫어했다. 아니, 정확히는 달가워하지 않는 느낌이었다. 싫어하는 건 아닌데, 그렇게 지내고 싶지 않다는 느낌. 대다수 학생과 친하게 지내는 나로서는 이해가 되지 않는 부분이기도 했다. 사실 지금도 이해는 안 가는데 뭐, 사람이 잘 먹고 잘 살면 그만이긴 하다.

황태민이 1학년 2반이라는 정보를 입수했다. 하교 후 빠르게 달려 나가 1학년 2반 앞에 있었다. 다행히 아직 종례가 끝나지 않아 황태민이 있었다. 어찌나 자세가 바른지 한 번도 내 쪽을 안 쳐다봤다. 그러다가 종례가 끝나고 뒷문으로 나오려 할 때 급하게 달려갔다. 황태민은 내가 온 것을 보더니 고개를 갸웃거렸다. 내가 왜 여기 있냐는 듯 어리둥절한 표정이었다. 씩 웃으며 황태민의 손목을 잡고서는 일단 데려갔다. 어디 가냐는 황태민의 물음은 가볍게 무시했다.

황태민과 그냥 공원이나 갔다. 사실 카페나 갈까 했는데 아직 그러기엔 혼자 내적 친밀감 왕창 쌓은 상태라 황태민이 어색할 거 같아서 근처 공원으로 갔다. 당연한 건지 황태민은 고개를 숙인 채 바닥만 보며 걷고 있었다. 나란히도 아니고 자꾸만 뒤로 뒤처지길래 발걸음 폭을 좁혔다. 그러자 좀 맞는 것 같았다. 황태민은 우뚝 멈춰 서더니 고개를 휙 들었다. 마주친 시선에서 스파크가 튀는 기분이었다. 사실 아직도 황태민이랑 눈 마주치면 가슴이 아릿했다. 자꾸만 심장이 뛰어서.

"그래서 저 왜 데려오셨는데요?"

"어? 그냥… 친해지고 싶어서."

"왜요?"

"친해지고 싶은데 이유가 있어야 해?"

"네."

한 방 먹은 기분이었다. 아니, 도대체 왜 친해지고 싶은데 이유가 있어야 하지? 이 부분은 아직도 의문이기는 하다. 물론 그 덕에 황태민한테 집적거리는 놈이 많이 없기는 했다. 그건 좋았는데, 참 좋았는데. 그래도 그때는 꽤 당황스러운 대답이었다. 들어본 적도, 예상해본 적도 없던 답변. 사람들은 대다수 나에게 호의적이었기에 더 그랬다. 상대 쪽에서 먼저 친해지고 싶어 하는 게 대다수였는데, 황태민만 달랐다. 황태민만 내가 먼저 다가갔고, 먼저 친해지고 싶어 했다. 황태민은 도대체 뭐가 다를까. 그때는 그게 참 궁금했다.

아마 그 궁금증이 지금 우리 사이에 한몫했을 것이다. 그 궁금증이라는 게 없었더라면 황태민에게 먼저 다가갈 생각은 하지 않았을 테고, 황태민이 먼저 나한테 다가올 일은 전혀 없었을 테니까. 정말, 단 1%도 존재하지 않았을 것이다. 확신할 수 있다. 사람과 거리를 두는 것마저 이유가 있는 황태민이기에. 그래서 지금 황태민 곁에 있는 게 선택받은 사람 같아 기쁘면서도, 이후에 일어날 일을 생각하면 가슴이 저려오기만 하다. 역시 이건 어쩔 수가 없다. 처음부터 정해진 일이었는데, 아무런 힘도 없는 내가 어떻게 하겠는가. 단순한 친구일 뿐인 내가.

이유, 이유란 존재하지 않았다. 그냥 순수한 호기심과 궁금증, 그것만으로는 안 되는 걸까? 황태민 눈을 보니 씨알도 안 먹힐 소리 같았다. 하지만 거기서 물러날 내가 아니었다. 이유가 필요하다면 만들면 되는 거였다. 빠르게 머리를 굴렸다. 나를 빤히 보는 시선에 빨리 대답해야 할 것만 같았다. 그 때문이었는지는 몰라도 말이 필터링을 거치지 않고 나왔다. 지금 생각해도 꽤 웃긴 말이다.

"예뻐서."

"……네?"

그때 태민이 지었던 표정이란 정말 진심으로 어이없다는 표정이었다. 물론 어이없었을 만했다. 나도 그랬으니까. 하지만 이미 엎질러진 물, 어찌할 도리는 없었다. 머리를 굴리며 가장 그럴듯한 헛소리를 생각해냈다. 나 예쁜 사람 좋아하거든. 황태민은 이상한 사람을 만났다는 듯 표정을 구겼다. 이해할 수 있었다. 나 스스로 입을 열 때마다 한 층씩 깊은 구덩이로 몸을 내던지는 기분이었다. 이재호 멍청이.

자책하고 있는데 황태민이 앞서가고 있었다. 놀라 황태민을 뒤따랐다. 어디 가냐 물으니 돌아오는 대답은 꽤 황당하기도 했다. 선배님께서 먼저 가자면서요. 두 눈을 크게 깜박이다 곧 활짝 미소 지었다. 뭐로 가도 서울만 가면 된다고 했던가. 그 말이 딱 맞다고 생각했다. 뭐라 하든 황태민만 꼬시면 됐지. 뒤에서 달랑 달랑 흔들리는 손을 바라보니 잡고 싶어졌다. 잡을까 말까 고민하다가 잡으면 정말 어디론가 사라질 것만 같아서, 잡는 건 잠시 뒤로 미뤄뒀다. 천천히 다가가면 된다고 생각했다. 시간은 많다고 생각했으니까. 지금 생각해보면 참 웃긴 말이다.

나중에 물어봐서 안 건데, 이때 황태민이 가자고 한 건 단순한 변심이 아니라, 이유를 댔기 때문이라고 했다. 뒤늦게 멍청했던 이재호를 칭찬했다. 그런 모습을 황태민이 멀뚱멀뚱 보고 있길래 머리를 쓰다듬어달라 했더니 진짜 쓰다듬어줬다. 그때로 돌아갈 수 있으면 좋을 텐데, 시간은 참 야속하다. 야속하게도 너무 빨리 간다. 조금만 더 기다려 주면 안 되는 건가.

***

황태민과는 생각보다 빨리 친해졌다. 한번 장벽을 허물어서 그런지 다가가는 걸 막지 않은 덕이었다. 나한테는 장난도 조금 치고 그랬는데, 내가 아닌 다른 누군가가 다가오면 정색하고 밀어내기 일쑤였다. 조금 이상하다고 느껴질 수도 있겠지만, 나는 그런 모습에 두근거렸다. 물론 뒤에서는 황태민의 이미지가 나빠지지 않기 위해 사방팔방으로 뛰어다니기는 했다. 애들은 의심스러워하면서도 늘 '네가 그렇게 말하니까 한번 믿어볼게.'라며 넘어가고는 했다. 나한테는 다행이었다. 왜 다행이었는지는 모른다.

나중에는 손잡고 거리를 활보하기까지 이르렀는데, 그게 다른 게 아니라 황태민이 길을 잘 몰라서였다. 그러니까 길 잃은 미아 될까 봐, 그래서 잡고 다녔다. 물론 어디에 있든 알아볼 수 있지만 잡는 게 좋으니 따로 말하지는 않았다. 황태민은 애 같았다. 세상에 처음 나온 애. 그래서 그런지 모든 걸 신기해했다. 처음 같이 민트 초코 아이스크림을 먹었을 때도 색이 왜 이러냐며 떨떠름한 표정을 지었지만 먹고 나서는 참 좋아했다. 그렇게 하나

하나 나로 인해 바뀌어 가는 표정을 보는 게 좋았다.

아이스크림을 먹다 햇빛 때문에 눈을 찡그릴 때면 손을 펼쳤다. 크지는 않은 손이었지만 황태민 눈 가릴 정도는 됐다. 그렇게 가려주면 눈 감은 채로도 내가 보였는지 씩 웃었다. 황태민은 나보고 구름 같댔다. 황태민 전용 구름.

태민아. 내가 부를 때 돌아보기만 하던 황태민이 나를 불러주는 것도 좋았다. 선배님, 선배, 형, 재호 형. 그렇게 호칭이 바뀌어 가는 것도 그리 오래 걸리지 않았다. 처음 재호 형이라 불렀을 때는 정말이지 꽤 얼굴이 뜨거웠다. 황태민은 그런 나를 아는지 모르는지 그저 웃을 뿐이었다. 그 웃음은 또 어찌나 예쁘던지, 예쁜 게 죄라면 황태민은 무기징역.

솔직히 말해서 게이라고 생각해본 적은 없었다. 황태민 말고나. 그런데 사람 마음이라는 게 참 우스웠다. 예쁘다, 귀엽다. 그런 감정 한번 들었을 뿐인데 가슴이 뛰고 열이 나는 게 꼭 사랑이라는 것처럼 느껴졌다. 에이, 설마. 아니겠지. 지금까지 여자밖에 사귀어본 적 없었는데. 그런 마음을 먹고 황태민을 만나면 또 심장이 덜컥. 그런 게 이상해서 다른 사람이랑 연애도 해봤는데 이전만큼 즐겁지도 않았다. 이상했다. 내가 아닌 것 같은 느낌.

황태민을 만난 후부터 모든 연애가 일주일을 넘지 못했다. 팍 타올랐다가 팍 식는 그런 것도 아니고, 그냥 애초에 타오르지를 못했다. 사귈수록 황태민한테 시선이 가는 것이, 정말 게이… 라고-그때는 양성애자일 수도 있다는 생각을 해보지 못했다- 느껴졌다. 그래서 여자친구들한테는 미안하지만, 이별 통보했다. 그러니 오히려 마음이 편해졌다. 마음 놓고 황태민한테 집중할 수 있었다. 황태민이 그런 나를 알았는지는 모르겠지만 나 혼자 그랬다. 혼자 만족스럽다는 듯 고개를 끄덕이고서 저 앞에 보이는 황태민에게 다가갔다. 어깨를 툭 치자 황태민이 뒤를 돌아봤다. 나를 보자 미소 지어주는 얼굴이 좋았다.

"태민아."
"왜요?"
"그냥…. 우리 민초 먹으러 갈까?"
"그래요."
어느새 함께하는 하루가 익숙해졌다. 황태민이 내 일상에 있는 게 익숙했다. 어쩌면 당연한 거였다. 졸업이 다가온다는 게 아득하게만 느껴졌다. 이대로 졸업하면 황태민이랑 멀어지는 걸까, 그런 생각에 가끔은 잠 못 이루기도 했다. 왠지 울컥한 마음에 눈시울이 시큰해져서. 그런 기분에 축 처질 때면 황태민을 꼭 껴안고는 했는데, 처음에는 당황하다가 그냥 내버려 뒀다. 황태민 어깨에 코를 박고 체향을 들이켤 때면 마음이 편안해졌다.
황태민한테서는 비 냄새가 났다.

황태민은 언제든 사라질 사람처럼 굴었다. 사소한 걸 기억하지 않는 것도 그랬고, 그런 것에 의미를 부여하지 않는 것도 그랬다. 나는 모든 게 추억인데, 황태민이 있는 모든 기억이 소중한데 황태민은 아닌 것 같아서 좀 서운하기도 했다. 그게 다 이유가 있었다는 걸 누가 알았겠는가. 아무것도 몰랐던 나였기에, 한번은 황태민한테 투정 부린 적도 있었다. 나는 너와 함께한 모든 기억이 소중해서 하나하나 기억하고 있는데, 너는 왜 기억하지 않냐고. 나와 함께한 기억이 소중하지 않은 거냐고. 너한테 나는 겨우 그런 존재냐고.
그 물음에 황태민은 그저 웃었다. 아무런 대답도 하지 않았다. 그 미소가 조금 서글퍼 보였던 건, 그저 착각이라고 생각했다. 이제는 안다. 착각이 아니었다는 걸. 그때 황태민은 서운했던 나와는 비교도 되지 않을 정도로 큰 슬픔을 가지고 있었다는 걸. 형으로서 모범을 보이지는 못할망정 투정 부렸다는 게 조금은 미안하기도 했고, 쪽팔리기도 했다. 물론 그런 생각을 할 공간 따위는 없다. 오로지 황태민으로 가득 채워야 한다. 그게 내가 할 수 있는 마지막 배려다.

문득 맞잡은 손을 바라보자 그때 생각이 난다. 우리가 서로의 마음을 확인한 날. 정말 맹세컨대, 나는 그전까지 단 한 번도 내가 게이라고 생각해본 적 없었다. 그러니까 이 모든 건 다 황태민 탓이다. 황태민이 너무 예쁜 탓.

***

투둑, 투둑. 비 오는 날이었다. 그냥 비도 아니고 여우비. 하늘이 쨍하게 맑은데 빗방울이 하나둘 내리는 게 신기했다. 황태민과 약속 있던 날이었는데, 비가 오니 취소할까 생각이 들면서도 잠깐 더 기다려보자는 생각이 들었다. 우중충한 것도 아니고 해가 떠 있으니 금방 사그라들 것 같았다. 황태민 보고 싶다. 그 생각하자마자 거짓말처럼 황태민이 나타났다. 호랑이도 제 말 하면 온다더니, 황태민은 사실 호랑이인 모양이었다.

황태민은 하늘을 멍하니 쳐다보고 있었다. 저렇게 걷다가는 전봇대에 부딪칠 거 같아서 급히 황태민 앞으로 갔다. 콩. 부딪친 게 나라서 다행이었다. 정말 자칫 잘못했으면 전봇대랑 부딪칠 수도 있는 상황이었다. 황태민은 그걸 몰랐는지 깜짝 놀란 눈으로 나를 쳐다보았다. 아무렇지 않은 척 활짝 웃으며 가자 하니 황태민은 그저 고개를 끄덕였다. 평소랑 다른 모습에 걱정됐지만 괜찮을 거라 생각하며 애써 무시했다.

무시하지 말걸. 결국 그날은 최악의 날임과 동시에 최고의 날이 됐다. 황태민은 하는 것마다 집중을 못 해서 모든 걸 망쳤다. 미안하다고 사과하는데 그마저도 귀여워서 그냥 괜찮다 했다. 푹 한숨을 내쉬는 황태민에 연신 괜찮다는 말만 반복. 못 믿는 것 같았다. 그래서였다. 그냥 충동적으로 저지른 건.

"좋아해."

……에? 황태민이 두 눈 동그랗게 뜬 채 나를 바라보았다. 나도 순간 사고 회로가 굳었다. 이상했다. 황태민 앞에만 서면 내가 바보가 되는 기분이었다. 입을 틀어막은 채 얼굴을 확 붉히다 그냥 진심을 전했다. 이렇게 고백할 생각은 아니었는데, 애초에 고백할 생각 따위 없었는데. 그냥 이렇게 됐으니까. 내 마음도 자각하고 좋네, 뭐. 화끈거리는 얼굴을 감추지는 못했지만 황태민 또한 얼굴이 붉어져서 괜찮았다. 두 눈 크게 뜨니 딱 강아지 같았다.

그러다 황태민이 눈을 반으로 접어 웃었다. 그와 동시에 내뱉는 말이 나도요였다. 그러는데 내가 어떻게 안 반하고 배길 수가 있겠는가. 나도 입꼬리 올려 웃었다. 황태민은 참 예뻤다. 확실한 강아지상이라고 생각했는데, 이렇게 보니 여우 같기도 했다. 사실 호랑이가 아니라 여우였나. 손을 맞잡는데, 참 보드라웠다. 솜털 하나하나가 부드러워서 기분 좋았다.

여우비가 그쳤다.

"태민아."

"네, 형."

"너는 왜 맨날 나한테 존댓말 써?"

"형이잖아요."

"연인인데, 이제 반말 써주면 안 돼?"

"…네, 안 돼요."

왜 안 되냐고 칭얼거리려고 했는데, 그렇게 말하는 황태민 표정이 너무 어두워서 차마 묻지 못했다. 물어서는 안 될 것만 같은 느낌. 그저 알겠다며 고개를 끄덕일 뿐이었다. 왜 안 된다는 말을 들은 나보다 네가 더 어두운 표정을 지었는지, 나는 이제야 너를 이해할 수 있다. 나와 그 이상 정을 붙이지 않으려 했음을.

언젠가 황태민한테 물어본 적이 있었다. 너는 왜 그렇게 사람을 피하냐고. 그 말에 황태민은 살포시 웃다가 천천히 입을 열었다. 그냥, 나는 잠깐 유희 나온 거나 마찬가지거든요. 나는 곧 장가가야 하는 구미호라서요. 그 말을 이해할 수 없었다. 정말 이해할 수 없었는데, 이해하고 싶지도 않았는데 이제는 이해할 수 있다. 그 말의 의미를, 황태민의 정체를, 우리의 마지막을.

***

여우, 그래. 황태민은 여우다. 나를 홀린 여우고, 그냥 여우다. 그럼 나는 구름인가. 여우한테 홀려서 여우 뒤를 쫄쫄 따라다니는 구름. 놀이공원에서도 황태민 뒤만 쫄쫄 따라다녔다. 나보다는 황태민한테 맞춰주고 싶어서, 마지막일지도 모르는데 하고 싶은 거 다 하게 해주고 싶어서. 그렇게 쫄쫄. 또 쫄쫄. 한참을 돌아다니니 해가 졌다. 해가 진 상태로 또 쫄쫄. 좀 피곤하다. 아침부터 너무 많이 돌아다닌 모양이다. 벤치에 앉아 잠시 휴식을 취한다. 하늘을 물끄러미 바라보고 있는데 황태민이 입을 연다.

"재호 형."

"응."

"덕분에 즐거웠어요."

"…나도."

알 수 있다. 황태민이 건네는 마지막 인사다. 괜히 울컥하는 마음에 고개를 돌린다. 황태민 이제 얼마나 더 볼 수 있을지도 모르는데, 이러면 안 되는데 얼굴 마주하면 울 것만 같아서 차마 볼 수가 없다. 마지막인데 찌질하게 우는 모습 보여주고 싶지 않다. 그러다 보니 어느새 퍼레이드의 시작이다. 우리의 마지막 퍼레이드.

퍼레이드가 시작되고 사람들이 환호하는 소리가 들린다. 맞잡은 손에 힘이 들어간다. 눈시울이 시큰거린다. 이제 황태민을 보내야 할 때가 왔다는 게 뼈저리게 느껴진다. 안 되는데, 나 이대로는 못 보내는데. 그런데 시간은 야속하게 흘러만 간다. 째깍거리는 시계 초침 소리가 귓가에 울리는 기분이다. 괜히 다급해진 마음. 황태민을 떠나보내야 한다는 게 믿기지 않는다.

황태민은 여우다.
나는 구름이다.
황태민은 구미호다.
나는 여전히 구름이다.

폭죽이 터진다. 불꽃놀이가 시작된다. 황태민이 나를 당긴다. 그 당김에 속수무책으로 끌려간다. 마주한 시선이 뜨겁다. 황태민의 눈 속에 불꽃이 담겨 있다. 불꽃은 크게 타오를수록 빨리 꺼진다. 황태민이 꺼질 시간이다. 입술을 맞춘다. 따스함보다는 촉촉함이 느껴진다. 황태민의 입술은 촉촉하다. 차마 눈을 뜰 수 없다. 촉촉함은 오래도록 남아 내 입술에 머문다. 천천히 눈을 뜨자 보이는 건 아무것도 없다. 황태민이 사라졌다. 황태민이 없다. 황태민이 사라진 자리에는 비 냄새가 남아있다.
여우비가 내린다.

제5화 사련(思戀) 사결(辭訣)

현은 처음 그녀를 보았을 때를 아직도 기억한다. 달빛을 받아 빛나는 하얀 원피스가 바람에 흩날렸다. 인기척을 느낀 그녀가 살며시 돌아본 고개. 은빛의 머리카락이 공기를 가르고 지나갔다. 그녀는 그때부터 그의 신이자 세상이자 전부였다.

현의 아버지가 현의 등을 툭 쳤다. 잠시 움찔거린 현이 고개를 들어 저의 아버지를 눈에 담았다. 아무런 표정도 없이 제 이름을 부르는 목소리는 차갑기 그지없었다. 저리로 가라는 낮게 내리깔린 음색이 새벽공기를 날카롭게 가르고 지나갔다. 현이 머뭇거리며 그녀에게 다가갔다. 그녀는 저를 비추는 달빛보다도 밝게 웃으며 현의 손을 맞잡아주었다. 느껴지는 온기에 현이 살며시 고개를 들어 그녀를 쳐다보았다. 그 맑디맑은 초록빛 눈동자에 담긴 저의 모습을 바라보았다. 아, 저가 저렇게 예쁘게 생겼었나. 그런 착각까지 읽을 정도로 아름다운 눈동자였다.

충분히 인사는 나누었겠지? 그렇게 말하며 현의 아버지가 현의 목덜미를 잡아끌었다. 강제적으로 놓친 손의 온기가 여전히 현의 손에 남아있었다. 제 손을 멀뚱멀뚱 쳐다보다 고개를 들어 그녀를 쳐다보았다. 처음 보는 사람들이 그녀에게 다가가 그녀의 어깨를 잡았다. 그녀는 어색히게 웃으며 그들을 따라갔다. 현은 아직 어린 나이였지만 직감할 수 있었다. 그녀가 저들을 두려워하고 있다는 것을. 그리고 지금 현은 그녀를 도울 수 없다는 것을. 손을 꽉 쥐었다 폈다. 손에 남은 온기를 매만지며 그녀를 비추던 달로 시선을 옮겼다.

“저 사람은 누구에요?”

"성녀. 이제부터 너를 돌봐줄 사람이기도 하다."
연이라고 부르면 돼. 아버지의 말에 현이 얼굴에 미소를 띠었다. 연, 연. 저와 비슷한 발음의 연의 이름을 마음속에서 몇 번이고 불렀다. 저를 돌봐줄 사람이라는 것은 앞으로도 많이 접할 수 있다는 뜻이라는 것을 알고 있었다. 괜한 기대감에 가슴이 뛰었다. 얼굴에 열이 느껴지는 것 같기도 했다. 손등으로 얼굴을 쓸어보기도 하고 손부채질로 작은 바람을 일으키기도 했다.
새벽공기가 쌀쌀하기는 했지만, 왠지 모르게 근래 중 가장 따듯한 날처럼 느껴지는 것만 같은 기분이었다. 그나저나 성녀? 현이 고개를 들어 제 아버지를 쳐다보았다. 현의 아버지는 연이 사라진 자리를 물끄러미 쳐다보고 있었다. 그러다 현의 시선을 느낀 것인지 고개를 내려 현을 쳐다보았다. 할 말이라도 있니? 그 물음에 잠시 머뭇거린 현이 입을 열었다.
저, 성녀가 누구예요? 성녀라는 게 뭐예요? 그 물음에 피식, 비소를 흘린 현의 아버지가 현의 머리를 쓰다듬었다. 아니, 잡았다는 표현이 조금 더 어울리는 표현일지도 모르겠다. 약간 욱신거리는 머리에 미간을 찌푸린 현이 제 아버지의 눈 속에 담긴 저를 바라보았다. 남색 빛의 눈동자는 저를 구속하려는 듯 보였다. 인자해 보이는 미소 속에는 비웃음이 서려 있었다.
현아, 성녀라는 건 말이다. 신의 축복을 받은 여인이라는 뜻이란다. 너도 한눈에 알아보지 않았니? 범상치 않은 여인이라는 것을. 제 아버지의 말에 현이 고개를 끄덕였다. 순순히 고개를 끄덕이는 현이 마음에 든다는 듯 웃음을 흘리며 제 허리를 폈다. 손수건으로 현을 잡고 있던 손을 닦고는 바닥에 버려 짓밟았다. 새하얀 손수건이 흙에 엉켜 바닥을 나뒹굴었다.
내 소망을 이루어줄 여인이기도 하지. 작게 중얼거리는 제 아버지의 말을 이해할 수 없었다. 현은 그저 제 아버지의 옷깃을 잡을까 말까 고민하고 있을 뿐이었다. 한참을 허공에서 떠돌던 손은 결국 제가 있을 자리를 찾지 못해 현의 옆구리로 되돌아왔다. 현의 아버지는 그런 현을 알고 있으면서도 그 손을 잡아주지 않았다. 모르는 체한 것도 아니었다. 보고도 무시했다. 단 한 번도 잡아준 적이 없었다. 현의 아버지는 그런 사람이었다.

아무런 미련도 없다는 듯 몸을 휙 돌려 제 뒤에 있는 현에게 말을 건넸다. 이만 돌아가라고. 차가운 새벽공기에 감기를 조심하라거나, 조심히 들어가라는 형식적인 말 한마디도 해주지 않았다. 그런 제 아버지를 알고 있었기에, 익숙했기에 현은 그저 고개를 끄덕이고 움직이지 않는 발을 움직여 몸을 돌렸다. 지금 현의 발목을 붙잡는 건 현의 아버지가 아닌 연이었다는 사실을 현의 아버지는 모를 터였다.

***

"안녕?"

기다리고 있었던 목소리에 현이 고개를 들었다. 익숙하다는 듯 생긋 웃고 있는 연이 문가에서 손을 흔들고 있었다. 현은 빠르게 침대에서 일어나 연에게 달려갔다. 그녀의 품에 안겨 아늑한 체온을 느꼈다. 그런 현의 모습에 연이 피식 웃으며 현의 머리를 쓰다듬었다. 부드러운 손길에 현이 안도감을 느꼈다. 습, 하. 숨을 크게 들이쉬었다. 고개를 들어 연을 시야에 담았다.

연의 초록빛 눈동자에는 저만이 담겨 있었다. 에메랄드처럼 빛나고 있는 눈동자는 마치 보석 같았다. 저만 소유하고 싶게 만드는, 저만 보고 싶게 만드는 그런 보석. 남들의 손을 타지 않았으면 하는 그런 성스러운 보석. 그런 보석 같은 눈이 지금은 저만을 담고 있었다. 만족스러운 상황에 현이 미소 지었다. 그런 현의 모습에 연도 함께 웃어주었다.

뭐 하고 있었어? 연이 질문을 던지며 현의 침대에 걸터앉았다. 현은 연의 물음에 빠르게 침대 위에 있는 책을 보여주었다. 연이 고개를 갸웃거리며 책을 바라보았다. 머뭇거리며 손가락을 꼼지락거리는 연에 뭔가 느낀 현이 자상하게 미소 지었다. 괜찮아, 원하는 거 다 말해. 연, 너는 그래도 돼. 확신을 주는 목소리. 현의 말에 잠시 현을 쳐다보던 연이 바깥의 감시자에게 들리지 않을 정도로 작게 속삭였다.

…혹시 이거… 뭐라고 쓰여 있는 거야? 연의 손가락 끝을 바라보았다. 연의 질문에 현이 두 눈을 깜박거렸다. 나도 읽을 수 있는 쉬운 글자를 못 읽는다고? 뭔가 이상함에 석연찮았지만, 아무것도 아닐 거라 생각하며 고개를 내저었다. 조금 불안해 보이는 연의 모습에 풋, 웃음을 흘린 현이 다정한 목소리를 건넸다. 성녀라는 글자야. 현의 말에 연이 짧게 탄식을 내뱉었다. 그런 연이 귀여워 현이 피식 웃었다. 머리를 쓰다듬고 싶은 것을 겨우 참으며 그 손을 책으로 옮겼다. 책 표지를 넘기며 현이 안에 있는 그림을 가리켰다. 이 사람이 성녀래.

현의 말에 연이 두 눈을 동그랗게 뜨며 그림을 쳐다보았다. 그림 속 성녀를 한번 보고, 저를 한번 쳐다보았다. 저처럼 하얀색 원피스를 입고 긴 머리카락을 휘날리고 있는 모습은 꽤 비슷한 것처럼 보였다. 제 하얀 원피스를 두어 번 매만지고는 고개를 들어 현을 쳐다보았다. 현도 고개를 들어 연을 바라보았다. 두 시선이 마주치자 연은 배시시 미소를 지었다. 아직 저보다 꽤 작은 현의 머리를 쓰다듬자 현이 볼에 바람을 불어 넣으며 연을 시선에 담았다. 저는 쓰다듬고 싶은 것을 참았는데 연은 마음껏 저를 쓰다듬었다. 기분이 좋으면서도 애 취급을 받는 듯해 그다지 좋지 않은 것 같기도 했다. 부루퉁한 채 연의 시선을 피했다.

그러면서도 손을 쳐내지는 않는 현의 모습에 연은 그저 키득대며 웃을 뿐이었다. 어떤 내용이야? 연의 물음에 현이 기대감에 차올라 책을 펼쳤다. 엣헴, 어울리지 않게 헛기침하며 연의 옆자리에 자리했다. 그런 현에 연이 미소 지었다. 귀여운, 계속 보고 싶은. 그런 감정이 들게 만드는 현이었다. 그리고 연에게 있어 이런 감정은 낯설었으나 나쁘지 않았다. 아니, 오히려 좋았다. 처음 느껴보는 새로운 감정, 그리고 그 상대가 현이라는 것.

책의 내용을 읊어주며 다정한 시간을 보냈다. 들이쉬는 공기 하나마저도 달콤하게 느껴지는 것 같았다. 연이 곁에 있어서 그랬을지도 몰랐다. 연의 체향이 섞여, 그렇게도 달콤했을지도. 떨리는 숨을 연이 느낄까 봐, 두근거리는 심장 소리를 들을까 봐 조금 겁이 나기도 했지만 함께 있는 시간이 소중했다. 맞닿은 어깨에서 느껴지는 온기가 뜨겁게 느껴졌다. 살포시 미소를 지으며 남몰래 웃었다. 연이 손가락을 뻗어 책 속 그림을 가리켰다. 얘는 누구야? 얘? 그냥… 성녀에게 구원받은 사람. 그 말에 연이 고개를 갸웃거렸다. 연, 이것 봐봐. 현이 책을 들어 연에게 보여주었다. 글자를 알 수 없는 연이 고개를 갸웃거리자 현이 활짝 미소 지으며 책의 내용을 읊어주었다.

여기 말에 의하면 성녀를 알아낼 방법은 은색 빛의 머리카락과 에메랄드 같은 청록빛 눈동자를 지닌 여인이래. 게다가 성녀는 달의 음성을 들을 수 있대. 그래서 사람들에게 말을 전해주는 거래. 연도 그런 거였어? 연도 달의 음성이 들려? 현의 물음에 연이 짧게 고개를 끄덕였다. 그에 현이 웃으며 입을 열었다. 초롱한 눈망울은 마치 별을 박아놓은 듯 빛났다. 지금 달이 뭐래? 지금은 안 들려.

연의 말에 현이 아쉬운 표정을 지었다. 그에 피식 웃으며 연이 손을 뻗어 현의 머리를 쓰다듬었다. 나중에 들리면 알려줄게. 연의 말에 활짝 미소 지은 현이 손가락을 내밀었다. 약속한 거다? 응, 약속. 현의 새끼에 손가락을 걸며 연이 미소 지었다. 감싼 손가락을 거두는 순간 책에 베인 연이 미간을 찌푸렸다. 따끔거리는 느낌에 연이 제 손가락을 감싸 쥐었다.

연! 현이 급히 책을 내던지고 연의 손을 살폈다. 괜찮아, 짧게 읊조리는 단어는 익숙하다는 듯 자연스럽게 입가에서 흘러나왔다. 현은 허둥대며 빠르게 서랍을 뒤져 붕대와 약을 찾았다. 그 순간 문이 열리며 현의 아버지가 모습을 드러내었다. 아마 감시자가 그새 보고한 듯했다. 그에 현이 멍하니 문가를 바라보더니 재빨리 제 아버지에게 다가갔다.

아버지, 도와주세요. 연이…. 현이 말을 끝맺기도 전 현의 아버지는 현을 밀어내고 연의 손목을 억세게 잡아끌었다. 바닥에 엉덩방아를 찧은 현이 미간을 찌푸리며 제 엉덩이를 쓸었다. 하지만 아픔을 느낄 새도 없이 연을 강제로 끌고 방을 나서려는 아버지에 급히 몸을 일으켰다. 삐끗한 다리에 다시금 쓰러졌지만 눈길 한번 주지 않았다. 오로지 연만이 걱정스러운 얼굴로 현을 바라볼 뿐이었다.

아버지? 아버지! 저를 부르는 소리는 신경도 쓰지 않으며 연을 데리고 밖으로 나갔다. 아직 어린 현이 따라가기에는 빠른 발걸음이었다. 아버지, 잠시만요! 급히 따라가느라 제 발에 걸려 넘어진 현이 멍하니 연과 제 아버지의 뒷모습을 바라보았다. 괜찮으세요? 어느새 다가온 사람이 현을 일으켜주었다. 고개를 들어 그 사람을 바라보았다. 최근에 들어온 사제였다.

현은 그 사제를 멍하니 바라보며 다급하게 물었다. 아버지가 연을 어디로 데려가는 거예요? 사제는 현의 물음에 답하지 않은 채 현을 일으키고는 무릎에 묻은 먼지까지 털어주었다. 현이 혹여나 다치지 않았는지 꼼꼼히 살피는 모습에 현이 미간을 찌푸린 채 어깨를 붙잡았다. 어울리지 않게 센 악력에 사제가 잠시 고개를 들었다. 저는 안 다쳤으니까 연이나 좀 살펴달라고요. 현의 말에 사제는 현을 물끄러미 쳐다보더니 천천히 입을 열었다.

"연님께서는 의식을 치르러 가실 겁니다."

뭔 의식…? 현의 물음에 돌아오는 대답 따위는 없었다. 그저 구겨진 현의 옷을 펴주고는 마음에 든다는 듯이 현을 쳐다볼 뿐이었다. 그래도 혹시 모르니까 검사 제대로 받으러 가시죠. 그러면서 현의 손을 붙잡는 사제의 손길을 뿌리치기에는 현이 아직 너무나도 어렸다. 현은 연이 지나간 자리를 계속해서 뒤돌아보며 거의 끌려가듯 사제에게 끌려갈 뿐이었다. 다친 건 연인데 도대체 왜 저를 치료하러 가는 건지. 다친 게 확연히 보이는 연이 아닌 다친 게 보이지도 않는 저를 검사하러 가는 건지. 다친 연을 치료도 하지 않고 어디로 데려가는 건지. 그 의식이라는 게 상처를 치료할 시간도 없이 바쁜 일인 건지, 중요한 일인 건지.

어둠으로 뒤덮인 창밖에서 무언가 흐릿하게 보이기 시작했다. 끌려가는 와중에도 미간을 찌푸리며 창밖을 바라보았다. 하얀 천이 휘날렸다. 연이었다. 연? 짧은 단말마가 공기 중에 흩어졌다. 손에서 느껴지는 통증에 현이 사제를 올려다보았다. 저를 담고 있는 검은색 눈동자가 왠지 두렵게 느껴졌다. 어둠. 그래, 마치 어둠이 자신을 집어삼키는 듯했다. 연의 초록빛 눈동자는 저를 담을 때마다 쾌감과 만족감을 가져다주었는데 지금 자신을 담고 있는 저 밤처럼 새까만 눈동자는 두려움만을 가져다주었다. 덜덜 떠는 현을 잡아끄는 손길은 아까 연의 손길처럼 부드럽지 않았다. 현은 연을 제대로 살피지도 못했다. 그저 얼핏 본 연의 모습은 광기에 휩싸인 사람들에게 둘러싸여 달을 향해 무언가를 하고 있었다는 것.

결국 현이 다친 곳은 없었다. 그저 그 사제에게 잡힌 손목만 붉어졌을 뿐. 발목도 멀쩡했다. 하긴, 걷기는 잘 걸었으니까. 현이 아려오는 손목을 붙잡으며 터덜터덜 제 방으로 돌아왔다. 멈칫, 돌아가는 길에 멈춰 섰다. 옅은 한숨을 내쉬며 벽면에 기대었다. 밝은 달빛이 창문을 통해 안으로 들어왔다. 손을 뻗어 달빛을 그러쥐었다. 잡히지 않고 손아귀 사이에서 빠져나가는 달빛에 미간을 찌푸린 현이 몸을 떼어내었다. 연도 제가 잡을 수 없는 존재일까. 머리가 지끈거리는 것 같았다. 제 방으로 향하는 발걸음이 무거웠다. 피곤한 몸을 이끌고 방을 향하는 코너를 돌았다. 그러자 보이는 것은 제 방문 앞에 쭈그려 앉아있는 무언가였다. 하얗고, 작은. 숨을 쉬고 있는 생명체.

연…? 현의 목소리가 공기 중에 흩날렸다. 익숙한 목소리에 연이 고개를 들어 현을 쳐다보았다. 빠르게 자리에서 일어선 연이 현에게 다가와 그의 품에 안겼다. 당황해 현의 손이 공중에 떠 있는 것도 잠시, 그의 손은 내려가 연의 등에 안착했다. 다독이는 손길에서부터 전해져 오는 온기가 따스하게 느껴졌다. 제 품에 꼭 껴안은 연의 심장박동이 전해져 왔다. 현이 천천히 눈을 내리감았다. 더 선명하게 느껴지는 감각에 왠지 모르게 안정됐다. 두근거리며 일정히 뛰고 있는 심장박동 위로 축축한 물기가 스며들었다. 그에 놀란 현이 연의 어깨를 붙잡고 떼어내었다.

연의 고운 눈에서 이슬방울이 하나씩 흘러내리고 있었다. 무슨 일이냐 물어도 돌아오는 대답은 없었다. 그저 고개를 내저으며 현의 품에 얼굴을 묻었다. 제 품에서 울고 있는 연의 모습을 보며 현은 왠지 모를 만족감을 느꼈다. 이때까지 저를 기다린 저의 신이 저의 품에서 눈물을 흘리고 있었다. 두근거리는 심장은 생각보다 빠르게 뛰고 있었다. 맞물린 피부에서 전해져 오는 연의 심장박동과 비교하면 조금 더 빠른 박동이었다. 현이 손을 뻗어 연의 얼굴을 감싸 쥐었다. 그녀의 이슬방울이 흐르는 초록빛 에메랄드 눈가에 입을 맞췄다. 눈가에 머물러 있던 이슬방울이 그녀의 볼을 타고 흘러내려 바닥을 적셨다. 그 물웅덩이를 밑창으로 짓이긴 현이 작게 미소 지었다.

볼을 조심스레 감싸 쥐고 저와 시선을 맞추게 했다. 연이 멀뚱멀뚱 현을 쳐다보자 현은 다정히 미소를 지으며 연을 바라보았다. 연의 부름에 현은 아무런 말도 하지 않았다. 그저 연을 물끄러미 쳐다보며 연의 눈동자 속 갇혀 있는 저와 눈을 마주치고 있을 뿐이었다. 연은 그런 현을 바라보며 제 귓가가 뜨거워지는 것을 느꼈다. 입술을 잘근 씹는 연의 모습에 피식 웃음을 흘린 현이 연의 볼을 놓아주었다. 이때도 연은 소리 내어 울지 않았다. 예쁘게, 정말 예쁘게 아무 소리 없이, 미동 없이 눈물만 흘려보낼 뿐이었다.

"왜…?"

"…그냥, 네가 너무 예뻐서."

그 말에 웃는 연의 미소는 달빛을 받아 밝고도 순수하게 빛나고 있었다.

***

연, 그녀를 부르는 목소리에 연이 현을 돌아보았다. 긴 은색의 머리카락을 흩날리며 옅은 초록빛 눈동자가 현을 담았다. 현아. 연이 싱긋 미소 지으며 현을 향해 발을 한 걸음 내디뎠다. 내딛는 발목에는 작은 쇠고랑이 채워져 있었다. 마치 연을 함부로 도망치지 못하게 하려는 듯이. 연이 훅 가까워지자 그녀의 체향이 코끝을 간질거렸다. 짙은 꽃향기는 마치 사람을 홀리는 듯이 저를 뽐내는 향을 흘렸다. 그렇게 되면 벌과 나비 할 것 없이 그녀에게 달려드는 것이었다. 현이 미간을 찌푸렸다. 저의 여인이었고, 저의 세상이었고, 저의 신이었고, 저의 모든 것이었다. 그런 연에게 잡다한 것들이 꼬인다는 게 마음에 들 리 없었다. 연이 비틀거렸다. 현은 당연하다는 듯이 손을 뻗어 연의 허리를 받쳤다. 그에 연이 멋쩍은 듯 헤헤 어색하게 웃으며 몸을 일으켰다.

현은 제 손에서 멀어진 연의 온기를 매만졌다. 감칠맛 나듯 일렁이는 꽃향기는 여전히 그의 손에 남아있었다. 이전보다 더 가볍게 느껴지는 그녀의 무게에 현이 입술을 짓이겼다. 꽉 쥔 주먹은 핏줄을 도드라지게 했다. 현이 고개를 들어 연을 바라보자 연은 하늘을 쳐다보고 있었다. 아무런 생기도 없는 두 눈이 푸르른 하늘을 담고 있었다. 그런 연의 옆모습을 바라보며 현이 입술 안쪽의 여린 살을 잘근 씹었다. 떨어져 나오는 살점이 입가에 맴돌았다. 연이 문득 현을 돌아보았다. 저를 바라보며 미간을 구기고 있는 현에 푸핫, 웃음을 흘린 연이 현에게로 다가와 엄지로 그의 미간을 문질렀다.

괜찮다니까 그래…. 점차 작아지다 못해 결국에는 사라진 목소리가 공기 중에 흩날렸다. 바람이 불어 연의 목소리를 앗아갔다. 연의 엄지는 결국 현의 미간을 피지 못했다. 제 할 일을 끝내지 못한 손은 점차 밑으로 내려가 갈 곳을 찾지 못해 배회했다. 갈 곳을 찾지 못해 갈피를 잃은 연의 손을 잡아 현이 제 뺨에 대었다. 그 얇은 손목이 한 손에 들어오다 못해 공백을 채워 넣었다. 사람 같지 않게 차가운 냉기가 그의 볼에 닿았다. 현은 그 냉기에 움찔거리는 미동조차 없었다. 그저 올곧은 눈으로 연을 바라보았다. 한치의 두려움도 없는 끈적한 시선이었다. 연은 그런 현을 떨리는 눈으로 바라보다 결국 시선을 거두었다.

그런 연의 모습에 현이 짧게 서글픈 미소를 흘렸다. 아직은 안 되는 건가. 입맛을 다시며 그가 연의 손을 붙잡고 있는 힘을 빼었다. 그러자 연이 제 손을 저에게로 거두며 시선을 아래로 내리깔았다. 그런 연의 모습에 현이 피식 웃었다. 찬찬히 손을 뻗어 그녀의 뺨에 붙은 은색의 머리카락을 떼어내었다. 그녀가 천천히 시선을 올렸다. 그녀의 녹색 눈에 담긴 그의 모습이 일렁거렸다. …연. 현이 손을 뻗었다. 그녀의 손가락 마디마디를 거세게 쥐어 잡았다. 절대로 놓치지 않겠다는 강한 신념이었다. 떨리는 입술을 한번 짓이기고 열었다. 떨어진 시선이 바닥에 닿아 그녀의 발끝을 타고 기어올랐다. 가냘픈 목소리가 겨우겨우 올라와 이제 막 목젖을 건드린 참이었다.

"성녀님."

저를 부르는 목소리에 연이 현의 손을 놓았다. 두려움이 서려 있는 표정은 금방 현에게서 등을 돌렸다. 금세 사라지는, 저는 잡을 수 없는 온기에 현이 제 손을 바라보며 눈을 껌벅였다. 슬쩍 들은 고개가 보여주는 시야 속 장면은 구름 한 점 없는 푸른 하늘 아래에서 불어오는 바람에 싱그러운 음악을 연주하는 잔디, 약간은 붉은 기가 도는 잔디 속 서 있는 연의 뒷모습, 그뿐이었다. 철그럭 소리를 내는 쇠고랑이 연의 여린 발목을 극대화했다. 현은 연의 뒷모습에 시선을 고정한 채 주먹을 쥐었다 펴며 제 손에서 빠져나간 냉기를 그릴 뿐이었다. 그것 외에 할 수 있는 일 따위 없었다.

툭, 발끝에 닿은 돌멩이가 저 멀리 날아갔다. 그 모습을 눈에 담으며 현이 눈을 반쯤 내리감았다. 아직도 연을 처음 보았을 때가 머릿속에 선명히 떠올랐다. 잊고 싶어도 잊을 수 없었다. 자신의 인생을 송두리째 뒤바꾼 전환점. 기승전결 중 기도 시작하지 않은 자신의 인생에 전이라는 전환점을 강제로 심어 넣은 그때. 보자마자 알 수 있었다. 연은 저의 신이 될 운명이라는 것을. 눈이 마주치자마자 알 수 있었다. 저는 연을 사랑하게 될 운명이라는 것을. 현이 옅은 한숨을 내쉬었다. 따스한 날씨에 김은 서리지 않았다. 그런데도 연의 손은 그리 차가웠다. 손끝에 남아있지 않은 냉기를 그리며 현이 눈을 완전히 내리감았다.

연, 연은 성녀였다. 현에게도 성녀였고, 모두에게도 성녀였다. 연은 하늘이 내린 사람이었다. 정월 대보름에 태어난 연은 매 보름달이 떠오르는 날 하늘의 음성을 전하고는 했다. 그날도 어김없이 그러했다. 휘황찬란한 달빛을 받으며 그 아래에서 춤을 추었다. 싱그러운 바람이 흩날리며 그녀의 옷깃과 달빛을 받아 빛나는 은빛 머리카락을 휘날렸고, 마치 호숫가에서 백조가 춤을 추는 듯 아름다운 모습에 현은 단번에 홀려버렸다. 그녀의 움직임 하나를 눈에 담으려 좇았다. 그리고 그 녹색 빛의 눈과 눈을 마주쳤을 때, 그는 연에게 완벽히 잠식되어 버렸다. 진득하니 저를 좇는 눈빛에 매료되어 버렸다.

현은 어렸다. 어린 현은 연에게 맡겨졌다. 현의 부모님은 사제였으며, 주교였다. 연을 처음 발견한 이가 바로 그들이었다. 바쁘 사람들을 대하는 부모님은 현에게 신경을 써주지 못하였다. 그런 현에게 연이 소중한 것은 당연한 일이었다. 부모님보다도 더 오래, 더 많이 접한 존재가 연이었다. 현에게 있어 연은 어머니였으며, 누나였으며, 가족이었으며, 신이었으며, 세상이었다. 현에게 연은 자신보다 소중한 모든 것이었다. 제 모든 걸 내바쳐도 아깝지 않은 존재. 그게 바로 현에게 있어 연이라는 존재였다. 저의 여인이라 생각했기에, 저의 세상이라 생각했기에, 저의 신이라 생각했기에. 그랬기에 모든 걸 바칠 수 있었다.

현은 연을 사랑했다. 그 무엇보다도 연을 사랑했다. 본인보다도 연을 사랑했다. 연, 그녀의 이름을 부를 때 그녀가 저를 돌아보면 그토록 기쁠 수가 없었다. 연이 제 부름에 현이라 답하며 웃어줄 때 세상을 가진 것만 같은 만족감이 들었다. 하지만 연에게는 현이 전부가 아니었다. 현은 연에게 있어 유일이 아니었다. 그래서 현은 시기했다. 자신이 그녀의 유일한 것이 될 수 없음에 질투했다. 세상 모든 것을 질투하고 시기했다. 연의 주변에 있는 모든 것을 시기했다. 심지어 본인마저도. 본인이 유일하게 그녀를 가질 수 없다는 것에 본인조차 본인을 시기했다. 이해할 수 없는 혼돈이 뒤섞여 그릇된 마음을 만들어냈다. 그렇다고 해서 그 마음이 연에게 해를 끼치는 건 전혀 아니었다. 그저 그녀가 저의 유일인 것처럼 저가 그녀의 유일이기를 바랐다. 하지만 세상은 그리 호락호락하지 않았다.

연은 성녀였으며 동정심이 짙었다. 아프고 힘든 이들에게, 신의 구원을 바라는 이들에게 구원을 내려주었다. 연의 기도 한 번에 죽어가는 이들이 생기를 얻었으며, 병이 치유되었다. 정확히 1년 전까지만 해도 말이다. 연은 버림받았다. 신에게 버림받았으며, 저가 동정하는 이들에게 버림받았다. 저가 구원해준 이들에게마저 버림받았다. 연은 더 이상 하늘의 음성을 듣지 못했다. 모두가 당황했다. 휘황찬란한 보름달이 떠오른 어둠에 잠긴 밤, 연의 축복은 어둠으로 잠식되었다. 어둠에 잡아먹혔다. 처음에는 실수일 거라며 빌었다. 차가운 눈빛을 던지는 사람들에 연은 무릎을 꿇었다. 몇 번을 시도해봤지만 신은 더 이상 연에게 구원의 손길을 내밀어주지 않았다. 신의 축복이 거두어졌다. 신은 더 이상 연을 살피지 않았다.

한 번만 더 기회를 달라는 연의 말을 사람들은 듣지 않았다. 사람들은 이기적이었다. 연은 처음부터 지금까지 쭉 성녀였기에 할 수 있는 것이 없었다. 한마디로 성녀가 되지 못한다면 마을의 객식구로밖에 살 수 없다는 말이었다. 내쫓자는 의견도 빈번했고, 그래도 조금 더 지켜보자는 의견도 소수나마 있었다. 하지만 사람은 이기적이고, 본인밖에 생각하지 못하는 존재라서 연 때문에 자신이 피해를 받는다면 절대로 연을 그냥 두지 않을 게 분명했다. 죽여서라도 피해를 없앨 게 분명했다. 이 마을 사람들은 특히 그랬다. 자기 자신이 가장 중요한 사람들.

현을 제외하고서.

연의 쓸모가 다하자마자 사람들은 어떻게 하면 연을 조금이나마 더 사용할 수 있을지 방법을 고안했다. 그 중 방법을 찾은 것은 연의 형식적인 보호자이자 현의 아버지였다. 성녀는 한번 신의 축복이 머물다 간 몸이기에 그 축복이 거두어져도 남아있는 축복 때문에 몸이 축복 그 자체라는 말이었다. 어떻게 믿냐는 말도 나오지 않았다. 확신에 찬 어투, 올곧은 눈빛, 광적인 눈동자. 믿을 수밖에 없었다. 믿어야만 했다. 그 광적인 눈빛은 의심할 겨를이 없었다. 그래도 용기를 내어 외친 자들이 있었다. 증명해

보라고. 그 말에 현의 아버지는 코웃음을 치며 연의 머리카락을 잘랐다. 의심하던 사람들이 연의 머리카락을 차에 달여 마셨다. 상처가 나았다. 놀란 사람들이 연의 손톱과 발톱을 씹어 먹었다. 병자가 나았다. 웃는 사람들이 연의 피를 마셨다. 내상이 치유되었다. 기쁜 사람들이 연의 살점을 먹었다. 죽음의 문턱까지 간 자가 살아났다.

현의 아버지는 구원자가 되었다.
연은 음식이 되었다.

현의 아버지는 요리사가 되었다.
연은 재료가 되었다.

현의 아버지는
살인자가 되었다.

현은 제 아버지를 원망했다. 저의 모든 것을, 유일을 앗아간 제 아버지를 원망했다. 가끔은 연의 비명이 그의 귓가에 울리는 듯했다. 연이 어디 있는지는 알 수 없었다. 그녀를 만날 수 있는 시간은 정해져 있었다. 사람은 햇빛을 받지 못하면 죽는다는 말 때문에 하루에 한 번 잔디밭에서 일정 시간 동안 햇볕을 쬐는 것 외에 연은 모습을 드러내지 않았다. 모습을 드러내지 못했다. 그마저도 늘 온몸에 붕대를 감고 있었다. 마치 미라처럼. 이미 죽은 미라처럼. 연은 웃었다. 현을 보며 웃었다. 연이 할 수 있는 일이라고는 그것밖에는 없었다. 현은 제 유일이 저를 보며 웃어줄 때마다 마음속 벅차오르는 감정을 지울 수 없었다. 하지만 그것도 잠시 웃음 속 서려 있는 아픔을 알아차릴 때면 가슴이 미어지는 것만 같았다. 가슴이 갈기갈기 찢어져 내려 바닥에 처참하게 내리꽂히는 듯했다. 칼로 잘게잘게 쪼개지고, 주먹으로 몇 번이고 맞으며, 송곳에 박혀 아물지 않는 상처를 지니고 있는 듯했다. 그리고 그런 저보다 더 힘든 것이 연이라는 것을 알아서 아무 말도 하지 못했다. 주먹을 꽉 쥔 현이 몸을 돌렸다. 지금 저가 할 수 있는 건 아무것도 없었으니까. 연의 체향과 함께 뒤쪽에서부터 불어온 바람은 피비린내를 담고 있었다.

***

"…연."

현의 부름에 연이 고개를 들어 현을 바라보았다. 불어오는 바람에 상처가 따끔거렸지만 티 내지 않았다. 그러려 노력했다. 현의 눈에 담긴 슬픔을 알았다. 연은 애써 미소 지으며 떨리는 손을 뻗어 현의 뺨을 쓸었다. 온기 없는 손에서 온기가 느껴졌다. 현은 따스했다. 햇빛을 머금은 듯 따스했다. 저가 느낄 수 있는 유일한 온기였다. 다른 사람들의 온기는 따스하지 못해서, 온기의 이름을 뒤집어쓴 냉기나 다름없었다. 현을 느낄 때면 두 눈을 감고 상상했다. 시원한 바람이 불어오고, 따스한 햇볕이 내리쬐는 들판. 그 속에서 함께 있는 모습. 아무런 근심 걱정 없이 지낼 수 있는 하루를 바랐다. 지나친 바람이라는 것을, 이루어질 수 없는 바람이라는 것을 이미 알고 있었다. 하지만 사람은 이룰 수 없는 것을 욕망하고는 한다.

"너무 말랐어. 뭐라도 먹기는 하는 거야?"

"응, 너무 걱정하지 마, 현."

"어떻게 걱정을 안 해…."

현이 말꼬리를 흐렸다. 울망거리는 눈동자가 저를 담았다. 현은 아직도 어린애 같았다. 옛날, 처음 저를 보았을 때 반짝이던 눈동자를 아직도 잊지 못했다. 연은 그때를 회상하며 힘을 내고는 했다. 현을 보며 미소 지었다. 풋, 흘리는 웃음에 힘이 없었다. 현은 시큰거리는 가슴을 부여잡은 채 앙상한 연의 손등을 천천히, 또 부드럽게 쓸어내렸다. 어찌나 말랐는지 뼈마디 하나, 상처 하나 다 손끝에서 전해져 와 또 가슴이 아릿했다. 상처라는 것이 아물 생각은 안 하고 볼 때마다 벌어지기만 하니 치료를 제대로 하기는 하는 건지 몰랐다.

"…미안."

"현이 뭐가 미안해."

"아무것도… 아무것도 못 해줘서 미안해."

"현이 미안할 게 아니야."

연이 현을 꼭 껴안았다. 뼈밖에 없어도 전해지는 온기가 따스했다. 아랫입술을 꽉 깨문 채, 눈물을 꾹 머금은 채 떨리는 손을 뻗어 연의 등에 대었다. 현은 아직도 어렸다. 그때에 머물러 있는 것만 같았다. 가장 힘든 건 연이라는 것을 알고 있으면서도 자꾸만 응석을 부렸다. 이런 저가 못나고 싫었다. 하지만 연은 그런 현을 보며 되레 위안을 얻었다. 아직도 그냥 저 자체만으로도 힘을 얻는 사람이 있다는 것만 같아서, 제 몸을 탐하지 않아도 저 자체만으로도 만족하는 사람이 있는 것만 같아서. 그런 현의 존재가 연에게는 너무나도 소중했고, 위안이 되었다. 현은 몰랐지만 연에게는 그랬다. 항상 그런 존재였다.

연, 연. 뱉지 못하는 이름을 입에 머금었다. 연의 이름은 가시가 돋아 현의 입안을 찌르는 듯했다. 연은 현의 아픈 상처였다. 계속해서 품고 싶은 상처였다. 저가 보듬어주면 언젠가는 아물지 않을까, 그런 생각을 했지만 현에게는 그럴 힘이 없었다. 현은 힘 있는 자의 아들이었으며, 그래서 더 힘이 없었다. 현의 힘은 모두 아버지의 것이 되었고, 현에게 주어진 힘은 모두 아버지의 것이었다. 저의 것이 없었다. 설령 연이 제 것이 된다고 해도 마찬가지일 터였다. 연은 아버지가 살아있는 한 영영 제것이 되지 못한다. 현은 그것을 잘 알고 있었다. 명목상으로나마 연의 보호자는 제 아버지, 또 성녀인 연이 붙잡혀 있는 것도 제사장인 제 아버지, 이 마을의 지도자도 제 아버지. 결국 모든 것이 제 아버지의 타이틀로 이루어져 있어 이 마을에서 두 번째로 힘이 있는 사람이자 아무 힘이 없는 사람이 되었다. 현에게는 아무것도 없었다. 힘도, 권력도, 연도.

현은 아버지를 원망했다. 아버지가 아니었으면 연을 만나지조차 못했으리라는 것을 알고 있으면서도 저와 연을 만나게 한 아버지를 원망했다. 아버지 때문에 연이 힘들기에 그를 원망했다. 그가 아니었어도 결국 현은 연을 찾았을 것이다. 죽어서라도 연을 보러 갔을 것이다. 현의 신은 연이기에, 어떻게든 돌고 돌아서라도 끝내 연을 찾으러 갔을 것이 분명했다. 세상의 끝이든, 저승이든 오로지 연만을 찾아서. 그리고 현 또한 그것을 알고 있었기에 아버지를 원망했다. 순수한 분노였다.

"연."

"응, 현아."

"내가…, …내가 꼭 구해줄게."

"응, 믿어."

연이 미소 지었다. 그 미소에 현은 눈물을 머금었다. 이미 모든 것을 내려놓은 미소여서 더 이상 아무 말도 할 수 없었다. 연도 알고 있었다. 현이 방법을 찾기 전에, 현이 권력을 갖기 전에 연은 죽을 것이 분명했다. 이대로 살다가는 곧 죽을 게 분명했다. 일 년? 이 년? 언제가 될지는 몰라도 삼 년을 넘기지는 못할 것이었다. 현은 알고 있었고, 연 또한 알고 있었다. 그녀의 몸 상태는 스스로가 가장 잘 알고 있었다. 쥐락펴락하는 손에 힘이 없었다. 힘을 주면 힘줄이 터져 피가 흘렀다. 아마 바깥에서 피를 흘렸다는 사실을 알면 호되게 맞을 것이 분명했다. 그리고 또 그 피를 받아 사람들에게 나누어주겠지. 허탈한 웃음을 흘리며 연은 고개를 돌렸다. 푸른 하늘이 맑았다.

"있잖아, 현…."

"응."

"…아무것도 아니야."

"왜, 뭔데?"

"나중에…. …나중에, 때가 되면 말해줄게."

"…응, 약속해 줘."

"응, 약속할게."

연이 눈을 접어 웃었다. 힘없이 웃었다. 현은 더 이상 아무 말도 하지 못했다. 할 수 없었다. 해서는 안 됐다. 연이 숨기고 싶어 한다는 것을 알 수 있었다. 현은 그저 고개를 끄덕이며 연의 말에 수긍하는 것밖에 하지 못했다. 그러면 연은 웃어주었다. 저의 말을 잘 들어주고, 존중해 주는 현이 좋았다. 연은 조심스럽게 손을 뻗어 바닥에 놓여 있는 현의 손 위에 제 손을 올렸다. 따스한 온기는 안정감을 주었다. 현은 연을 바라보았지만 연은 이미 시선을 돌린 뒤였다. 현이 아무리 연을 바라보아도 연은 시선을 돌려주지 않았다.

현은 연을 물끄러미 바라보며 두어 번 제 눈을 깜박였다. 연의 옆모습은 바람에 흩날렸다. 살갗에 닿는 머리카락이 부드러웠다. 현은 연이 붙잡고 있는 제 손 반대쪽을 뻗어 흩날리는 연의 머리카락을 손에 올렸다. 얇았다. 연처럼 얇았다. 입술을 몇 번 자근거리고서 머리카락을 놓아주었다. 연의 욕망처럼 자유롭게 흩날렸다. 하지만 결국 머리카락 또한 연에게 속해 있는 존재. 연을 벗어나지는 못했다. 현은 처음으로 연의 머리카락이 안쓰러웠던 것도 같다.

연은 하늘을 바라보다 천천히 눈을 감았다. 기다란 속눈썹이 그림자를 그리며 안정감 있게 정착했다. 상반신만 바라본다면 자유를 만끽하고 있는 모습처럼 보였을지도 모른다. 그 아래에 있는 쇠고랑만 없었더라면, 정말 예뻤을 것이다. 그 쇠고랑을 풀어주고 싶었다. 하지만 힘이 없었다. 쇠고랑을 부숴줄 힘도, 열쇠를 찾아 풀어줄 힘도 없었다. 연은 약자였고, 현도 약자였다. 그제야 둘이 같은 선에서 서로를 바라볼 수 있었다. 항상 강자에 입장에 있던 현은 연을 볼 때마다 약자가 된 듯했다. 아무것도 할 수 없는 제 모습이 아버지만큼 원망스러웠다.

햇빛을 마음껏 누리고 있는 연의 모습을 물끄러미 바라만 보았다. 한쪽 손으로 무릎을 끌어안고 그 위에 얼굴을 얹은 채 연을 담았다. 무슨 말을 하고 싶었던 건지, 연이 접어 가린 눈 속에 담겨 있던 열망이 무엇이었는지 알 수 없었다. 연은 말해주지 않았다. 그리고 그것이 무엇이었는지 알게 된 건 아주 나중에, 너무 늦어버린 후였다.

연은 하늘을 바라보았다.
현은 연을 바라보았다.

둘은 같은 곳을 바라보고 있지 않았다.

***

연이 초췌해진 눈을 떴다. 익숙하게 일렁이는 향이 눈앞에서 아른거렸다. 작게 하는 기침은 폐를 뽑아낼 듯 아려왔다. 거친 숨을 몰아쉬며 힘없이 고개를 돌렸다. 옆에서 뭉게뭉게 피어오르는 향이 제 정신을 아리송하게 만들고 있었다. 제대로 생각할 겨를도 없었다. 지금 정신을 유지하고 있는 것만이 유일하게 할 수 있는 일이었다. 숨을 몰아쉬며 천장으로 시선을 돌렸다. 무언가 그려져 있는 천장은 눈앞을 혼미하게 만들었다. 진통제? 아니, 수면제? 그것도 아니라면 마취제? 뭐가 함유된 건지는 몰라도 그 무엇도 마음에 들지는 않았다. 이 중 제 상처를 치료해주는 건 없었으니까. 덧나게 만들지만 않으면 다행이었지.

움찔거리는 피부 위로 아릿한 감각이 느껴졌다. 제 살점을 베어, 제 피를 뽑아, 제 생명을 앗아갔다. 움찔거리는 손가락 끝 감각은 차갑고 딱딱했다. 푹신한 솜 하나 깔아주지 않은 채 저의 생명을 앗아갔다. 매일, 매 순간 피가 말라가는 기분이었다. 아니, 정말 말라가고 있었다. 모든 것을 뽑히고 있었다. 차라리 이대로 죽어버리는 것도 나쁘지 않을 것 같다며. 아니, 차라리 죽여 달라며 날마다 빌었다. 죽기를 바랐다. 하지만 이미 제게서 축복을 앗아간 하늘은 연의 바람을 들어주지 않았다.

그녀가 그나마 힘을 낼 수 있는 시간은 하루에 한 번, 유일하게 밖으로 나가는 시간이었다. 저에게 아무것도 바라지 않으면서 저에게 호의를 보여주는 현. 현을 볼 수 있는 그 시간. 사람은 태양을 보지 않으면 죽었기에 연은 태양을 보러 나갔다. 현을 보러 나갔다. 연에게 현은 태양이었다. 부디 태양이 죽지 않기를 바랐다. 제가 살 수 있는 유일한 이유였으니까. 연은 연의 유일이 죽지 않기를 바랐다. 연의 태양이 지지 않기를 바랐다. 연이 입술을 짓이기며 눈을 감았다. 구내 살을 씹을 힘도 없어 그저 잘근거리며 저가 아직 살아있음의 행동을 취할 뿐이었다.

…현. 나오지도 않는 목소리를 억지로 꺼내어 현의 이름을 중얼거렸다. 처음, 아무것도 없는 제게 손을 내밀어준 부부. 그리고 그런 부부의 아이. 저의 아이와 같았다. 처음 본, 처음 키워보는 아이는 제게 무한한 사랑을 내비쳤다. 정말 말 그대로 처음이라 그랬을 수도 있겠지만 연은 진심이었다. 현에게 늘 진심이었다. 제 말 한마디면 죽을 수도 있을 것 같은 아가페적인 사랑을 보이며 현은 연만을 바라보았다. 연만이 현의 세상이었다. 연은 그걸 알고 있었다. 자신이 현의 유일이라는 것을 알고 있었다. 현이 연을 보는 만큼 연 또한 현을 바라보았으니까. 현이 소

유욕 가득한 눈으로 저를 담을 때면 온몸에 소름이 돋았다. 조금 더, 저를 바라봐주기를 바랐다. 저를 욕망해주기를 바랐다. 새어 나오는 미소를 억누르며 애써 아무렇지도 않게 현을 대했다.

현이 저를 만져주기를 바랐다. 현이 저를 잠식해주기를 바랐다. 현으로 자신이 가득 차길 바랐다. 뱀 같은 눈이 저를 좇을 때면 커다란 쾌락이 연을 잠식했다. 그 쾌락에 빠져 허우적거리지도 않았다. 차라리 그 쾌락에 잠겨 죽기를 바랐다. 죽여줬으면, 차라리 죽여줬으면. 숨을 하나하나 옥죄고 족쇄를 채워 저를 수심 저 아래까지 끌어들여 줬으면. 숨이 막혀 죽어버렸으면. 이런 삶을 살 바에는 죽기를 간절히 바랐건만 그 바람을 이루어주는 사람은 단 하나도 없었다. 앞으로도 없으리라는 것을 알기에 연은 제 인생을 원망했다. 차라리 태어나지 않았더라면 좋았을 텐데. 존재하지 않았더라면 좋았을 텐데. 이 가여운 인생 속에서 행복이란 현밖에 존재하지 않았다. 하지만 현을 만났다고 행복한 인생이라고 치부하기에는 불행이 더 컸다.

눈물을 흘릴 힘조차 없어 머금고만 있었다. 고이고 고여 넘쳐버린 눈물은 옆으로 자국을 내며 흘러내렸다. 닦아줄 이 하나 없다는 게, 오히려 성수라며 더 쥐어 짜낼 이들이라는 게 더럽게 느껴졌다. 그것을 알고 있다는 것이 원망스러웠다. 제 숨을 앗아가는 이들이 원망스러웠다. 구원의 손길을 내밀었다. 동정의 손길을 내밀었다. 호의를 내비쳤다. 그런 그들에게서 돌아온 건 칼이었다. 본인을 위해서라면 금방이라도 연을 죽일 수 있을 것만 같은 눈길들 속 유일하게 저를 있는 그대로 소유하고 싶어 하는 게 바로 현이었다. 제가 있는 모습 그대로를 소유하고 싶어 하는 유일한 사람. 연의 유일. 그게 현이었다.

현, 현…. 현의 이름이 공기 중에 흩날려 사라졌다. 약에 취해 보이지 않는 건지는 몰라도 현의 이름이 사라졌다. 목울대에서 일렁이던 이름은 끝끝내 세상 밖으로 나오지 못하고 사라져 버렸다. 천천히 내리감는 눈길에 연이 다시금 바랐다. 눈가에 고여 있는 눈물이 뺨을 타고 흘러내려 침대보를 적셨다. 어둠 속에서 기도했다. 지옥이라도 좋으니, 제게는 지금 이곳이 지옥이니 제발 이 세상에서 눈뜨지 않기를 간절히 바라고 바랐다. 헛된 바람이라는 것을 그 누구보다 잘 알고 있으면서도.

***

현이 미간을 찌푸린 채 자리에서 일어섰다. 벌떡 일어서느라 의자는 바닥을 나뒹굴었고, 책상 위에 흩어진 서류만이 그의 시야에 담겨 있었다. 바들거리는 손으로 주먹을 꽉 쥐어 책상을 내리치려 했지만 이내 거두었다. 입술을 까득 짓이기며 서류 위에 떨어진 혈흔을 손으로 닦아 지워냈다. 눈으로 보고도 믿기지 않는 장면이었다. 연을 애초에 이러기 위해 데려왔다니. 가득한 배신감에 현이 정신을 차리지 못했다. 아니, 애초에 믿은 적도 없었지만. 책상에 팔을 수직으로 기대어 섰다. 겨우겨우 거친 숨을 고르며 고개를 천천히 들었다. 창문 밖에 보이는 하늘은 보름달이 거의 차오르고 있었다. 정월 대보름이었다.

지금 당장 연을 보러 가야 했다.

연, 연. 닿지 않는 이름을 부르며 현이 밤거리를 배회했다. 공기 중에 흩날린 연의 이름은 결국 연에게 닿지 못했다. 어디에 연이 있을까. 저의 신이 어디에 있을까. 배회하며 주변을 둘러보았다. 철퍼덕, 발이 꼬여 그 자리에 넘어졌다. 아직 연의 핏자국이 남은 잔디가 제 얼굴을 간지럽혔다. 흙이 묻은 입을 털어내며 현이 몸을 일으켰다. 연이 보이지 않았다. 휘황찬란하게 빛나는 달이 오늘따라 원망스럽게 느껴졌다. 저를 연에게 이끌어주지도 않을 거면서 더럽게도 밝았다. 미간을 찌푸린 채 하늘을 쳐다보았다. 먹구름이 가득히 끼어 달빛을 가리고 있었다. 저에게만 닿고 연에게 닿지 않는 달빛이 그저 원망스러웠다.

슬슬 불어오는 밤바람은 차가웠다. 제 살을 에는 듯한 바람이 날카롭게 느껴졌다. 저를 스치고 지나가면서도 제게 연의 체향을 전달해주지는 않았다. 아무것도 묻어있지 않은 순결한 바람의 향을 맡았다. 현이 깊은 한숨을 내쉬며 몸을 일으켰다. 시간이 얼마 없었다. 어서 빨리 연을 찾아야 했다. 이보다 늦으면 무슨 일이 일어날지는 불 보듯 뻔했으니까. 입 안 살을 잘근잘근 씹으며 현이 주변을 둘러보았다. 천천히 눈을 감고 바람의 향을 찾았다. 바람이 어디서 불어오는가를 느끼며 바람 속 섞인 연의 향을 찾았다.

번쩍, 현의 눈이 크게 떠졌다. 저 멀리에서 불어오는 바람 속 옅은 연의 체향과 함께 마취향이 느껴지고 있었다. 저기였다. 현의 다리가 점차 빨라졌다. 금방이라도 쓰러질 것 같았지만, 이미 한계에 도달한 것 같았지만 그런 한계를 이겨내는 것을 증명이라도 하듯 점점 빨라져만 갔다. 숨이 점차 거칠어지며 기대감에 고조된 감정을 지울 수 없었다. 현이 달리고 달렸다. 다리에 힘이 빠질 정도로 달렸다. 심장이 터져도, 폐가 찢어져도 괜찮았다. 그 터진 조각이 연에게 닿을 수만 있다면, 핏자국이 흩뿌려져 저의 신에게 닿을 수만 있다면 괜찮았다. 그러니까 연만 괜찮다면 저가 죽어도 모든 게 다 괜찮았다.

근데 연이 괜찮을 리가 없잖아.

이윽고 현이 멈춰 섰다. 그 자리에 서서 폐에 가득 찬 숨을 뱉어내었다. 내장을 모두 토해낼 듯 숨을 뱉어내며 땀으로 가득 물든 고개를 들었다. 물기 어린 눈이 담은 장소에서는 진득하게도 더러운 향이 새어 나오고 있었다. 현이 미간을 찌푸리며 땀을 닦아내었다. 이런 꼴로 연을 볼 수는 없었으니까. 최대한 빠르게 몸을 단정히 하고는 문을 열었다. 훅 끼쳐 오는 마취향에 현이 미간을 찌푸렸다. 얼마나 많이 써대었으면 이런 지독한 향이 날까. 잠깐 맡았는데도 머리가 아찔해져 가는 것 같았다. 멀어지는 정신을 겨우 붙잡으며 아려오는 눈을 벅벅 비볐다. 따끔거리는 눈을 몇 번 감았다 떴다.

옷소매로 코를 막고는 연을 찾았다. 주변을 두리번거리며 구조물을 눈에 익혔다. 귓가에 들려오는 옅은 숨소리가, 금방이라도 꺼질 것처럼 위태로운 숨소리가 현의 귀를 때렸다. 급히 그쪽으로 고개를 돌렸다. 연! 현이 연을 불렀다. 제 사람을, 제 세상을, 제 신을, 제 모든 것을 불렀다. 연은 대답하지 않았다. 대답하지 못했다. 돌아오지 않는 대답에도 현은 계속해서 연을 불러대었다. 결국 연에게 도달한 현이 연의 손을 붙잡았다. 훅 끼쳐오는 마취향에 머리가 아찔해졌지만 괜찮았다. 지금 자신의 목표가 눈앞에 있었으니까. 천천히 손을 뻗어 현이 연의 볼을 쓰다듬었다. 연…. 진심이 서린 목소리가 연에게 닿았다.

연이 천천히 눈을 떴다. 제 시야에 들어오는 사람이 정녕 현이 맞는 건지 의심이 갔다. 설마 현도 제 생명을 앗아가려 여기 온 것일까. 두려움과 배신감이 온몸을 기어 다녔다. 그 끔찍한 감각에 몸을 이룰 수 없었다. 연이 발작하며 눈물을 흘렸다. 아악, 아아아악! 제발, 제발 아니야. 아니라고 해줘. 현, 너만큼은 나한테 그러면 안 되는 거잖아…! 연의 외침에 현이 미간을 찌푸린 채 연의 팔목을 거세게 쥐었다. 몸부림치는 힘이 점차 옅어졌다. 연이 거친 숨을 내뱉으며 현을 쳐다보았다. 하도 세게 쥔 터라 새어 나오는 핏물이 현의 입술을 짓이기게 했다.

"…연, 너를 구하러 왔어."

아니, 사실은 나를 구원하는 것일지도 몰라. 제발 나 좀 구원해줘, 연. 현이 연의 손을 맞잡았다. 제 이마에 닿은 손이 차가웠다. 맞잡은 손에서 느껴지는 냉기가 현을 감쌌다. 그 냉기에 그제야 정신이 조금 드는 듯했다. 이 냉기가 그리도 그리웠다.

현이 안도의 한숨을 내쉬며 연의 손을 조금 더 세게 쥐었다. 슬쩍 내려간 시선 새로 보이는 것은 엉성하게 붕대로 감겨 있는 연의 팔과 다리, 그리고 그 속에 새겨진 수많은 흉터. 현이 입술을 짓이기며 미리 챙겨놓았던 약을 꺼내었다. 엉성하게 둘린 붕대를 풀며 연의 상처에 약을 치덕치덕 발랐다. 그 느낌에 연이 움찔거렸지만 다행인지 불행인지 마취향 때문에 큰 무리가 있지는 않았다. 멍해지는 정신을 겨우 부여잡았다.

이윽고 약을 다 바르자 현이 애처로운 눈으로 손을 뻗어 연의 보드라운 얼굴을 쓰다듬었다. 하얀 얼굴은 하얗다 못해 초췌하게 보였다. 연, …연. 이름만 중얼거리는 목소리가 울렸다. 연이 애써 미소를 흘리며 손을 뻗어 현의 얼굴에 대었다. 잘 느껴지지 않는 촉감에 조금 더 힘을 주어 엄지로 현의 볼을 쓰다듬었다. 스스로, 먼저 대어준 손. 현이 찡그린 미간을 피었다. 연이 처음으로 현의 미간을 피게 하는 데 성공했다. 긴장을 풀고, 경계를 풀고 두 눈을 감았다. 연의 냉기를 느끼며 몸을 노곤하게 했다. 긴장과 피로가 모두 풀리는 것만 같은 기분이 들었다.

현이 천천히 입을 열었다. 이 말을 해야 하는가. 오면서도 끊임없이 고민하고 생각해보았다. 하지만 역시나 내려지는 결론은 같았다. 엔딩은 언제나 같았다. 연은 알 권리가 있었다. 이것으로 인해 저를 원망한다고 하더라도, 제 심장을 도려내 먹는다고 하더라도 내어줄 수 있었다. 연에게라면 쉬이 내어줄 수 있었다. 연의 원망, 가슴이 찢어질 듯 아파져 오겠지만 괜찮았다. 그 정도는 감수해야 했으니까. 이 모든 것을 일으킨 자의 혈육이라는 것부터 연좌제였으니까. 연. 현의 목소리에 연이 눈을 떴다. 긴 속눈썹이 하얀 피부에 그림자를 그렸다. 떨리는 눈을 마주해 현을 그 초록빛 눈동자에 가두었다. 현이 떨리는 손을 꽉 쥐었다.

"…연, 할 말이 있어."

너는 처음부터 이렇게 될 것이었어. 처음부터 이런 상황은 정해져 있었어, 연. 현의 말에 연이 미간을 찌푸렸다. 현이 무슨 말을 하는 건지 이해가 가지 않았다. 아니, 이해하고 싶지 않았던 것일지도 모르겠다. 떨리는 손을 뻗어 연이 애처롭게 현의 팔을 쥐었다. 힘도 주지 못해 그저 걸치고만 있는 것 같은 느낌이 들었다. 떨리는 손이 현의 팔에 진동을 전했다. 그게 무슨 말이야, 현. 연의 말에 현이 입술을 짓이겼다. 차마 연을 똑바로 바라보지 못해 시선을 돌렸다. 뚝, 흘러내린 혈흔이 현의 팔을 붙잡고 있는 연의 손등 위로 떨어졌다. 새하얀 피부 위 붉은 물감이 떨어졌다.

네가 죽어가고 있는 이 상황이, 사람들한테 먹혀가고 있는 이 상황이, 그리고 이 이후에 일어날 상황도 모두 정해져 있는 상황이었어. 연. 툭, 연의 손이 추락했다. 고개를 차마 들지 못해 시선도 바닥을 향했다. 뒤통수를 목각으로 얻어맞은 듯 멍했다. 바들바들 떨리는 손을 쫙 펼쳐 시야에 두었다. 앙상하다 못해 뼈만 남아 버린 가죽 덩어리가 시야에 들어왔다. 보기도 꺼려질 정도로 징그러운 뼈마디가 선명하게 들어왔다. 현, 거짓말이잖아. 그렇지? 거짓말…. 거짓말이라고 말하고 싶었다. 하지만 저의 신에게 거짓말을 고할 수는 없었다. 어차피 신은 거짓말을 한다 해도 모두 알아차릴 테니까. 거짓말을 해봤자 먹히지 않았다. 그리고 현은 그것을 이미 알고 있었다. 너무나도 잘 알고 있었다. 현이 고개를 저었다. 연의 심장이 바닥으로 추락했다. …언제부터? 도대체 언제부터…?

“처음, 네가 연이라는 이름을 가지게 되었을 때부터.”

그때부터였어, 연. 네가 처음 이곳에 왔을 때부터, 내 부모가 너를 발견했을 때부터, 너에게 연이라는 이름이 주어졌을 때부터 너는 이리될 운명이었어. 너의 살을 먹으면 외상이 나으며, 너의 피를 마시면 내상이 낫지. 정월 대보름날 너의 심장, 성녀의 심장을 먹으면 불로장생을 할 수 있대. 내 아버지, 사제라는 작자는 너를 처음부터 그런 용도로 데려온 거야. 처음부터, 본인이 민심을 얻기 위해, 본인이 불로장생하기 위해. 오로지 자신을 위해서 너를 도구로써 데려온 거야, 연. 처음부터 너는 이렇게 될 운명이었어. 네가 처음 이곳에 발을 들인 순간부터.

커다란 소음이 들렸다. 현이 쓰러졌다. 쓰러진 현의 위에는 연이 있었다. 현은 욱신거리는 뒷머리를 매만질 틈도 없었다. 제 위에 있는 연이 다치지 않았는지를 먼저 확인해야 했다. 본인보다 훨씬 중요한 건 연이었으니까. 절대 자신이 더 중요하지 않았으니까. 눈으로 보이는 새로 생긴 외상은 없었다. 다만 텅 빈 눈이 현을 담았다. 아려오는 가슴에 현이 입술을 짓이겼다. 눈이 마주치자마자 직감할 수 있었다. 아, 저의 여인은, 저의 세상은, 저의 신은… 이미 다칠 대로 다쳐버렸다. 생살이 깎여나갔으며 마음을 난도질당했다. 회생할 수 없는 상태가 되었다. 저가 사랑하는 사람들이 배신했을 때의 감각이 어떨지 현은 차마 생각할 수조차 없었다. 연이 자신을 배신했다고 생각만 해도 토할 것만 같고 피눈물이 흐를 것 같았으니까.

저릿한 마음에 현이 손을 뻗었다. 연의 머리를 쓰다듬으며 그녀의 얼굴을 자신의 가슴께에 파묻게 했다. 다독이는 손길에도 흐느낌 하나 느껴지지 않았다. 연은 늘 그랬다. 눈물만 흘릴 뿐 오열하지 않았다. 소리 내어 울지 않았다. 그것이 허락되지 않은 사람처럼. 마치 죽은 사람처럼 울었다. 저가 이 세상에 존재하지 않는 사람처럼. 모든 것을 억누르고 참고 있는 사람처럼. 머리를 다독이는 손길이 멈췄다. 연의 머리카락을 그러쥐며 미간을 찌푸렸다. 짓이긴 입술 새로 진심이 섞인 말이 흘러나왔다.

"연. ……제발 소리 내어 울어주면 안 될까."

텅 빈 눈이 현을 담았다. 일렁이는 초록빛이 흔들렸다. 점차 차오르는 눈물이 현에게로 떨어졌다. 연이 울었다. 우는 연은 소리 내지 않았다. 현이 미간을 찌푸렸다. 시선을 바닥으로 내리깔았다. 입술을 짓이기며 천천히 고개를 들어 연과 눈을 마주쳤다. 현의 떨리는 눈동자가 연을 가득히 담고 있었다. 올곧은 눈동자는 저가 진심이라는 것을 증명하고 있었다.

"연, 도망치자."

도망치고 싶다고 말해줘, 연. 현이 연의 손을 쥐었다. 제발 도망치고 싶다고, 나가고 싶다고 말해주길 바랐다. 이곳에 더는 있고 싶지 않다고. 연이 제 아버지에게 잡아먹히는 것만큼은 막아야 했다. 눈물을 멈춘 연이 현을 바라보았다. 아무런 감정도 담기지 않은 눈. 깊이가 느껴지지 않는 그런 눈을 보며 현이 떨리는 입을 열어내었다. 네 말이라면 모두 듣는 거 알잖아. 네 말이면 모두 하는 거 알잖아. 너는 말 한마디만 하면 돼. 나한테 명령하기만 하면 돼. 너의 말이라면 나는 모두 들을 거고, 모든 것을 이루어줄 거야. 너는 나의 신이잖아, 연…. 연이 손가락을 꼼지락거렸다. 연의 움직임이 현에게로 모두 전달되었다. 현은 그런 연을 물끄러미 바라보고 있을 뿐이었다.

연의 입술이 움직였다. 천천히 움직이는 입술은 목소리를 내지 않았다. 다만 정확한 의미를 전달하고 있었다. 그 말을 알아들은 현이 연의 손을 꼭 쥐었다. 깍지를 낀 손에 힘이 들어갔다. 알아듣지 못할 리가 없었다. 다른 사람도 아니고 연의 말이었으니. 입술의 움직임, 변화 하나하나를 눈에 담았다. 그리고 마침내 자신의 신이 저가 원하는 말을 내뱉었을 때, 저에게 바라는 것을 내비쳤을 때 지금까지와는 비교할 수 없을 정도로 만족스럽고 커다란 쾌감이 현을 잠식했다.

구해줘, 현.

***

현의 등에서 익숙하지 않은 무게감이 느껴졌다. 항상 꿈꿔왔던 무게감이었다. 물론, 그 무게보다는 훨씬 가벼워서 걱정스럽고, 슬프고, 원망스럽고, 분노하기는 했지만 말이다. 손 하나도 차마 어디에 둘지 알 수 없어 그나마 가장 멀쩡했던 안쪽 허벅지에 현의 손이 자리했다. 등에서 느껴지는 무게가 마음에 들었다. 커다란 호흡을 내뱉으며 움직이지 않는 다리를 최대한 움직였다. 다리를 스치는 풀잎들의 소리가 귓가를 채웠다. 풀벌레들이 찌르르 거리며 하늘로 날아올랐다. 연의 말이 귓가에서 웅웅 거렸다. 구해줘, 현. 끝없이 그 순간만을 되풀이하며 마음속의 빈자리를 채워나갔다.

듣지 않아도 알 수 있었다. 몇 번이고 시뮬레이션했던 순간이었으니까. 그러니까 그토록 바라고 바라왔던 그 말을 비로소 들었을 때 얼마나 큰 만족감과 풍족함을 느꼈는지 연은 알지 못할 터였다. 살면서 중 가장 행복했던 순간을 꼽으라고 한다면 현은 고민하지 않고 그 순간을 택했을지도 모른다. 거친 숨이 현의 입에서 토해졌다. 찢어져 덜렁거리는 폐를 모르는 체하고서 계속해서 달렸다. 이미 한계치를 넘은 다리는 제 의지가 아닌 듯 달렸다. 차가운 밤공기와 함께 풀잎들이 그의 얇은 피부를 거세게 때렸다. 현은 멈추지 않았다.

살짝 들썩거리는 연이 가볍게만 느껴졌다. 깊은 숲속에서 현이 잠시 멈칫거렸다. 여기가 어디지? 어두운 밤의 숲은 꽤 위험한 것이었다. 현이 고개를 빼 여기저기를 둘러보았다. 주변은 온통 울창한 숲뿐이었다. 검은 어둠이 짙게 드리운 숲은 꽤 위험했다. 어디서 뭐가 튀어나올지 알 수 없었고, 그게 사람일지 동물일지조차 알 수 없었다. 발걸음 하나 조심해서 걸어야 했다. 연의 몸 상태는 최악 중에 최악. 신경 쓰지 않으면 연에게 어떤 피해가 갈지 알 수 없었기에 발걸음 하나 내딛는 것마저 신중할 수밖에 없었다. 그에 고개를 들어 하늘을 쳐다보자 저 멀리 북두칠성이 반짝이고 있었다. 다행이다. 현이 미소 지었다. 북두칠성을 향해 발을 움직였다. 헉헉거리며 숨을 내뱉었다. 아까보다 더 빠르게 움직였다. 지금 내뱉는 숨과 함께 내장을 토해낼 수 있을 정도로 빠르게 몸을 가동했다. 어서 빨리 이곳을 벗어나 연과의 새로운 삶을 상상하고 싶었다. 들썩이는 몸은 즐거움을 드러내는 듯했다. 그리고.

현이 멈췄다.
소리가 멈췄다.

현이 움직였다.
소리가 들려왔다.

현이 멈췄다.
소리가 들려왔다.

현이 미친 듯 달리기 시작했다. 멈출 생각조차 하지 않았다. 어디가 길인지 알려고 하지도 않았다. 나중에 길을 잃게 된다 하더라도 지금은 도망치는 것이 더 시급한 문제였다. 지금 뒤쪽에서 들려오는 소리가 들리지 않을 때까지 달려야 했다. 제 발걸음 소리와 겹쳐 들려오는 소리가 점차 가까워지고 있었다. 으득, 입술을 짓이기며 현이 다리를 더 빠르게 움직였다. 한계치를 뛰어넘었다. 퍽, 현의 얼굴을 스치고 지나간 날카로운 금속의 감촉이 나무에 꽂혔다. 현의 발걸음이 순간 멈췄다. 이러면 안 된다는 것을 알고 있으면서도 두려움에 발이 움직이지 않았다. 볼에서부터 질척한 핏물이 흘러내렸다.
뒤쪽에서 익숙하면서도 혐오스러운 목소리가 들려왔다. 현, 이리 와라. 지금 온다면 용서해주마. 입술을 짓이겼다. 여린 살이 벌어진 틈 사이로 핏물이 흘러내렸다. 뚝뚝 떨어진 혈흔이 검푸른색의 숲을 물들였다. 굳이 뒤를 돌아보지 않았다. 어차피 보지 않아도 지금 제 바로 뒤까지 따라왔다는 것 정도는 알 수 있었으니까. 다정한 척, 모든 걸 이해하는 척 들려오는 목소리가 역겨웠다. 현이 하늘을 바라보며 한숨을 내쉬었다. 인간은 참, 더럽게도 이기적이었다. 늘 본인의 안위만 생각하는, 남은 생각도 해주지 않는 그런 이기적인 존재. 그리고 그런 존재가 바로 현의 아버지였다. 인정하고 싶지도, 이해하고 싶지도 않은 존재.

…싫어요. 연은 내 것이란 말입니다. 내 신이란 말입니다. 내 신이 죽어가는 것을 그냥 내버려 둘 신도가 이 세상에 어디 있겠습니까. 현의 말에 뒤쪽에서 헛웃음 소리가 들려왔다. 움찔거리는 현의 뒤로 커다란 충격이 느껴졌다. 어? 지금 무슨 일이 일어난 거지? 삐—. 들려오는 이명이 귀를 찢어버릴 것 같았다. 손 위로 축축한 감각이 느껴졌다. 움찔거리는 연의 움직임이 선명히 느껴졌다. 떨리는 입술을 열어 연을 불렀다. …연, 연아. 연에게서 대답은 돌아오지 않았다. 그저 차가운 음색만이, 지금은 정말 듣고 싶지 않은 음색이 현의 귓가를 때릴 뿐이었다.

다음에는 네 다리다, 현.

현이 달렸다. 미친 듯이 달렸다. 멈추지 않았다. 풀숲이 저를 때리든 말든 상관하지 않고 달렸다. 날카로운 풀잎에 베인 다리에서 핏물이 흘러도 멈추지 않았다. 아픔도 느껴지지 않는 것만 같았다. 외상보다 내상이 중요했다. 연이 다쳤다. 눈물이 흘러내렸다. 입술을 짓이긴 아픔도 느껴지지 않았다. 연아, 연아, 제발. 내뱉을 수 없는 말이 공기 중에 흩날렸다. 목구멍으로 나오지 못한 말이 목젖만 울리며 입가에 맴돌았다. 그 진동이 이렇게 잔혹하게 느껴질 줄은 맹세코 몰랐다. 비린 맛이 입에 맴도는 듯했다. 현. 짧은 연의 목소리에 현이 그 자리에 멈춰 섰다. 떨리는 목소리가 금방이라도 정신을 놓을 듯이 느껴졌다.

…현아, 현. 저를 부르는 목소리에 현이 애써 얼굴에 미소를

띠었다. 덜덜 떠는 입꼬리가 위로 올라갔다. 연의 손을 꼭 붙잡고 제 이마에 대었다. 응, 말해 연. 듣고 있어. 한 번도 귀 기울이지 않은 적이 없었다. 늘 자신의 이름을 부를 때마다 저가 원하는 것을 말해주길 바랐다. 하지만 연은 아무 말도 해주지 않았다. 현이 바라는 말을 해주지 않았다. 연이 숨을 들이마셨다 내쉬었다. 천천히 들려오는 목소리에 현이 고개를 비틀어 연을 바라보았다. …진심이야? 끄덕이지도 못해 작게 느껴지는 미동이 현의 심장을 바닥으로 떨어트렸다. 지금 저가 들은 것이 거짓이기를 바랐는데 저의 신은 그것이 거짓이 아니란다. 신이 그렇다면 그런 거였다. 떨리는 목소리가 연에게 닿았다.

"……네 심장을 먹으라니?"

현이 연을 바라보았다. 연은 현을 보지 않았다. 원망스러움에 입술을 짓이기며 연을 더 세게 잡았다. 아무리 저의 신이어도 저에게 이런 것을 명하다니. 믿을 수가 없었다. 할 수 있을 리가 없었다. 아냐 연. 그런 말 하지 마. 그냥, 그냥…. 제발 조금만, 조금만 참아주면 안 될까 연. 물기 어린 목소리가 연의 귀에 닿았다. 물이 묻어서 그런지 진득한 목소리가 귓가에 붙어 떨어지지 않았다. 거친 숨이 옅어지고 있었다. 그 모든 것이 생생하게 느껴져서 온몸에 소름이 돋았다. 현의 발걸음이 빨라졌다. 퍼석거리며 풀이 짓밟히는 소리가 들려왔다. 다른 생명을 아무렇지도 않게 짓밟으며 연의 생명을 살리기 위해 애썼다.

현아. 저를 부르는 목소리에 힘이 풀렸다. 느려지는 발걸음이 수풀 가운데에 멈춰 섰다. 날카로운 풀들에 베인 다리에서는 핏물이 새어 나오고 있었다. 등에서 느껴지는 따스한 온기 위로 물기가 느껴졌다. 귓가에 닿는 바람과 함께 스며들어오는 음색이 따스했다. 천천히 눈이 맞았다. 공중에서 얽힌 시선이 진득하니 떨어지지 않았다. 떨리는 동공이 연을 담았다. 그런 현을 바라보며 연은 인자하게 미소 지을 뿐이었다. 제 바람을 가득히 담은 바람은 연의 진심을 현에게 전해주었다.

현아 어차피…… 안 된다는 것을 알지 않니. 난 이미 늦었다는 것을 알지 않니. 연의 말에 현이 고개를 내저었다. 세차게 내저었다. 이것이 아니면 동아줄이 없다는 것처럼, 이 길이 아니면 자신이 살 수 없다는 것처럼 몸부림치고 있었다. 이것만이 진실이어야지 살 수 있었으니까. 믿고 싶지 않았다. 진실이 아니기를 바랐다. 마음 한구석에서 이미 알고 있는 사실을 애써 외면했다. 떨쳐내었다. 아냐 연, 그런 말 하지 마. 아직 이야. 아직, 아직 늦지 않았어.

"현아."

너라도 살아줘. 부탁이야. 이렇게라도 너와 함께하고 싶어. 지금껏 함께하지 못했던 만큼 앞으로 너와 함께하고 싶어. 연은 진심이었다. 눈을 보면 알 수 있었다. 진실만을 담고 있었다. 볼에 닿는 손이 따스했다. 따스하지 않을 것을 알고 있는데도 따스하게 느껴졌다. 그 온기가 너무 따스해서 놓치고 싶지 않은데 자꾸만 놓으라고 했다. 잔인하디 잔인한 제 신의 처음이자 마지막이 될 명령. 현의 눈에서 눈물이 흘러내렸다. 바닥을 적시는 물이 붉은색을 띠고 있지 않았다. 분명 제 눈에서 흘러내리는 건 피눈물 같은데 아니었다. 투명한 이슬이 밤의 숲을 장식했다. 헛웃음을 자아내었다. 연, 내가 너의 말을 듣지 않을 리가 없잖아. 내가 네 부탁을 듣지 않을 리가 없잖아. 듣지 않을 수 있을 리가 없잖아…. 원망이 가득 담긴 현의 말에 연이 짧게 웃음을 흘렸다. 부드러운 현의 볼을 쓰다듬으며 천천히 말을 내뱉었다.

"현아, 나중에…… 같이 들에 가자."

들에 가서 싱그러운 풀 내음도 느끼고, 신선한 바람도 맞으며 따스한 햇볕을 맞자. 막 핀 꽃이 향기로운 곳으로 가자. 바람에 그 향기가 가득한…… 평화로운 곳으로 가자. 달콤한 꽃은 많으나 우리를 방해하는 벌과 나비 한 마리 없는 곳으로 가자. 하늘은 푸르며 구름 한 점 없는 맑은 곳으로 가자. 구름이 없어 햇볕을 가려줄 것이 없더라도 눈이 아프지 않은 곳으로 가자. 다 죽은 식물만 있는 곳이 아닌, 피비린내가 섞인 바람이 아닌, 벌레들이 득실거리는 곳이 아닌, 우리만 있는 무릉도원으로 가자. 그곳에서 나와 오순도순 살자. 아무도 없이 조용한 곳에서 단둘이 마지막을 맞이하자. 우리, 끝까지 함께하자. 그 누구의 방해도 받지 않고, 그 누구의 억압도 받지 않고, 우리끼리의 선택으로 서로의 마지막을 지켜봐 주자. 남의 손이 아니라 서서히, 그 누구의 간섭도 받지 않고 우리끼리 죽어가자.

툭, 현의 뺨에 닿아있던 연의 손이 공기 중에 떨어졌다. 싸늘하게 식은 몸이 낯설게만 느껴졌다. 연의 목소리를 듣고 있던 현이 입술을 짓이겼다. 천천히 어눌한 발음을 곱씹고 곱씹으며 입을 열었다. 뭐라고 말을 내뱉어야 할지 분간이 가지 않았다. 머릿속이 복잡하게만 느껴졌다. 눈에서 흐르지 않는 눈물이 뇌 속으로 눈물이 가득 차올라 제 기능을 하지 못하게 만드는 것만 같았다. 잠식되어서 숨을 제대로 쉬지도 못하는, 뻐끔거리며 목소리는 내지 못하는, 물이 가득 차올라 수압에 의해 제대로 움직이지도 못하는 것만 같은 기분이 들었다. 그냥 스스로가 물속에 잠겨 있는 것만 같았다. 연의 허벅지를 받치고 있는 손에 힘이 들어갔다.

연이 움직이지 않았다. 대답도 듣지 않고 연이 숨을 거뒀다. 후, 후. 내뱉는 숨을 골랐다. 거친 숨이 적막의 숲을 채웠다. 지금 해야 할 일이 무엇인지 곰곰이 생각해보았다. 천천히 감았던 눈을 뜨며 연을 시야에 두었다. …연아, 연. 애처롭디애처로운 현의 부름에 연이 대답하지 않았다. 연이 더는 함께 현의 이름을 불러주지 않았다. 그 아름다운 목소리가 더는 고막을 울려주지 않았다. 들려오지 않는 연의 목소리에 현이 바들거리며 입술을 짓이겼다.

마지막까지 연은 소리 내어 울지 않았다. 눈물이 끊임없이 흘러내렸다. 아마 앞으로도 날마다 눈물로 지새우겠지. 탈수로 죽지도 못할 것이다. 그걸 알고 있으면서도 연에게로 손을 뻗었다. 두려움과 배덕감에 바들바들 떨리고 있는 손을 연에게로 뻗었다. 바닥에 눕혀진 연을 바라보았다. 그녀의 차가운 입술에 한 번 입을 맞추고 천천히 내려갔다. 등 뒤에 꽂힌 화살을 뽑아내자 핏물이 흘러내렸다. 그 핏물을 물끄러미 바라보다 입을 맞췄다. 목구멍 뒤로 넘어가는 핏물이 달았다.

"…이상해, 연. 네 피는 내상을 치료해주는데…… 난 아직도 너무 아파. 아까보다 더 아픈 것만 같아."

내 가슴이 너무 아파, 연. 너무 아프고 고통스러워서 눈물이 멈추지 않아. 네가 숨을 거둬서 효력이 다한 걸까? 그렇다면 어차피 내가 너의 심장을 먹는다고 하여 불로장생하지 않을 가능성도 있지 않을까? 이 뛰지 않는 심장이…… 과연 내게 도움을 줄 수 있을까? 현 또한 알고 있었다. 모든 것이 그저 변명이라는 것을. 그래도 실낱같은 가능성에 몸을 맡기며 눈물을 흘려보냈다. 답이 돌아오지 않는 연에 현이 연의 가슴으로 얼굴을 파묻었다. …연아, 연아. 이건 너무 가혹한 시련이야……, 내 믿음을 이런 식으로 시험하는 거야…?

눈물을 흘려내며 연의 심장을 삼켰다. 입술에 짓이겨지는 근육의 감각이 생생했다. 펄떡거리며 생생한 심장은 아니었으나 핏물이 진득하니 묻어나왔다. 이전에 제 아버지가 강제로 먹인 연의 피 맛과 비슷했다. 처음으로 먹은 제 신의 일부의 맛을 아직도 기억하고 있었다. 배덕감과 함께 죄책감이 모든 것을 꾸며주었으니까. 그렇게 꾸며진 기억은 뇌에 커다란 한 자리를 차지했다. 흡사 악어의 눈물과 같았지만, 감정이 들어 있는 눈물이었다. 흘러내리는 눈물을 으적으적 씹었다. 달콤한 맛? 비린 맛? 뭐가 됐든 상관없었다. 지금 현의 입 안에 있는 심장의 주인이 연이라는 것만으로도 이미 답은 나와 있었으니까.
맛이 없더라도, 비리더라도, 눈물에 목이 막히더라도 연이 맛있게 먹으라고 했으면 맛있게 먹었을 것이었다. 입안에서 씹히는 맛을 금방이라도 토해낼 것 같았지만 애써 참으며 목구멍 안으로 쑤셔 넣었다. 꿀떡거리며 넘어가는 비린 맛에 미간을 찌푸렸다. 게워내고 싶었다. 뱉어내고 싶었다. 하지만 이 역시 연의 일부라고 한다면 함부로 버릴 수도 없는 노릇이었다. 고개를 들어 하늘을 쳐다보았다. 휘황찬란하게 빛나고 있는 보름달이 오늘따라 미웠다. 눈물이 현의 볼을 타고 흘러내렸다. 핏물과 뒤섞여 바닥으로 떨어졌다. 뒤쪽에서 인기척이 느껴졌다. 비척거리는 몸을 일으킨 현이 뒤를 바라보았다.
현을 뒤쫓아 온 사람들이 경악하며 현을 쳐다보았다. 피범벅이 된 현과 그 밑에 쓰러져 있는 연. 마찬가지로 피로 뒤덮인 채 가슴이 뻥 뚫려 있는, 살아있을 리가 없는 연의 모습. 그런 연의 모습을 보며 현의 아버지가 분노했다. 화살 비가 현에게 쏟아졌다. 현은 피하지 않았다. 제 가슴으로 박히는 화살의 아픔을 그대로 느낄 뿐이었다. 아, 연. 너는 얼마나… 얼마나 아팠을까. 제 가슴에 박힌 화살을 빼내었다. 그리고 주먹으로 꽉 쥔 채 제 앞에 있는 사람들에게 달려들었다. 사람들이 칼을 휘두르고 화살을 쏘았지만, 현은 멈추지 않았다. 빠르게 재생되는 살점의 조각들이 바닥에 떨어졌다. 검푸른색의 숲이 점차 붉은색으로 물들어가고 있었다. 아픔을 모르는 체하며, 제 고통을 뒤로하며 현이 무작정 앞으로 나아갔다. 사람들이 쓰러져갔고, 그와 비례하여 현의 핏물이 바닥을 적셨다.
"살, 살려줘. 난 그저 죽, 죽고 싶지 않았을 뿐이야."
"…당신 하나 때문에 이미 내 신은 죽었어. 자비를 구할 거면… 죽어서 내 신한테 구해."
아무런 감흥도 없는 눈으로 현은 그의 아버지를 담았다. 두려움이 가득한 그와 대조되게 아무런 감정도 없는 눈. 바닥에 널브러져 있는 그의 모습을 보며 아무런 생각도 들지 않았다. 저의 아버지? 저의 핏줄? 그런 게 다 무슨 상관인가. 이미 제 전부는 죽었는데. 저 앞에 주저앉아 있는 사람에 의해 저의 신은 죽었는데. 바들거리는 손이 그의 심장을 꿰뚫었다. 울컥거리는 핏물이 현의 핏물 위로 쏟아졌다. 허무했다. 결국 이 정도로 죽을 인간이었는데, 저와 똑같은, 연과 똑같은… 그저 한낱 인간일 뿐이었는데. 그런 한낱 인간에게 저의 신을 잃었다는 것에 분노했다.

고개를 돌려 하늘을 쳐다보았다. 어느새 해가 떠오르고 있었다. 일출이 하늘을 붉게 물들였다. 빛이 닿자 검푸른색이었던 숲이 붉게 물들어가고 있었다. 비틀거리는 몸을 이끌어 현이 연에게로 다가갔다. 이미 다 식어 축 처진 연의 몸을 쓰다듬으며 제가 낸 가슴의 구멍에 짧은 입맞춤을 건넸다. 서글픈 미소를 띤 채 작게 속삭였다. 이제 벌과 나비는 없었다. 연의 꿀을 앗아갈 벌과 나비는 없었다. 다 죽어 처참하게 버려졌다. 연의 곁에는 작은 들꽃이 하나 피어있을 뿐이었다. 연의 곁을 지켜줄, 연을 보듬어줄, 들에 핀 유일한 연의 꽃. 작은 들꽃.

"…그래, 같이 가자."

우리 함께 들로 가자, 연아.

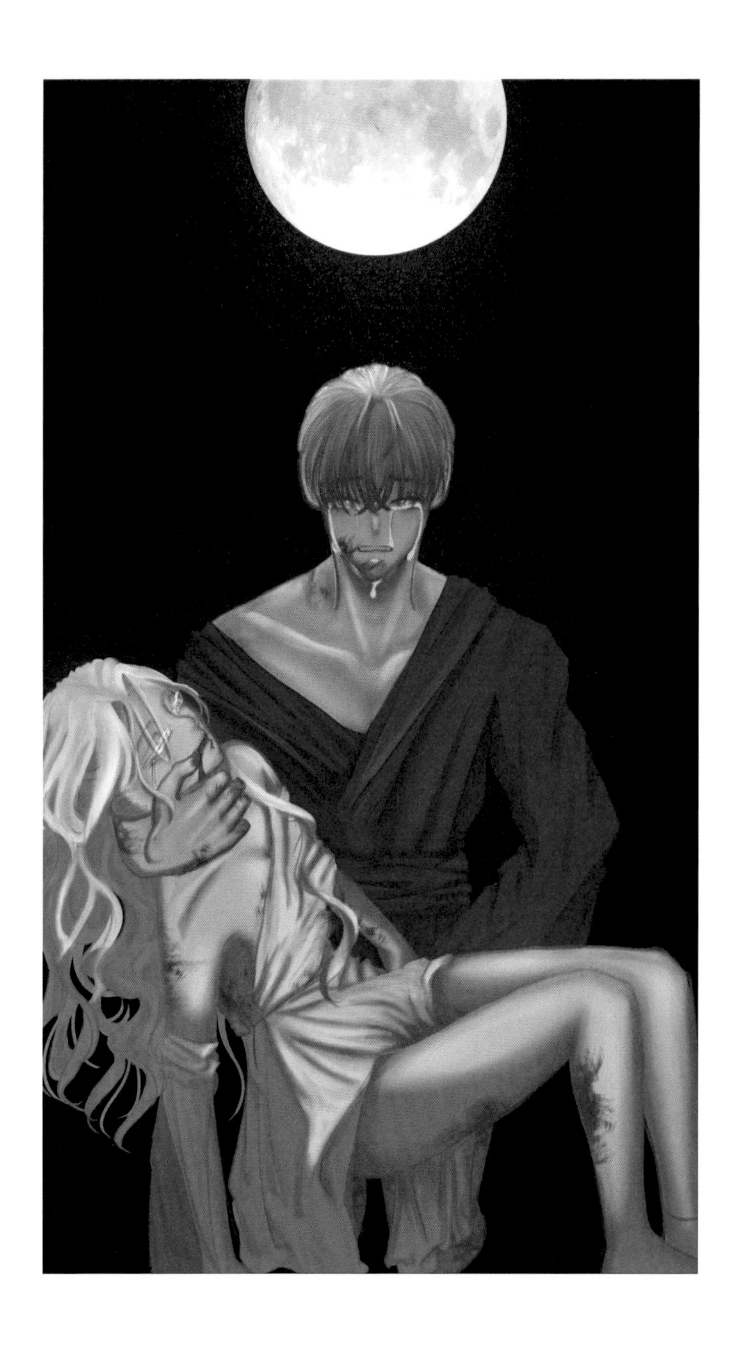

제6화 기억의 파편

모든 것을 기억하고 있던 너는 내게 애원하고, 나는 그런 너를 애써 외면한다. 그때 그 봄날 우리의 모습이 오버랩된다. 지금 네 눈 속에 담겨 있는 감정은 사랑인지, 죄책감인지. 네가 무엇을 떠올리고 있는지 모르기에 나는 아무 말 없이 그저… 네가 보냈던 그 메시지만 되새긴다.

미안, 보고 싶어서 그래.

***

5월의 중순, 푸릇푸릇한 새싹이 피어나고 꽃잎이 만개하여 나를 맞이할 때쯤이었다. 그렇게 바라던 대학교에 입학하고 현실을 직시한 지 어언 1년 하고도 두 달째. 대학 생활은 그다지 만만치 않았다. 대학교만 잘 들어가면 인생 펼 것 같았던 치기 어린 생각은 이미 저 공기 속 바람이 되어 흩어져 버렸다. 죽도록 노력해서 S대에 편입까지 했더니 바뀌는 건 공부의 난이도뿐이었다. S대에 온 지 5월쯤 되니 느끼는 건 대학은 그저 공부가 몇십 배는 어렵지만 고등학생으로 돌아간 기분이었다. 내가 이러려 대학 왔나, 싶은 생각을 하고 있을 때 들은 건 네 소문이었다.

무려 의예과 수석 입학, 교수님의 실수마저 잡아내는 1학년 학생. 지난 1년간 과탑을 놓치지 않아 장학금도 매번 탔다는 너. 나는 간호학과였다지만 무성히 퍼지는 네 소문을 듣지 못한다는 건 있을 수 없는 일이었다. 아무리 친구가 없어도 지나가는 학생들이나 밥 먹는 학생들의 이야기에서 들을 수 있는 소문이었으니. 혹시나 소문이 조금 과장되거나 와전된 건 아닌가 하는 생각이 들었지만 너를 처음 마주했을 때 그런 생각은 싹 씻겨나갔다. 혹시라도 과장된 소문이라 하더라도 너를 보면 그런 생각이 들 수밖에 없을 거라고.

"아, 안……."

인사를 건네려는 순간 너는 나를 보지도 못한 듯 스쳐 지나갔다. 머쓱한 상태로 손을 내렸다. 그도 그럴 것이 너는 나를 몰랐고, 나는 너를 알았다. 무성한 소문 속 네 외관을 묘사한 말이 없을 리가 없었고, 너를 보자마자 알아차릴 수 있었다. 나도 모르게 잔뜩 쌓인 내적 친밀감에 손을 들었으나 네게는 생판 처음 보는 남이 인사를 건네는 것과 마찬가지였다는 말.

그래도 나는 네게 인사를 건넨 그날을 후회하지는 않는다. 이런 상황에 닥쳤음에도 여전히 마찬가지다. 그저 너를 조금만 덜 사랑할걸, 같은 후회가 있을 뿐. 우리의 낡아버린 봄이 그리울 뿐.

"어, 이게 뭐지?"

그날 밤, 하나의 메시지가 왔다. 익명의 메시지였는데, 무섭다기보다는 왠지 그리운 마음이 들었다.

[미안, 보고 싶어서 그래.]

무슨 말인지 이해하지 못했다. 무심코 답장을 건넬 수도 없는 그 한마디가 마음을 욱신거리게 했다. 그리운 마음, 익숙한 느낌. 결국 뜬눈으로 밤을 새웠다. 그 이후에 오는 연락은 없었다. 그저 그 메시지는 내 마음속 한구석에 남아 계속 일렁거릴 뿐이었다. 그게 네가 보낸 메시지라는 걸 알게 된 건 아주 오랜 시간이 지난 후였다.

그날 이후로 무슨 자신감이었는지 네게 계속 인사를 시도했다. 의예과와 간호학과는 유사한 직종이라 건물이 같은 것도 한몫했다. 수많은 사람 속 숨어 있는 너를 찾는 건 그다지 어려운 일이 아니었다. 여자인데도 훤칠한 키와 날렵한 얼굴형, 예쁨과 잘생김이 한 곳에 어우러져 있는 아름다운 얼굴. 신의 편애를 받는 양 생긴 얼굴은 누가 봐도 너라는 것을 알아차릴 수 있었다. 신은 참 불공평했다. 아니, 지금에 와서는 그게 아니라는 것을 알지만 그때는 그랬다.

네 앞에서 안녕을 몇 번 외쳤는지 몰랐다. 그저 네가 보이면 안녕을 외치기 바빴다. 너는 항상 못 본 척 지나쳤지만 포기하지는 않았다. 왜 그랬는지는 모른다. 너에 대한 소문을 처음 들었을 때 그냥 무작정 너와 가까워지고 싶다는 생각을 했다. 그도 그럴 것이 들려오는 소문에 의하면 너는 남다른 기억력으로 세세한 것 하나까지 기억하고 있다고 했고, 나는 그와 달리 어릴 적 사고로 인해 기억을 잃었으니까. 사실 간호학과에 온 것도 어찌 보면 정말 대단한 발전이었다.

원래는 나도 의예과가 목표였다. 듣기로는 그랬다. 사고가 난 건 고등학교 2학년 여름방학 무렵. 생각보다 크게 난 사고는 이전의 기억을 모두 잃게 했고, 그건 당연하게도 이전에 익힌 지식 또한 마찬가지였다. 0에서부터 처음 시작한 18살의 2학기였다. 듣기로는 깨어나고 나서도 제대로 정신을 못 차리고 한 달을 보냈다고 했다. 아마 그 정도로 후유증이 컸던 것 같다고 생각한다.

다행인지 불행인지 체육이나 음악처럼 몸으로 하는 것들은 몸이 알고 있어서 어느 정도 할 수 있었지만, 맞춤법이나 공부 같은 것들은 정말 처음부터 다시 시작해야 했다. 덕분에 18살 2학기 성적은 정말 나락을 기었다. 다행히 이전에 의예과를 노렸던 열정 어디 안 갔는지 겨울방학 동안 죽을 듯이 노력해서 어느 정도 만회할 수 있었다. 수도권 간호학과에 들어가서 또 열심히 노력한 결과 S대 간호학과에 편입할 수 있었다.

그렇게 들어간 학교에서 본 게 너였다. 분명 고등학교 2학년 여름방학 이전의 기억이 없는데 너를 처음 봤을 때 낯설지 않은 기분이 들었다. 그저 소문을 무성히 들어서 그랬다고 하기에는 정말 이전에 마주쳤던 것처럼 느껴지는 그 익숙한 감각, 몸이 기억하고 있는 듯한 느낌.

"안녕……!"

"……도대체 언제까지 인사할 생각이야?"

"어? 받아줬다."

6월 후반, 기말고사 마지막 날이었다. 여름인데도 긴팔을 입고 있어야 하는 나의 과거를 원망했다. 도대체 무슨 짓을 저질렀던 건지, 내가 왜 이런 일을 겪고 있어야 하는 건지. 부모님께는 아무리 물어도 그때의 일들을 알려주지 않았다. 이런 게 있다면 좋은 기억은 아닐 거라고 생각해 나도 구태여 묻지는 않았다. 최대한 얇은 옷으로 입고 나왔다지만 여름에는 긴팔 자체가 사치였다. 얼른 집으로 돌아가야겠다고 생각하며 발걸음을 빨리했다. 시험도 끝났겠다 얼른 집에 가서 쉬어야겠다고 생각하며 갈림길로 발걸음을 옮겼다.

그 순간 운명처럼 너와 마주쳤다. 아직도 그때는 운명 같은 만남이었다고 생각한다. 집으로 가려고 발돋움하는 순간 갈림길에서 마주친 게 너라니, 지금 생각해도 참 드라마틱한 만남이었다. 그때 내 눈에 비친 너는 귀찮아 보이는 모습이었다. 그도 그럴 것이 나조차도 세지 못할 정도로 마주칠 때마다 자주 인사를 건넸으니 귀찮을 만도 했다. 너의 눈 속에 담겨 있던 감정이 슬픔이었던 걸 지금은 안다. 이미 한 번 거절당한 그때를 기억하는 슬픔.

물론 그때의 내가 알 수 있을 리가 없었다. 그저 네가 나를 귀찮게 생각하는 줄 알고 약간 움츠러든 채 손가락만 꼼지락거렸다. 손톱을 몇 번 뜯고 있으려니 너는 옅은 한숨을 쉬며 내 손을 붙잡았다. 언제 났는지 모를 핏방울이 몽글거리는 광경에 두 눈만 깜박.
"……안수정."
"어라, 내가 이름 알려줬……."
"오늘로 17번째 인사야, 알아?"
"아, 진짜? 내가 그렇게 많이 인사했나……?"
"응."
이름을 알려준 줄 알았다. 너는 원체 기억력이 좋았으니 내가 흘리듯 말한 걸 듣고 기억했을 수도 있겠다고. 기시감은 느꼈지만 그냥 내가 기억하지 못한다고 생각했다. 그때는 네가 내 이름을 알고 있는 것보다 다른 게 조금 더 신경 쓰였으니까.
퉁명스러운 목소리와 다르게 주머니에서 꺼낸 밴드가 내 손가락 위에 자리했다. 보기와는 다르게 다정한 것 같아 보였다. 아니면 그전까지 무시한 게 미안해서 잘해주는 줄 알았다. 별것도 아닌 작은 상처인데도 열과 성을 다해 꼼꼼히 붙여주는 모습이 신기했다. 의예과라서 이런 약품을 항상 지니고 다니는 건가 싶었다. 그게 내 영향이었다는 것도 모르고. 다 됐다며 굽히고 있던 허리를 편 너는 약간은 걱정 어린 눈으로 중얼거렸다.
"왜 아직도 이래……."
그때는 그 말을 이해하지 못했다. 지금은 안다. 하지만 그때 당시는 그저 갸웃거리는 고개가 무거웠다. 그냥 추측할 수 있던 사실은 너는 나를 알고 있다는 것이었다. 그러니까 그런 말을 할 수 있었던 거겠지. 그때 당시도 추측은 했다. 그게 이런 진실일 줄은 상상해 본 적도 없었지만.
슬쩍, 얇은 옷소매가 올라갔다. 손목에 남아있는 흉터들에 네가 두 눈을 크게 떴다. 분명 감추고 싶던 흉터를 들킨 내가 더 놀라야 하는데 네가 더 놀란 표정에 차마 내가 무슨 말을 하지 못했다. 그저 어버버하다 재빠르게 손목을 빼내어 감출 뿐이었다. 그래봤자 눈앞에서 직면한 상황이라 못 봤을 리는 없었지만 그때는 자그마한 희망을 잡아본 것이었다. 지금 생각하면 다 부질없는 짓에 웃기는 짓이지만 말이다. 이미 다 알고 있는 너였는데.

슬픔과 걱정으로 범벅인 눈을 모르는 척하고 그 자리를 박차듯 달려 도망쳤다. 왜 그런 눈으로 나를 쳐다봤는지 그때의 나는 몰랐으니까. 맨날 지겹도록 인사하는 애가 알고 보니 자해한 애라 동정심을 느꼈다고만 생각했다. 비관적이라 생각할지도 모르겠지만 그때는 정말 그랬다. 아마 누구나 그랬을 수밖에 없다고 생각한다. 자기가 처했던 상황과 네 성향을 고려한다면 말이다. 너는 그 누구와도 함께하지 않는다고 유명하기도 했으니까.

그런 네게 다가가고 싶어 했던 건 내 오기이자 욕심이었을지도 모른다. 물론 줄곧 말하지만 괜한 짓을 했다고 생각하지는 않는다. 그저 네가 조금 미울 뿐. 아니, 그보다는 조금 더 많이 네가 싫을 뿐.

그 이후로는 너를 오히려 피해 다녔다. 보면 좋았지만 그렇다고 해서 그게 너와 마주하고 싶다는 건 아니었다. 하지만 아까 말했다시피 우리가 유사한 직종이라 그런지 같은 건물이라 생각보다 많이 마주치게 됐다. 그럴 때마다 피해 다니려 애썼지만 너는 나를 볼 때마다 알아차렸다. 그때 처음으로 네가 원망스러웠던 것 같다. 기억력은 왜 그렇게 좋아서 자꾸 나를 알아보고 말을 걸어오려 했는지. 이전까지는 아는 체 한 번 안 했으면서 그런 게 조금 미웠다. 진짜 동정심으로 그러는 것 같아서 그랬다. 그게 네 마음에 더 상처 주는 행동이었다는 걸 몰랐다. 똑같은 행동을 반복했던 거라는걸.

"얘기 좀 해."

덥석, 손목을 잡아 오는 악력에 뒤를 돌아봤다. 너였다. 심장은 쿵쾅거리며 뛰었다. 그때는 그게 참 이상했다. 분명 나는 너를 잘 알지도 못했고, 너 또한 나를 잘 몰랐는데 왜 그렇게 좋아하는 사람과 마주하고 있는 듯 심장이 뛰었는지. 하지만 그런 생각을 하기도 잠시, 긴장하고 있는 듯 보이는 네 눈에 차마 손을 뿌리치지도 못하고 네가 끄는 대로 끌려갔다. 인적이 드문 곳으로 질질 끌려가고서 고개를 푹 숙인 채 땅만 바라보았다.

자유롭게 풀린 손에 또 꼼지락거렸다. 이전에 핏방울이 흘렀던 손가락을 나도 모르게 만지작거리고 있었다. 그런 나를 어떻게 알았는지 너는 입술을 잘근 씹으며 내 손목을 다시금 낚아챘다. 그제야 깜짝 놀라며 너를 제대로 올려다보았다.

물기 젖은 눈, 빨려 들어갈 것만 같이 깊은 늪이 나를 잠식했다. 움찔거리면서도 뿌리치지 못해 그대로 굳어 있었다. 너는 혀를 쯧 차며 내 손을 꽉 잡았다. 약간 아려오는 것도 같았지만 괜찮았다. 애써 참으며 떨리는 눈으로 너를 올려다보고 있었다. 너는 잠시 나를 지그시 쳐다보더니 곧 손에 힘을 약간 풀었다. 화가 풀렸나 싶었다. 뭐에 화가 났는지는 몰랐지만.

"……너 왜 자꾸 나 피해?"

"어? 아…… 의도한 건 아니었는데, 그렇게 돼 버렸나 보네."

내가 생각해도 웃긴 변명이었다. 어색하게 웃으며 뒷목을 긁적이던 과거의 모습이란. 그런 내 모습이 너한테는 또 얼마나 한심하게 남아 뇌리에 남았을까. 할 수만 있다면 저 때의 나를 지워버리고 싶은 심정이다. 지우개를 들고 가 깨끗이 지워버리고서 지금의 나를 네 앞에 세워둔다면 어떨까. 아마 지금과는 꽤 많은 게 달라질 것이다. 너도, 나도.

너를 알게 된 것을 후회하지만 후회하지 않는다. 그러니 아마 그때로 돌아가도 너와 가까워지는 것을 택했을 테지만, 그보다 가까워지는 걸 택하지는 않았을 것이다. 나는 너를 참 싫어하니까. 하지만 나는 또 너를 사랑하니까. 두 가지의 엇갈린 감정이 공존하는 내 마음을 너는 알까. 오히려 알기에 그런 걸까. 너를 사랑하고 싶어도 싫어하는 마음이 방해하고, 싫어하고 싶어도 사랑하는 마음이 방해한다. 싫어한다의 정의는 마음에 들지 않는 것이다. 하지만 너를 이미 마음에 들인 후에 싫어하게 됐으니 양가의 감정이 서로를 방해한다.

너를 보면 기쁘지만 너를 보고 싶지 않다. 그 먼 옛날 손 놓고 있던 너를 원망한다. 감정적으로는 너를 원망하고, 싫어하고, 미워하지만 이성적으로는 이미 안다. 네가 할 수 있는 것은 그게 최선이었다는 걸. 그저 어렸던 나를 가엽게 여기는 밑바닥의 발버둥일 뿐이다. 이런 거라도 하지 않으면 내가 한 모든 일이 허사인 것만 같아서.

"기억…… 하는 거야?"

"뭐를?"

"……아, 아무것도 아니야."

그때 그저 얼버무리며 고개를 돌렸던 너를 원망한다. 아무것도 아니라며 내 일을 함부로 치부해 버렸던 너를 미워한다. 그러면서 저가 불쌍한 어린 양인 것처럼 풀 죽은 표정을 지었던 너를 싫어한다. 기억나지 않았다며, 기억이 흐려졌다며 변명할 수도 없는 네가 감히 모르는 체하며 나를 기만했다는 사실이 미치도록 싫다. 그때 차라리 한 번 더 물어볼걸, 무슨 말을 하고 싶은 거냐며 추궁해 보기라도 할걸. 그랬더라면 지금 이렇게 후회하고 있지는 않을 것이다.

이미 뒤늦어 버린 과거에 매여 있는 후회 속 비참함이지만 앞으로 너와 함께 나아갈 미래보다는 너로 인해 버텼던 인생의 파노라마가 으깨지는 게 나에겐 더 크다. 과거를 잊은 내게 너는 현재가 되어줬으며, 과거를 기억하는 네게 나는 미래가 되어줬다. 서로의 기반이 되었으며 이것은 변하지 않을 사실일 줄 알았다. 그렇게 믿고 싶었다.

작은 진실의 파편은 우리 사이를 죽 찢어 갈겨놓았고, 작은 틈 하나에 다른 감정이 새게 됐다. 네가 여전히 내 바짓가랑이를 붙잡고 늘어진다 해도 이건 변치 않는 사실이다. 우리의 감정이 넘치는 것은 아니었으나 그 속에 다른 감정이 섞이는 건 쉬웠다. 그렇기에 결국 나는 너를 외면할 수밖에 없다. 그것이 내가 할 수 있는 가장 최선의 도피라는 것에 변함이 없어서.

"……나 피하지 말아주면 안 될까."

그렇게 애처롭게 말하던 너를 외면했어야 했다. 슬픔이 드리운 너의 두 눈을 마주치지 말았어야 했다. 물기에 젖은 애달픈 목소리를 듣지 말았어야 했다. 왜 자신감이 없었는지 눈치챘어야 했다. 왜 불안해했는지 물어봤어야 했다. 왜 내가 하던 안 좋은 습관을 따라 하고 있는지 알아차렸어야 했다. 그때 눈치챘더라면, 그때 알아차렸더라면. 언제나 세뇌이듯 반복하는 말이다. 대다수 사람은 과거에 묶여 나아가지 못한다. 그게 나고, 너다.

그렇기에 우리는 결국 이렇게 될 수밖에 없었다. 지금 우리가 처한 상황은 필연적인 천명이라는 것이다. 우리가 어떻게 피하든 간에 이루어질 수밖에 없던, 무엇을 하든 간에 처할 수밖에 없던 상황. 피할 수 없는 운명의 고리를 누가 먼저 체력이 빠질까 고대하며 돌고 있었다.

변치 않는 진실이라 한다면 그것은 과거가 아닐까. 이미 이루어진 것을 거짓이라 치부할 수 있는 자가 얼마나 있을까. 유한이자 무한한 진실을 하나로 엮어 그를 토대로 현재와 미래를 그려나간다. 하지만 그 과거에 얼룩이 묻어있고, 그것을 지울 수 없다면 어떡해야 할까? 다른 이에게 도움을 청할 수 있겠지. 나는 너에게 도움을 청했고, 너는 내게 손을 내밀어 주지 않았다. 결국 너도 도피를 택했다. 그런 의미에서 우리는 참 잘 맞는다. 안 좋은 쪽으로.

"……안 피할게."

안 피하는 것까진 좋았다. 그래도 그보다 가까워지지 말았어야 했는데. 몇 번이고 반복하는 후회에 무기력이라는 상태 이상이 생긴다. 돌파구가 과연 있기는 한 걸까. 우리 사이에 변화구를 던질 수 있을까. 후회해봤자 바뀌는 건 없다는 것을 안다. 그래도 하는 게 인간이라는 존재다. 맞잡은 손이 떨려왔던 걸 왜 몰랐을까. 알아차리고 싶지 않았던 걸까. 그냥 그랬나 보다.

그게 내 첫 번째 실수다.

***

그 이후 너와는 이상할 정도로 가까워졌다. 마침 방학이어서 따로 만나는 횟수가 는 게 컸다. 우리는 서로 그때의 사건을 없었던 것처럼 취급했다. 네가 먼저 그랬기에 나도 그럴 수 있었다. 아마 나를 배려해 줬던 거겠지. 전과 똑같다고 할 수는 없지만 유사할 정도로 네게 치대고는 했다. 너도 받아주는 게 익숙해 보였다. 내가 하는 행동마저 익숙한 느낌이라 그게 더 기시감이 들었다. 그래도 그저 네 웃는 얼굴이 좋아 더 했던 것 같기도 하다.

따스한 봄날, 우리는 서로와 추억을 쌓았다. 벚꽃 축제를 보러 가기도 했고, 아쿠아리움에 가기도 했다. 봄날의 따스함을 즐겼다. 함께하는 시간이 좋았다. 우리가 찍은 사진 중 가장 많은 사진은 그때 찍은 것이다. 이제는 조금 먼지가 쌓였지만, 그래도 우리의 가장 많은 추억을 차지하고 있는 게 봄이라는 것은 바뀌지 않는다.

그런데 조금 이상했던 건 너는 유독 고등학교 얘기를 하는 걸 꺼렸다. 중학교 얘기는 쉽게 해줬는데, 고등학교 얘기만 나오면 침묵을 지키거나 다른 화제로 전환하고는 했다. 네가 고등학교 때 안 좋은 추억이 있는 줄 알고 몇 번 같은 상황이 반복되고 나서는 나 또한 언급하지 않았다. 고등학교 외에는 모든 일을 말해주었으니 우리가 가까워지는 것 또한 어쩌면 당연할 수밖에 없는 일이었다. 가령 어머니가 돌아가신 일 같은 거 말이다.
주변에는 우리가 사귄다고 소문이 났다. 그도 그럴 것이 나는 편입생이라 친구를 새로 사귀어야 해서 없었고, 너는 원래 친구를 두지 않아서 없었다. 그런 우리가 같이 다니면서 서로의 친구가 되어줬고, 굳이 다른 친구를 사귀어야 한다는 생각이 들지 않았다. 근데 둘 다 여자인데, 동성인데 그런 생각이 드는가 싶었다. 그 와중 이상했던 건 너한테는 아무 말도 안 갔는데 나한테만 질문이 왔던 것.
"오늘도 익명으로 우리 사귀냐고 디엠 오더라."
"그래?"
"차라리 정체 까고 말하든가. 뭐 하자는 건지 모르겠어."
"그러게."
무심해 보였던 표정, 무미건조한 말투. 아마 그때 당시는 마음이 걷잡을 수 없을 정도로 커져 있는 상태였을 것이다. 사실 주변 눈에 우리가 사귀는 것처럼 보였던 건 내 마음 때문이 아니었을까도 생각해 봤다. 그 정도로 나는 네게 마음이 가 있었다. 익숙하고 편안한 마음인 게 이상하다 싶었지만 그냥 그러려니 했다. 네가 너무 편한 탓인 거라고.
그러니 네 사소한 행동 하나하나를 기억하고 말 하나하나를 기억하고 있겠지. 그래서 네가 그런 표정을 지었을 때 가슴이 찢어지는 것 같았다. 너는 나에게 일말의 관심조차 없는 것 같아 보였으니. 그래서 나도 일부러 더 퉁명스럽게 나갔을지도 모른다. 그랬던 내 마음을 숨기기 위해.
"응, 받는 것도 귀찮아 죽겠어."
"왜?"
"진짜 사귀는 것도 아닌데 하나하나 답변하기 귀찮잖아."
"그럼 진짜 사귈래?"
폭탄 발언 던져놓고 제 갈 길 척척 가는 뒷모습에 어안이 벙

벙했다. 처음에는 금붕어처럼 입만 뻐끔거리다 깜짝 놀라 얼굴 확 붉힌 채 네 뒤를 따랐다. 진짜냐고, 진심이냐고. 그 말에 너는 귀를 살짝 붉힌 채 팔로 얼굴을 가렸다. 너도 부끄럽기는 하다는 생각에 그저 웃었다. 장난으로 던진 것 같지는 않아 보였으니까. 나도 너를 좋아했고, 너도 나를 좋아하는 것 같으니 그다음 내가 할 말은 뻔했다.

좋아한다는 한마디에 너는 얼굴을 확 들었다. 홍당무처럼 붉은 얼굴이 있었다. 너도 나와 같은 마음이라는 확신. 붙잡은 손을 간질거리는 바람과 조금은 무거운 뜨듯한 공기. 익숙한 느낌이 들었다. 무언가의 기시감을 느끼기도 전, 나를 꽉 안아오는 너에 더 뜨거워지는 공기가 있었다. 놀란 채 허둥대며 너를 잡아떼려 했지만 불가능했다. 너는 나를 절대 놓치지 않겠다는 듯 허리를 꽉 붙잡아왔다. 거기서 너의 불안을 느꼈다. 결국 나는 그때도 너를 밀쳐내지 못했다.

그게 내 두 번째 실수다.

***

진짜 사귀게 되니 오히려 질문이 줄었다. 익명의 디엠에 사귄다는 답변을 보내니 그게 또 퍼지고 퍼진 모양이었다. 사람들의 눈초리는 따가웠지만 괜찮았다. 그때는 너와 사귀는 게 다른 사람들의 시선을 다 견딜 수 있을 정도로 좋았다. 대학로를 당당히 손잡고 거닐고 있어도 아무도 뭐라고 하지는 않았다. 물론 호모라고 칭하는 것과 시기 질투는 있었으나 성인이니만큼 그렇게 대놓고 괴롭히지는 않았다.

너와 사귀면서 알게 된 사실은 네가 기억력이 좋은 게 아니라 과잉 기억 증후군을 앓고 있다는 사실이었다. 그래서 내가 몇 번이나 인사를 했는지도 알고 있던 거였고, 과탑을 쉽게 할 수 있던 거였다. 네가 의예과에 온 이유는 과잉 기억 증후군을 고칠 방도를 찾기 위함이었다. 왜냐는 질문은 철없는 질문이었다. 모든 것을 기억하고 있는 삶은 썩 좋은 삶이 아니었다. 슬픈 기억도, 잊고 싶은 기억도 모두 기억하게 되는 것이니. 그때는 아무것도 몰랐으니 내가 네게 좋은 기억만을 안겨주겠다고 다짐했다. 너를 참 좋아했으니까.

내 이름을 부르며 다가오는 너를 기다리는 게 좋았다. 네 얼굴에 띤 미소와 조화롭게 섞인 홍조를 보는 게 좋았다. 혹여나 내가 기다릴까 봐 빠르게 달려 나와 거친 숨소리를 듣는 게 좋았다. 맞잡은 손에서 느껴지는 온기가 좋았다. 마주 보며 걷는 순간이 좋았다. 작은 나를 위해 발 폭을 맞춰 걷는 네가 좋았다. 너와 함께한 모든 순간이 좋았다. 너에게도 그랬다는 것을 안다. 나에게도 그 순간은 소중한 시간이다. 하지만 그 모든 시간으로 네 죄를 감형한다 해도 나에게는 아직 남아있는 상처가 크다. 나는 너를 완전히 용서할 수 없다.

너와 함께하는 모든 날이 좋았다. 너와 함께한 모든 시간이 소중했다. 너만 있다면 모든 것을 이겨낼 수 있을 줄 알았다. 사랑이라는 것만 있다면 그 어떠한 고난과 역경도 이겨낼 수 있을 거라고 믿었다. 어리고 순수했던 과거의 착각이었다. 아니, 실은 이겨낼 수 있었을지도 모른다. 다만 그게 우리 사이에 새로이 피어난 고난과 역경이 아닌 처음부터 우리 사이에 있던 고난과 역경이었기에 지금 우리가 이렇게 망가진 걸지도 모른다. 아무것도 모르던 나를 보며 너는 과연 무슨 생각을 했을지.

"무슨 생각을 그렇게 해?"

데이트할 때도 언제나 눈치 보던 너. 무언가에 쫓기듯 불안해 보이던 너. 나와 눈을 마주하면 화들짝 놀라던 너. 가끔 자다 일어나면 식은땀을 흘리던 너. 언제나 긴장을 놓지 못해 피곤해 보이던 너.

"아…… 아무것도 아니야."

내 모든 걱정과 불안은 네 아니라는 말 한마디에 거둬져야 했다. 당사자가 괜찮다는데 더 뭐라 할 수는 없었다. 기억을 지워버렸듯 나는 너를 향한 걱정과 불안을 지운 채 아무렇지 않은 척 너를 대했다. 사실 정말 너를 향한 감정이었다면 지울 수 없었을 것이다. 그 감정의 목적지는 나였기에 본능적으로 지웠을 것이다. 계속 그러든가, 그때라도 알아차렸어야 했는데.

"아, 나 궁금한 거 있어."

"뭔데?"

돌린 화제가 그렇게 마음에 들었는지, 미소 짓던 네 얼굴이 아직도 기억에 남아 잊히지 않는다.

"고등학교 얘기해 주라."

히, 미소 짓는 나와는 상반되게 네 표정은 들어서는 안 될 것을 들은 듯, 봐서는 안 될 것을 본 듯 차갑게 식었다. 침을 넘기는 소리까지 들려와 나마저도 그 상황이 당황스러웠다. 들고 있는 잔을 달그락거리며 당황과 두려움을 감추지 못했다. 나마저도 그 당황스러운 상황에 뭘 해야 할지 몰라 아무 대응도 못하고 있었다.

"바, 밖에 날씨 좋다. 그렇지?"

"어? 어어……."

너는 티 나게 말을 돌렸다. 하지만 나도 그때는 그마저도 다행이라고 생각했다. 네 고등학교 시절 안 좋은 일이 있었구나, 추측할 뿐이었으니까.

그때, 비 오던 날. 너는 왜 그렇게 술을 마셨을까. 원래 그런 자리 참석하지 않던 네가, 왜 하필이면 그날 그랬을까. 왜 직장 동료들은 쉬고 있던 나를 불러내 너를 부축시켰고, 너는 만취할 정도로 술을 퍼마셔 내게 진실을 토해낸 걸까. 혼자 떠안고 있기 그렇게 버거웠던 걸까.

***

나는 홀로 무사히 졸업하고서 네가 목표하고 있던 병원에 취직했다. 너는 의예과 2년, 의학과 4년까지 있어 나보다 2년 늦게 졸업했다. 내가 병원에서 경력을 쌓는 동안 너는 새로운 의사 선생님으로 자리했다. 예상대로 너는 인기 폭발이었다. 나와 사귀면서부터 조금 누그러진 성격에 얼굴까지 더하니 어찌 보면 당연한 결과였다.

다른 선생님들은 너를 굉장히 좋아했다. 그러니 네가 온 지 3일 만에 회식하자며 떠들썩했겠지. 나는 하필이면 몸살이 겹쳐 못 가게 됐지만 결국에 얼굴을 비추긴 했다. 그것도 너 때문이었지만.

추적추적 비가 내리던 여름날이었다. 으슬으슬하며 몸에 오한이 드는 것이 영 좋지 않았다. 하필이면 그날이 내가 사고 난 날인 것도 이상한 기분이 들었다. 몸이 그날을 기억하는 기분. 결국 반차를 내고 집에 돌아와 쉬었다. 평소 같았으면 걱정된답시고 퇴근하자마자 집에 쳐들어 와 나를 간호해 줬을 텐데 유독 그날따라 너는 나를 피하는 기분이 들었다. 회식이라며, 못 가서 미안하다며 구구절절 변명을 늘어놓는 너를 이상하다고 생각할 틈이 있을 리 없었다. 그냥 괜찮다는 말 한마디 남긴 채 그대로 잠들었다.

째깍거리는 시계 초침을 몇 번이나 들었을까. 지잉거리는 휴대폰 진동 소리에 잠에서 깼다. 왠지 모르게 그 휴대폰 소리에 두려움을 느꼈다. 악몽을 꿨다고 생각하고 그냥 넘겼다. 그래도 잠들었다 일어나서 그런지 몸이 한결 가벼운 느낌이었다. 그래서 너를 데리러 갈 수 있었다. 차라리 계속 아팠어야 했는데.

그게 내 세 번째 실수다.

"정신 좀 차려 봐……."

비는 내리고 택시는 안 잡히고. 말 그대로 진퇴양난 같은 상황이었다. 지금 저 술자리에 돌아가면 나한테마저 술을 먹일 것 같아서. 비를 맞으니 몸 상태는 더 안 좋아지는 것 같은데 너는 일어날 생각이 없어 보였다. 다리도 꼬이고 혀도 꼬여 제대로 몸을 가누지도 못하는데 콱 두고 갈 수도 없어서 어쩌지 못하고 있었다. 그러다 택시가 잡혔고, 집에 갈 수 있을 거라는 생각에 신나 있었다. 네가 갑자기 내 이름을 부르기 전까지.

"미안, 미안해 수정아……."

"미안하면 빨리 정신 차리고 걸어."

"그때…… 못 도와줘서 미안해……."

발걸음을 멈추지 말걸, 네 말을 듣지 말걸, 빗소리에 묻어버릴걸. 귀를 틀어막아 버릴걸.

"너…… 괴롭힘당할 때…… 못 도와줘서 미안해……."

우뚝, 멈춰 선 발걸음이 더 이상 나아가지 못하게 했다. 덜컥거리는 심장은 더 이상 들으면 안 된다고 경고했지만 그럴 수 있을 리가 없었다. 그때 내 몸은 경직돼 움직일 생각조차 하지 않았다. 내 귀에 들려오는 말이 진실인지 가늠할 여력조차 되지 않았으니까. 쿵, 쿵, 쿵, 쿵. 세차게 뛰어대는 심장은 귀를 먹먹하게 했다.

무슨 말을 하는 건지 알 수 없었다. 18살 2학기부터 괴롭힘당한 기억은 없었다. 너와 사귀고 난 후를 얘기하는 거라면 괴롭힘이라고 할 정도의 수준은 아니었다. 무엇보다 너는 내게 손을 내밀어 주었다. 나를 도와줬다. 네가 더 고통스러운 것처럼, 발작을 일으킬 수준으로 경기하며 내게 도움의 손길을 내밀었다. 그렇다면 네가 말하는 것은 무엇일까? 같은 생각을 했다. 그때는 아무것도 몰랐으니까.

저 멀리 오는 택시가 보였다. 내가 부른 택시였다. 택시가 멈추기 직전, 네가 내 귓가에 속삭인 말에 나는 너와 함께 택시를 탈 수 없었다. 같이 탈 거 아니냐는 기사님의 질문에 고개를 저었다. 그저 네 주소를 읊고서 몸을 떼어냈다. 곤히 잠들어 있는 네가 원망스러웠다. 그래도 네가 비를 맞아 감기에 걸릴까 봐 내 우산을 네게 쥐여주었다. 이미 나는 비를 많이 맞았고, 몸살도 난 상황이었으니 뭐가 더 겹치든 상관없을 거라고 생각했다.

멀어져가는 택시를 멍하니 바라보다 그 자리에 주저앉았다. 다리에 차마 힘이 들어가지 않았다. 한 10분 정도 그렇게 앉아있었던 것 같다. 식당에서 들려오는 왁자지껄한 소리에 겨우 정신을 차리고서 몸을 일으켜 집으로 향했다. 비를 다 맞고 걸어간 바람에 다음날은 아예 출근 자체를 하지 못했다. 네가 집 앞까지 왔지만 문을 열어주지도 않았다. 널 택시를 태우기 전에 했던 말이 자꾸만 머릿속에 맴돌아 나를 떠나가지 않았다.

'너 사고 당할 때 못 지켜줘서 미안해…….'

***

궁금한 건 못 참는 성격이라 그날 이후로 한동안 피해 다니다가 결국 너와 직접 마주했다. 피해 봤자 달라지는 건 없었으니까. 마음 한구석에서는 제발 그러지 말라고 소리쳤지만 그때의 나는 궁금증을 해소하는 게 더 급했다. 카페에서 오랜만에 마주한 너는 무척이나 수척해져 있었다. 아마 그날을 다 기억하는 듯했다. 하긴, 과잉 기억 증후군이 술에 취했다고 해서 기억 못 할 리가 없었다. 아닌가, 뇌가 제 기능을 하지 못했을 테니 기억을 못할 수도 있었으려나.

컵만 만지작거리며 30분을 소비했다. 먼저 입을 연 건 너였다. 그 30분을 소비한 후 네 입에서 나온 말은 고작 미안이라는 말이었다. 이미 그 말은 지겹도록 많이 들었는데, 내가 듣고 싶은 건 그런 말이 아니었는데. 결국 만지작거리던 컵을 놓고서 네가 도망치지 못하도록 손을 꽉 잡았다. 네 떨림이 느껴졌다. 그땐 그 손을 놓으면 안 될 것만 같은 기분이 들었다. 지금에 와서는 후회하는 일이지만.

"그때 일, 제대로 설명해 봐."

"……."

빼끔거리는 네 입이 무거워 보였다. 차마 무슨 말을 해야 할지 감이 안 잡히는 기분. 그래도 너는 천천히 말을 골랐다. 고르고 골라 내뱉은 첫 말에 뭐라 반응해야 할지 몰랐다. 우리가 같은 고등학교를 나왔다는 말. 네 말이니 의심할 여지는 없었다. 그 상황에서 거짓말할 필요도 없었고. 문득 네가 고등학교 일을 말하는 걸 피했던 게 생각났다. 직감적으로 이 일 때문이라는 것을 알 수 있었다.

이후로 네 입에서 나오는 이야기는 가히 충격적이었다. 사실 우리는 고등학교 1학년 때 같은 반이었고, 그때부터 사귀게 되었다는 것. 그런데 그런 나를 시기 질투해서 괴롭히는 무리가 생겼다고 했다. 하지만 너는 그때 나를 살필 여력이 되지 않았다. 네 어머니께서 돌아가신 시기와 겹쳐 네 정서도 많이 불안정했고, 나도 그런 널 알고 있어 차마 말을 제대로 꺼내지 못했다고 했다. 항상 손톱을 뜯어 손이 멀쩡할 날이 없었다고, 너는 그런 내 손을 치료해 주는 것밖에 하지 못했다고.

혼자 감내했고, 혼자 앓았다고 했다. 그런 나를 알아도 도와줄 힘이 없었댔다. 다 변명처럼 들렸지만 그래도 최대한 이해하려 했다. 어차피 나는 그때 기억이 안 났으니까, 생판 남의 이야기를 듣는 것 같았으니까, 과거보단 현재가 중요하다고 생각했으니까, 지금 날 잘 챙겨주면 된다고 생각했으니까. 이야기를 들을 당시는 정말 지우개로 지워버린 듯 아무런 기억이 없었다. 그때는.

"……그러다가…… 네가 죽으려 했어."

"……뭐?"

"2학년이 되고 나랑 반이 떨어지면서 괴롭힘이 점점 심해져서…… 더 못 참고 네가 너희 집 옥상에서 투신했어."

네 말을 듣자마자 과거의 기억이 파노라마처럼 스쳐 지나갔다. 너를 좋아한다는 핑계로 내게 온갖 악행을 일삼던 그 애들, 그래 놓고 남자친구를 데려와서 온갖 폭행을 하던 그 애들, 집에서도 학교에서도 마음 놓고 쉬지 못해 괴로워했던 기억, 끊임없이 울려대던 휴대폰과 시도 때도 없이 나를 괴롭히던 악몽. 그 모든 기억이 폭포수처럼 쏟아져 내 뇌리에 박혔다. 절대 잊을 수 없는 그 기억, 차라리 잊고 싶었던 내 악몽. 유일하게 행복했던 기억은 너와 사귀고 나서 맞은 첫봄.

어떻게 된 영문인지는 몰라도 투신하고 나서 병원에서 일어났다. 그때 너는 나를 찾아왔다. 미안하다고 사과라도 할 심산이었는지는 몰라도 나는 너를 알아보지 못했다. 정확히 말하자면 그때의 나는 그 누구도 알아보지 못했다. 얼핏 의사의 말을 듣기로는 머리부터 떨어져 뇌에 손상을 많이 입었다고 했다. 덕분에 뇌가 그때 당시 제 기능을 하지 못해 부모님마저 알아보지 못한 상황이었다고. 너는 몇 번 나를 찾아오다가 포기했는지 더는 찾아오지 않았다. 아마 그때의 기억이 네게는 깊은 상처로 남은 모양이었다. 그래서 나를 다시 만났을 때도 일부러 모르는 척, 그랬겠지.

비명을 지르며 그 자리를 박차고 나갔다. 너는 알 수 없을 터였다. 펄럭이는 옷소매 사이로 자해한 흔적이 보였다. 너는 그 모든 걸 알고 있었으면서 왜 나를 도와주지 않았을까, 왜 내게 도움의 손길을 내밀어 주지 않았을까. 그래서 너는 내가 대학 동기들에게 무시당할 때 그렇게 나보다도 더 예민하게 반응했던 걸까? 모든 것을 기억하고 있으면서 너는 내게 한 치의 미안함도 없었을까? 죄책감을 느끼지 못했을까? 어떻게 염치도 없이 내게 다시 사귀자고 할 수 있었을까. 네가 싫어졌고, 네가 미워졌고, 네가 원망스러워졌다.

너에게 오는 연락마저 진동이 되어 내 트라우마를 자극했다. 휴대폰을 아예 꺼버렸다. 그날이 주말이라 다행이었다. 2일간은 어떻게 너를 피할 수 있었으니. 그때 처음으로 너와 같은 직장이라는 것에 좌절했다. 차라리 병원을 그만둘까 생각도 했지만 너 하나 때문에 그러고 싶지는 않았다. 이러니저러니 해도 나는 현실을 살아가고 있었으니. 그러니까 나는 차라리 우리가 그렇게 멀어지길 바랐다.

***

그날 밤 꿈을 꿨다. 고등학교 때 너와 내가 나왔다. 대학교 들어와서처럼 처음 보자마자 네게 반한 건 아니었다. 사실 너를 그다지 싫어하는 축에 속했다. 나도 등급을 잘 유지해서 S대 의예과에 가야 하는데 네가 만년 1등을 독차지하고 있으니 너를 싫어했던 게 사실이다. 정확히는 좋아할 수 없었다는 게 더 맞았겠다. 그때 나는 성적에 과하게 집착하고 있었다. 집안 사정 자체가 막 좋은 편은 아니어서 전액 장학금을 노리려고 중학교에서부터 열심히 노력해 왔는데 너는 교과서 한 번 훑는 것 외에 공부하는 걸 못 봤어서 그랬다. 노력형 인간인 나와 다르게 재능충인 것 같아서 싫었다.

그래서 네 약점을 찾으려 노력했다. 계속 너를 관찰하고, 너를 따라다녔다. 아마 너한테는 늘 있던 스토커 1이었을지도 모른다. 그래서 내가 그렇게 티 나게 따라다니는데도 일관적으로 나를 무시했겠지. 그렇게 따라다녀봤자 네 약점 같은 건 잡지 못했다.

이럴 시간에 공부할걸, 하며 자괴감 들어 집으로 돌아가려던 찰나였다. 어머니를 마주한 너를 보게 됐다. 활짝 미소 짓고 있는 네 얼굴은 가히 신이 직접 보듬었다고 해도 과언이 아니었다. 처음 뛴 가슴을 모르는 체했다.

너한테 반하고 싶지 않았으니까. 너를 계속 싫어해야지만 내가 너를 이기기 위해 더 노력할 수 있으니까. 사랑이란 감정은 눈앞을 흐리게 만들어 이성적 판단을 하지 못하게 만든다는 것을 그때의 나도 알고 있었다. 그러니 너를 계속 눈으로 좇고 있는 것도, 계속 네가 신경 쓰이는 것도 단지 너를 이길 방도를 찾기 위함이라고 여겼다. 그러다 교무실에 불려 간 적이 있었다. 돌아오는 길, 자투리 시간을 활용해 영어단어를 보고 있었다. 하나라도 더 많이 외워야 너를 이길 수 있었으니까.

그러다 내 발에 걸려 넘어질 뻔한 나를 네가 잡아줬다. 처음으로 너를 가까이서 봤다. 오뚝한 코와 커다란 눈망울, 뽀얀 피부와 붉은 입술. 순간 나도 모르게 침을 꼴깍 삼켰다. 그게 바로 홀린다는 기분인가 싶었다. 너는 나를 고이 세워두고서 앞으로 척척 걸어 나갔다. 그런 네 뒷모습을 멍하니 바라보다 정신 차리고 영어단어장에 시선을 고정했다. 그런데 네 모습이 머릿속에서 아른거려 떠나질 않았다.

"……망할."

짧게 중얼거린 말은 앞으로 다가올 미래를 암시했다.

그 이후는 크게 변한 건 없었지만 내 마음을 자각하고 나서 너를 대하는 게 달라졌다. 네가 보이면 자리를 피하기도 하며 최대한 마주하지 않으려 했다. 계속 너를 마주했다가는 공부에 집중할 수 없을 것만 같았다. 그렇게 잘 피하나 싶었는데 너와 수행평가 같은 조가 됐다. 하필이면 2인 1조였던 탓에 너와 단둘이 마주하는 시간이 늘어났다. 단 한 번도 이성을 좋아해 본 적이 없어 너를 어떻게 대해야 할지 몰랐다. 그래, 따지고 보면 네가 첫사랑이었다. 첫사랑이자 마지막 사랑.

수행평가에서 너는 내게 잘 대해줬다. 모르는 게 있으면 알려주기도 하고, 내가 까먹은 자료를 줄줄이 읊어주기도 했다. 네가 있으니까 확실히 편하긴 했다. 좋기도 했고. 까칠한 대외의 성격 속 다정함에 이끌렸다. 종종 나를 보며 웃을 때 그 유쾌함이 좋았다. 너는 모든 방면에 있어 내게 유익한 사람이었다. 공부도 잘했고, 친밀도가 쌓이면 친절하게 대해줬고, 자기 사람이라 판단되면 도움을 요청했을 때 할 수 있는 선에서는 뭐든 들어줬다. 그런 너를 좋아하지 않는 게 더 힘들었다.

그러다 결국 못 참고 고백하게 됐을 때, 너도 나를 좋아한다는 말에 뛸 듯이 기뻤다. 내가 좋아하는 사람이 나를 좋아하는 건 기적이라고 생각했다. 첫사랑은 이루어지지 않는다는 말을 믿지 않았다. 결국 그렇게 이루어지긴 했으니까. 사랑 자체가 처음이라, 연애 자체가 처음이라 생소해서 그랬는지는 몰라도 나는 꽤 헌신적인 사랑을 했다. 그러고 싶은 마음도 있었다. 네게는 뭐든 해주고 싶었으니까.

너도 사귀고 나서부터 너는 내게 더 잘해줬다. 네가 할 수 있는 모든 수단을 동원해 나를 대하는 기분이었다. 너는 항상 내게 최선을 다했고, 나도 네게 최선을 다했다. 서로가 최우선이고 최선을 다하는 우리가 더 사랑하게 되는 건 당연한 순리였다. 우리는 서로에게 헌신적이었고, 서로만을 사랑했으니까. 나중에 알게 된 사실이지만 너에게도 내가 첫사랑이었다. 너도 나를 대하는 게 서툴렀고, 나도 너를 대하는 게 서툴렀지만 그런 점마저 사랑했다. 사랑하는 사람과 맞이하는 봄이 그렇게 따스한지 처음 알았다.

내 인생에 다시는 이런 사람이 오지 않을 거라는 생각마저 했다. 너를 놓치고 싶지 않았다. 무슨 일을 당하게 된다고 할지라도. 만화나 영화를 보면 사랑을 위해 모든 것을 버리고 도피하는 사람들도 봤으니 나도 그럴 거라고 생각했다. 너를 위해서라면 S대 의예과를 버릴 수도 있다고 생각했다. 무슨 고난과 역경이 닥쳐도 너와 함께면 이겨나갈 수 있을 거라는 착각을 했다. 역시, 현실은 다른 법이었다.

***

너를 모르는 체한 지 어언 일주일째. 너는 계속 내게 다가오기 바쁘다. 그래도 간호사가 그렇게 농땡이 피우는 직업은 절대 아닌지라 네가 다가올 때마다 울리는 콜에 바쁘게 움직여야 했다. 차라리 그게 다행이다. 일부러 남의 업무를 떠안아 바쁘게 지내기도 해봤다. 어차피 간호사한테 칼퇴근 따위는 없으니까.

오늘도 저녁 10시에 퇴근하던 날, 네가 기다리고 있을 거라고는 꿈에도 생각하지 못했다. 아니, 굳이 생각하고 싶지 않았을지도 모른다. 네가 내 눈앞에 있다는 가정을 원치 않는다. 하지만 이미 그건 현실로 이루어진 상황. 타개할 방법은 정면 돌파뿐이다. 삐딱하게 선 채 너를 바라본다. 여전히 너를 보면 심장이 뛰지만 머리는 생각을 멈춘다. 너와 더 가까워지면 안 된다는 것을 알고 있다.

"할 말이 뭔데?"

직접적인 말에 네가 머뭇거린다. 이렇게 시간을 낭비하고 싶지는 않다. 너를 보는 것만으로도 모든 것을 용서하고 싶은 마음이 드니까. 여전히 머뭇거리는 너에 먼저 들어가려고 발걸음을 옮기자 네가 손목을 붙잡는다. 다친 척 드레싱 밴드를 붙여놓은 손목이 네 손 안에 들어간다. 너는 그 밴드를 보고서 입술을 짓이긴다. 왜 네가 그런 표정을 짓는 건지 아직도 알지 못한다. 너는 내가 가장 힘들 때 외면한 사람이면서, 도대체 왜. 인제 와서 죄책감을 덜고 싶은 건가 싶다.

빼끔거리는 입은 붕어를 연상시킨다. 물속에서 말해 진동이 내게 닿기는 힘든 것처럼 지금 네 진심이 내게 와닿을 거라는 생각이 들지 않는다. 지금은 네가 무슨 말을 하든 내가 이해해 주고 싶지 않다. 아직 내게는 더 시간이 필요하다. 너를 완전히 용서하기까지의 시간. 아마 그 시간은 너무나 오래 걸릴 거라 기다리다가 네가 먼저 지칠지도 모른다. 그걸 알기에 네게 섣불리 다가가지 않는다. 너를 밀어낸다. 하지만 너는 밀리지 않는다. 어째서 그럴까.

"그때…… 못 도와줘서 미안해. 그래 놓고 염치도 없이 너와 다시 시작하려 해서 미안해. 내가 다 잘못했어……."

"……하나만 물어볼게. 그때 나 보고 싶다는 메시지 보낸 거…… 혹시 너였어?"

"……응, 나야. 미안…… 그러면 안 되는 걸 알면서도, 네가 너무 보고 싶었어……. 그렇게 메시지라도 보내서 내 마음을 털어내고 나면 후련해질까 싶었어. 아니었지만……."

흘러내리는 눈물에 차마 손을 뻗지 못한다. 아릿한 가슴께가 문제다. 왜 나는 아직도 너를 사랑할까. 싫어하거나 사랑하거나 둘 중 하나만 할 것이지 왜 둘 다 해서 나를 이렇게 곤란하게 만들까. 차라리 미워한다면 모를까, 싫어하면서 왜 또 마음 한구석에서는 열렬히 사랑을 외칠까. 너는 왜 아직도 나를 이렇게 사랑할까. 네가 먼저 놓은 손, 왜 내밀어 달라 애원할까. 너와의 추억은 낡아버렸는데 왜 아직도 나는 너를 사랑할까.

"내가, 내가 다 잘못했, 어 수정아……. 용서해달라고 안, 할게. 나 피하지만, 말아줘……. 그런 네 모습, 을 보면 내 가슴이, 너무 아파…… 제발……."

결국 눈물이 흘러내린다. 왜, 왜 나한테 그러는 걸까. 너는 왜 나를 이렇게 힘들게 만드는 걸까. 이런 내가 싫다. 나를 싫어하게 만드는 네가 싫다. 하지만 나는 여전히 너를 사랑한다. 네가 손 놓고 싶어서 놓은 게 아니라는 걸 안다. 너도 그 상황이 두려웠다는 걸 안다. 같은 상황을 반복하지 않기 위해 이제라도 나를 도와줬다는 걸 안다. 너도 네 나름대로 노력한 사실을 안다. 그저 내 투정일 뿐이다. 그때 도와주지 않아서 왜 나를 이렇게 만들었냐는 투정. 결국 나도 아직 어린 거다.

사실 모든 기억을 잃어버렸던 나보다 모든 짐을 떠안고 살아야 하는 네가 더 힘들다는 걸 안다. 나는 결국 어떻게든 무뎌질 수야 있겠지만 너는 그때의 상황이 언제나 생생히 떠오를 테니까. 어머니에 이어 나까지 잃을 수도 있다는 두려움이 얼마나 컸을지 짐작 가지 않는다. 너에게 소중한 사람이 두 번이나 연달아 떠나가 버릴 뻔했으니. 겨우 살아났다 싶었는데 너를 기억하지 못했으니. 결국 너도, 나도 서로에게 상처 준 것이다. 우리는 서로의 장미다. 봄에 개화해 여름 장마를 맞고 잎이 떨어져 가시만 남기는 장미.

가지고 있으면 아프지만 놓을 수 없다. 그 누구에게도 줄 수 없다. 크나큰 욕심은 결국 우리의 손이 서로 완전히 망가지게 할 것이다. 하지만 우리는 멈추지 않을 거라는 걸 안다. 기억을 잃었어도 너를 다시 사랑할 만큼 나는 너를 사랑하니까, 내 심장은 너를 향해 뛰니까. 나는 너를 내칠 수 없다는 걸 너도 알 것이다. 너 또한 나를 버릴 수 없다는 것을 안다. 이미 우리 사이는 망가져 버린 사이라는 것도 안다.

깨진 조각을 하나하나 이어 붙여야 한다. 그 과정에 상처도 나고, 그만두고 싶어질지도 모른다. 아마 그래도 서로가 서로를 붙잡을 것이고, 이전에는 못 해준 기둥이 되어 지탱해 줄 것이다. 그러길 바란다.

"……나 아직 너 용서 못 해."

"응…… 알아."

"……하지만 노력해 볼 거야."
"어……?"
"우리는 결국 현재를 살아가고 있으니까."
네 얼굴에 환한 미소가 떠오른다. 그래, 나는 결국 널 밀쳐내더라도 다시 잡아당긴다. 내 밀침에 네가 넘어져 또 다른 상처를 입을까 봐 걱정된다. 그 상처가 네게 흉터로 남을까 봐 걱정된다. 밀어내더라도, 멀리하더라도 끊을 수는 없기에 지금 할 수 있는 최선의 선택을 한다. 그게 너에게도 최선의 선택이기를 바랄 뿐이다.
너를 똑바로 마주하기에는 아주아주 오랜 시간이 걸릴 것이다. 너는 그때 내가 아무 생각 없이 한 행동 하나하나에 의미를 부여하고 모든 것을 기억하고 상처받을지도 모른다. 그래도 결국 네가 택한 길이니까 이번에는 네가 버텨주기를 바랄 뿐이다. 더는 네 기억 속 어린 그때로 돌아가지 않기를, 네가 나를 두고 도망가지 않기를.
집으로 돌아가는 길, 이전처럼 손을 맞잡지는 않지만 내 발 폭에 맞춰 걷는다. 그 작은 배려를 나는 기억한다. 이제는 전부 기억한다. 그렇기에 너를 싫어할 수밖에 없지만, 그렇기에 너를 사랑한다. 이 모든 기억이 너를 싫어하고 싶을 때 내 발목을 붙잡을 것이다. 그리고 나는 붙잡힐 것이다. 앞으로도 계속, 쭉 변함없이 말이다. 고마워, 작게 중얼거린 네 한마디를 애써 모르는 체한다. 하루빨리 그 말에 답할 수 있는 날이 오기를. 너와의 새로운 봄을 맞을 수 있는 날이 오기를.

제8화 천 원

"천 원에 키스 한 번이면 싼 거죠."

진득하게 맞춰 오는 입술에 정신이 혼미하다. 다리에 힘이 풀려 그대로 쓰러질 것만 같다. 허리를 받치고 있는 손길에 바닥과 키스할 일은 없지만, 이대로 몸을 맡기고 있는 것도 꽤 힘든 것 같다. 헐떡이는 거친 숨을 내뱉으며 네게서 나온 더운 숨을 한껏 들이켠다. 어쩌다 이렇게 됐더라? 혼미한 정신을 겨우 다잡으며 과거를 회상해 본다.

***

무더운 여름날, 아버지가 실직했다. 원래부터 빚도 있었는데 갚느라 거의 길거리에 내앉았다. 큰 이유는 아니었다. 그냥, 정리해고. 별다른 이유가 없었다는 게 더 어이없었고, 하필이면 그 대상이 우리 아버지였다는 게 서글펐다. 그래도 모아놓은 돈이 있으니 괜찮을 줄 알았는데, 아니었다. 아버지의 정리해고 이후 내 인생은 180° 변했다.

나름대로 잘 살았다. 멋진 남자 친구도 있었고, 내가 좋아하는 사람은 아니었지만 나를 짝사랑하는 사람도 있었고, 나름대로 부족할 것 없고 화목한 가정 속에서 사랑받는 인생이었다. 그런데 한순간에 인생이 바뀌어버렸다. 남자 친구는 빚 있는 나와 사귈 수 없다며 이별을 고했고, 부모님은 매일 다투는 것이 일상이 됐다. 그렇게도 행복했던 집이 한순간에 무너져 버렸다. 변해버린 모습을 보고만 있는 게 너무나도 힘들어서, 처음으로 집을 나가고 싶다고 생각했다. 그 모습을 계속 보고 있기가 힘들어서.

학교에 가는 게 처음으로 좋았다. 학교에 가면 최소한 그런 모습은 보고 있지 않을 수 있어서, 사랑하는 사람들끼리 서로 헐뜯는 모습을 보고 있지 않아도 돼서 좋았다. 그런데 간과했던 사실 중 하나는, 학교에는 내 전남친과 나를 짝사랑하는 남자가 있었다는 사실이었다. 그것을 깨닫자마자 발걸음이 무거워졌다. 천천히 느려지는 발걸음에 고개만 숙인 채 걷고 있을 때, 뒤에서부터 짙은 그림자가 겹쳤다. 혹시나 전남친일까 하는 기대감에 두 눈을 동그랗게 뜨고 돌아본 찰나, 내 뒤에 서 있던 건 다름 아닌 너였다.

"서도현…?"

"…누나."

주춤, 물러선 찰나를 놓치지 않고 끈질기게 쫓아오는 발걸음의 보폭이 컸다. 결국 담장에 등을 기대어 설 수밖에 없었다. 네 진득한 눈에서 흘러내리는 열기가 숨이 벅차오르게 했다. 여름의 열감과 네게서 느껴지는 체온이 겹쳐 뜨거웠다. 내게서 흘러내리는 땀을 검지로 가볍게 닦아낸 너는 네게 묻은 땀을 한 번, 그런 너를 보는 나를 한 번 바라보았다. 입에서 웅얼거리는 말이 나오기 전에 도망쳐야 할 것만 같았다. 그대로 너를 마주했다가는 내가 한순간에 무너져 내릴 것만 같았다.

도망치려 몸을 내빼던 내 손목을 붙잡고서 살포시 끌어당겼다. 강한 힘은 아니었지만 끌려갔다. 그러고 싶었던 걸지도 모르겠다. 마음 한구석에서는 아무런 조건 없이 나를 좋아해 주는 네게 기대고 싶었을지도. 하지만, 또 다른 한구석에서는 헤어진 지 얼마 되지도 않은 전남친이 몽글몽글 떠올라 내 죄책감을 자극했다. 걔는 내 빚 때문에 헤어졌는데, 나는 걔한테 죄책감 같은 거 안 가져도 됐는데.

이거 놓으라고 말해봤자 너는 듣지 않았다. 등 뒤에서 느껴지는 온기에 땀이 날 것만 같았다. 이대로 흥건하게 젖으면 어떡하지, 그게 네 흔적이 돼버리면 어떡하지. 입술을 잘근 깨물다가 두 눈을 꾹 감았다. 뒤를 돌아 너를 있는 힘껏 밀쳐냈다. 풀 죽은 강아지 같은 표정을 짓고 있는 너를 모르는 체한 채 무작정 달렸다. 학교도, 집도 가고 싶지 않았다. 아무도 나를 찾을 수 없는 곳으로 영영 떠나버리고 싶었다.

아, 그 뜨거운 햇빛에 녹아내리고 싶었던 걸지도 모르겠다.

***

투둑, 툭. 무언가가 떨어지는 소리에 서서히 잠에서 깼다. 놀이터 미끄럼틀 속에 숨어있었는데, 어느 순간부터 잠든 모양이었다. 찌뿌둥한 몸을 움직여 기지개를 켜자 온몸에서 아우성을 쳤다. 으으, 짧은 신음을 흘리고서 미끄럼틀에서 고개를 쭉 뺐다. 이미 어두워진 주변은 서늘함도 느껴졌다. 아까와 같은 날이 맞는 건지 의심이 될 정도로.

장마가 온다더니, 소나기처럼 비가 폭포수처럼 쏟아지기 시작했다. 우산도 없고, 갈 곳도 없으니 그저 미끄럼틀에 계속 몸을 기댄 채 쭈그려 있었다. 이전 같았으면 어머니한테 전화해서 데리러 와달라고 했을 텐데, 이제는 그럴 수도 없는 현실에 막막하기만 했다. 팔로 동굴을 만들어 스스로 가뒀다. 어둠에 묻힌 채 비 내리는 소리만 들었다. 점차 그 빗속으로 빠져드는 느낌이 드는 찰나, 빗소리가 아닌 다른 무언가가 부딪히는 소리가 들렸다.

"…누나, 거기 있는 거 다 아니까 나와봐요."

네 목소리에 침을 한 번 꼴깍 삼키고서 얼굴만 쏙 뺐다. 비 맞을 생각 하고 뺐는데, 비 한 방울 떨어지지 않았다. 네가 우산을 들고 서 있었다. 멍하니 너를 올려다보자 너는 젖지도 않았는데 비 맞은 강아지처럼 풀 죽은 채로 나를 내려다보고 있었다. 네 눈에 담긴 감정은 슬픔이었다. 왜 그렇게 슬픈 표정을 지었을까, 왜 나를 그런 눈으로 담았을까. 나마저도 슬픔에 빠진 것 같은 착각이 들 정도로. 아니, 나는 이미 슬픔 속에 있었던가.

쥐가 난 다리를 내빼자 너는 그런 나를 눈치챘는지 물웅덩이가 가득한 바닥에 스스럼없이 무릎을 꿇었다. 이러지 말라고 해도 욱신거리는 다리는 마음대로 움직이지 않았다. 더러울 텐데 굳이 왜 거기서 그랬는지. 이유는 알고 있었지만 수긍하고 싶지 않았다. 네게 마음을 열었다가는 정말 한순간에 무너질 것만 같았다. 그러고 싶지 않았다. 입술을 꾹 짓이긴 채 내 다리를 주무르는 너를 바라만 봤다.

쥐가 풀리자 너는 또 귀신같이 알아차려 내게 손을 내밀었다. 조금 빨갛게 부은 네 손을 애써 모르는 체했다. 손을 뻗어 네 손을 마주 잡자 너는 나를 살포시 끌어당겼다. 그 힘에 큰 힘을 들이지 않고 일어설 수 있었다. 너는 네 무릎을 적신 흙탕물은 뺄 생각도 안 하면서 내 어깨에 묻은 먼지만 털었다. 정말 나를 금방이라도 깨질 듯 소중한 유리처럼 대해주는 덕에 아직도 내가 귀한 것만 같았다. 착각이 분명한데도.

"…저, 그 소식 들었어요."

"…무슨… 소식?"

"…누나네 아버지 정리해고 당하신 거요."

걷던 발걸음이 멈췄다. 너는 아무 말도 하지 않았다. 꽉 쥔 주먹에 손바닥이 아려왔지만 개의치 않았다. 나는 개의치 않았는데, 너는 아닌 모양이었다. 너는 허둥지둥 내 손에 네 손을 포개 손을 열었다. 붉게 부풀어 오른 자국에 너는 네가 더 아픈 듯 울상을 지었다. 나는 별로 아프지도 않은데, 네가 그런 표정을 지으니까 가슴 한편이 시큰거렸다. 내리는 빗소리에 파묻혀 그대로 잠식되고 싶었다.

"누나 남자 친구랑 헤어졌다는 것도 들었어요. 그러니까 이제

저… 봐주시면 안 돼요?"

"…너, 내가 남자 친구랑 왜 헤어졌는지 알아?"

"…몰라요."

"빚 때문에 헤어진 거야. 걔가 빚 있는 사람이랑 사귀기 싫대서."

"빚이 뭐가 문젠데요?"

"빚 있는 나랑 데이트할 때면, 자기가 돈 다 내야 할 테니까 싫은가 보지."

내 말에 너는 마냥 어이없다는 표정을 지었다. 마치, 내가 자기를 사귀어 주는 것만으로도 감사해야 할 판에 어쩜 그런 헛소리를 지껄일 수 있냐는 듯이. 표정에 다 드러나는 네 모습에 피식 웃음이 새어 나왔다. 그런 네 모습에 고맙다가도 막상 아직 솔로가 된 지 얼마 되지도 않은 나한테 네가 너무 얽매여 있는 것만 같은 기분이 들었다. 가장 중요한 것은, 지금 내가 누구와 사귈 여력이 없다는 것도 있었고.

너는 그런 내 마음을 읽은 건지 약간 시무룩하면서도 어깨에 힘이 들어간 모습으로 내게 말을 건넸다. 도대체 무슨 생각이었는지는 잘 모르겠는데, 지금 생각해 보면 네 편에서 나를 배려한 답시고 그렇게 말했던 게 아닐까 싶은 생각이 든다.

"…누나, 돈 필요하죠?"

"어? 그… 렇지?"

"저는 돈이 많죠?"

"그렇… 지?"

"저한테 누나 팔아요."

"…뭐?"

그때 당시에는 말도 안 되는 소리라고 생각했다. 내가 무슨 창녀도 아니고, 몸을 팔라는 소리처럼 들렸으니까. 투둑, 툭. 빗방울 떨어지는 소리가 마치 네게 남아있던 내 정이 떨어지는 소리처럼 들렸다. 적막 속 빗소리, 그 안에 서 있는 우리. 너는 느지막이 나를 내려다봤고, 나는 여전히 너를 올려다봤다. 서로 마주한 시선이 여름날의 공기처럼 어눌하게 눌어붙었다. 서로에게 끈적하게 달라붙어 떨어질 생각을 하지 않았다.

무슨 미친 소리냐고 하고 싶었는데, 나를 바라보는 네 눈에 진심이 가득 담겨 있어서 차마 내치지 못했다. 달아오르는 열감은 여름이라서 그렇다고 치부했다. 뜨끈해진 얼굴을 한 손으로 가리며 한 손으로는 너를 밀어냈다. 너는 순순히 밀려나면서도 내가 비는 안 맞게 우산을 내 쪽으로 밀었다. 그러는 너는 우산 밖으로 밀려나서 비를 맞고 있으면서, 내가 안 맞는 게 더 중요하다는 듯이.

툭, 투둑. 바닥으로 바로 낙하하는 빗방울보다 조금 더 느리게 네 머리에 매달려 있는 물방울들이 떨어졌다. 네 속눈썹 끝에 달린 물방울은 네 눈을 더 느릿하게 했다. 너는 너를 담고 있는 나를 네 눈에 담았다. 비에 젖어서 그럴까. 눅진하게 젖어 촉촉한 네 눈가가 훤히 드러났다. 끈적한 손길이 뒷덜미를 감쌌다. 질척이는 빗물이 옷 새로 스며들었다.

"키스 한 번에 천 원, 어때요."

***

벌떡 일어나 주변을 살폈을 때는 집이었다. 아직 익숙해지지 않은 집에 눈을 떴을 때는 낯선 감정투성이였지만 지금은 그것보다도 어젯밤 있었던 일이 더 낯설었다. 네가 데려다줄 때까지만 해도 현실 파악이 잘 안됐는데, 인제 와서 낯설었다. 집 앞에서 손 흔들며 헤어질 때까지만 해도 괜찮았는데, 인제 와서 부끄러웠다. 말도 안 되는 미친 소리에 결국 수긍했다. 그 정도로 돈이 궁하냐 묻는다면 그랬다.

어머니가 아버지가 계속 일할 줄 알고 사놓은 집 가격이 갑작스레 하락했고, 그것은 결국 모두 우리 빚이 됐다. 게다가 실직해 돈이 더 들어올 구석도 없으니 빚을 갚을 능력도 없었다. 세상은 실직자에게 궁했다. 은행 대출, 집값, 빚. 모든 것이 문제였다. 학원 같은 걸 다닐 여력이 있을 리가 없었다. 이럴 줄 모르고 지난달에 펑펑 써댔던 카드빚도 문제였다.

당장 빚 갚을 여력도 없으니 내게 용돈이 들어올 수 있을 리가 없었다. 솔직히 말하자면 용돈 같은 건 사치였다. 당연히 알고 있었고, 나는 알바를 해야 했지만 단 한 번도 알바를 해보지 않은 인생이었다. 경력자를 우대한다는 말로 면접에서 빈번히 떨어졌다. 경력자를 우대한다며 뽑지 않으면 도대체 경력은 어디서 쌓아야 하는 건지 알 수 없었다.

당장 나라도 도와 손을 보태야 할 참인데, 알바는 구해지지도 않으니 이런 짓이라도 해야 할 성싶었다. 하지만 당장 너를 만나야 한다고 생각하니 아득함에 한숨만 푹 내쉬었다. 가방을 싸는 손이 느릿했다. 주춤거리며 밖을 나가보니 집은 휑했다. 아무도 없는 집에 나 혼자였다. 누군가 곁에 있을 때의 외로움과 혼자 있을 때의 외로움은 천지 차이다. 짙은 적막이 내려앉은 집은, 깊은 어둠이 잠식하고 있는 집은 낯설기 그지없었다.

울렁이는 속에 다리 힘이 풀렸다. 바닥이 늪으로 변한 것처럼 질척거렸다. 혼자서는 일어설 수 없었다. 점차 집어삼키는 구멍에 허우적댔다. 끝이 없는 미로 속에 빠져드는 기분이었다. 어둠보다 더 짙은 그림자는 나와 똑같은, 아니, 더 큰 크기가 돼 나를 덮쳤다. 헤어 나올 수 없었다. 그럴 힘이 없었다.

후들거리는 다리, 떨리는 손, 가빠지는 호흡, 울렁거리는 속. 그 순간 휴대폰에 온 연락, 다름 아닌 너였다. 덜덜 떨리는 손가락이 계속해서 빗나갔다. 전송, 전송. 지금 시간이 몇 시지? 아, 7시 48분. 네가 학교에 있을 시간이었다. 아마 보내봤자 너는 이곳에 오지 못하겠지. 헛구역질까지 해대며 눈앞이 핑핑 돌았다. 눈물이 눈가를 적셨다. 네게 마지막으로 연락을 보낸 화면만 노려볼 뿐이었다.

-누나 어디예요?

-저 학교 도착했는데

-잠깐 볼 수 있어요?

-도현ㅇ아 나 너ㅓ무 뭈ㅅ워

-네?

-누나

-누나 어디예요?

-ㄴ나 짖ㅂㅂ

그 이후로 너는 답이 없었다. 나는 그래서 반에 들어가서 휴대폰 걷은 건가 싶었다. 당장이라도 달려와 줄 것처럼 물었으면서, 아무 말이 없었다. 그게 더 서러웠던 것도 같다. 고여 있던 눈물이 흘러 바닥에 웅덩이를 만들어 내고, 그 속에 비친 나를 바라보며 나르시스처럼 되기를 희망하기도 했다.

얼마만큼의 시간이 흘렀을까, 문에서 쾅쾅거리는 소리가 났다. 어기적거리며 무거운 몸을 일으켰다. 혹시나 하는 희망을 품었다. 눈물이 눈 앞을 가렸지만 애써 발걸음을 이어 나갔다. 후들거리는 다리로 무거운 몸을 이끌고서 문가로 다가가 열자 보이는 건, 내 희망에 화답하듯 땀을 폭포수처럼 흘리며 서 있는 너였다.

너를 보자마자 긴장이 풀린 듯 다리에 힘이 풀려 그대로 쓰러졌다. 너는 그런 나를 급하게 받쳤고, 덕분에 바닥과 키스하는 일은 없었다. 얼마나 급하게 뛰어온 걸까, 땀에 절어 평소보다 짙은 네 체향이 후각을 자극했다. 혼자가 아니라는 생각에 겨우 정신을 차린 듯했다. 헉, 막혀 있던 숨을 거세게 내뱉으며 너를 바라보았다.

욱신거리는 심장이 아직도 아릿했다. 퍽퍽한 목에 가슴을 쳤다. 숨이 잘 쉬어지지 않았다. 귀에서 이명이 들리는 듯 먹먹했다. 눈물이 핑 돌며 시야가 흐려지자 날 부르는 네 목소리마저 잘 들리지 않았다. 네가 뭐라고 하고 있는데도 내 귓가에 와 닿지 않았다.

"누…!"

흔들리면 그냥 흔들릴 뿐이었다. 네가 하는 말에 그 무엇도 대답하지 못한 채 그저 흔들렸다. 너는 뭐라고 중얼거리는 듯하더니 갑작스레 입을 맞춰왔다. 어느새 머릿속에는 당황스러움만이 남았다. 깜짝 놀라 네 혀를 살짝 깨물었다. 너는 신음 한 번 내지 않고 내게 입맞춤을 이어 나갈 뿐이었다.

첫 키스였다. 첫 키스가 이렇게 무드 없이 하는 현관에서의 키스라니. 정신이 거의 없었지만 이날 이 순간만큼은 잊을 수 없었다. 내 순결을 빼앗긴 날이 정신 혼미할 때의 사귀지도 않는 남자와 집 현관에서의 입맞춤이라니. 믿고 싶지 않았다. 솔직히 좋지 않았던 것은 아니어도 누구나 첫 키스에 대한 로망은 있으니 어쩔 수 없었다.

효과는 좋았던 게, 입술에 촉감이 느껴지자마자 이게 뭔 일인가 싶어 정신이 확 들었다. 시야에 들어오는 너로 우리가 키스하고 있다는 것을 알았다. 입술에서 느껴지는 부드러운 촉감과 등을 지지하고 있는 단단한 손길, 맞닿은 가슴에서 전해지는 온기가 뜨거웠다. 울렁이는 속과 일렁이는 가슴의 차이점을 알 수 없었다. 둘 다 머리가 뜨거워지는 건 똑같은데.

푸하, 입술이 떨어지자 거친 숨을 내뱉었다. 헐떡이는 숨을 몰아 내쉬는 것도 모자라는데, 너는 여유롭게 질척이는 입술을 닦아냈다. 얼굴에 확 열감이 올랐다. 방금 무슨 일이 일어난 거지, 그렇게 생각하며 고개를 돌렸다. 바닥으로 시선이 향하자 방금까지 나를 집어삼키던 늪이 생각났지만, 네가 함께 있다는 것만으로도 큰 차이점이 느껴졌다. 네가 곁에 있어 더는 어둠이 무섭지 않았다.

혼미한 정신에 멍하니 너를 올려다보자 너는 잠시 잊었던 걸 기억해 냈다는 듯 아, 하며 짧은소리를 내더니 내 손에 천 원짜리 한 장을 쥐여줬다. 그 순간 뒤통수를 세게 얻어맞은 듯했다. 맞아, 나 사귀는 거 아니고 돈 받고 하는 거였지. 욱신거리는 가슴에 더 할 말을 찾지 못했다. 왜 욱신거렸는지, 사실 잘 모르겠다. 아니, 실은 알면서 모르는 척하는 걸 수도.

"어, 시간… 미, 미안. 학교 가야 하는데 나 때문에…."

"누나."

"어, 응?"

"무슨 소리를 하는 거예요."

"응?"

"학교 따위가 누나보다 중요할 리 없잖아요."

그러면서 나를 거세게 껴안는 너에 숨이 턱 막혔다. 네가 껴안아서 막히는 건지, 아니면 내 죄책감 때문에 숨이 막히는 건지 알 수 없었다. 퍽퍽한 가슴을 두어 번 두드리다 손에 쥔 죄 없는 천 원만 구겼다. 우리 사이를 정의 내릴 단어가 필요했다. 구겨진 초라한 천 원의 모습이 마치 내 모습인 것만 같아서, 그게 더 서글펐던 것 같다.

한 번이 어렵지, 두 번이 어렵다고 했던가. 우리는 틈만 나면 입을 맞춰댔다. 정확히는 네가 아니라 내가. 너는 국회의원의 외동아들이었고, 용돈도 남부럽지 않게 받았으니 너를 걱정할 필요는 없다고 생각했다. 하루에 만 원 넘게 받은 적도 있었다. 네가 먼저 맞추든, 내가 먼저 맞추든 너는 항상 내게 돈을 건네주었으니까. 어쨌든 간에 나는 이기적인 인간이라서, 네가 조금 궁한 것보다는 내가 배를 곯지 않는 게 더 중했다. 어쩌면 당연한 명제를 자꾸만 비교하게 되는 것도 결국엔 내가 너를….

…이쯤이면 네가 아니라 내가 너를 키스 셔틀로 쓰는 게 아닌가, 그런 생각이 들 정도로 입을 맞춰댔다. 너는 처음에는 적극적인 내 모습에 부끄러워하며 받아들였지만, 갈수록 낯빛이 어두워지는 게 눈에 보였다. 하지만 그런 걸 신경 쓰고 싶지는 않았다. 그런 사소한 것 하나하나 다 신경 쓰다 보면 결국 네게 마음이 갈 게 뻔했고, 그러면 결국 돈을 벌 수 있는 수단도 사라지는 것이었다. 네게는 미안하지만, 나는 이기적인 인간이다.

네가 좋아하는 사람이 이런 사람이라는 것을 알게 된다면 너는 어떤 반응을 보일까. 실망할까? 아니면 언제나 그랬듯 괜찮다며 미소 지어줄까. 후자였으면 좋겠다. 그러기를 바란다. 애써 부정하고 있었지만 나는 이미 네게 어느 정도 마음을 준 상태라는 것을 알고 있다. 네가 내게 모질게 말하지 않아 주기를, 나를 보며 항상 미소 지어주기를 바란다.

나를 여전히 좋아해 주기를.

“일어나요, 누나. 그런 데 앉아있지 말고.”

“…한 번만, 한 번만 더 하자 도현아.”

“…누나.”

짧은 한숨에 순간 움찔거린다. 혹시 나한테 질린 건 아닐까, 이렇게 제멋대로 구는 내가 네 맘에 안 들면 어떡하지. 작게 움츠러든 나를 보고서 너는 또 다정한 목소리로 다독인다. 괜찮다고, 화난 거 전혀 아니라고. 슬쩍 고개를 들어 너를 바라보자 너는 빙긋 미소 지으며 고개를 끄덕인다. 정말로 괜찮다고 말해주는 듯하다. 다정한 손길에 온몸이 녹아든다.

“화난 거 진짜 아니고, 그냥 바닥이 차서 그래요. 누나 감기 걸리면 어떡해.”

“괜찮아, 나 괜찮아 도현아.”

“제가 안 괜찮아요. 따듯한 데라도 들어가요.”

“나 진짜로 괜찮은데….”

"고집부리지 말고요, 누나."
…응. 짧은 수긍에 너는 만족스러운 듯 미소 짓는다. 이게 뭐라고, 고작 이게 뭐라고. 울렁이는 속이 잠잘 생각을 하지 않는다. 손에 쥔 천 원 몇 장을 구겨버린다. 반듯한 새 돈은 어느새 내 손때가 묻어 못나게 구겨진다. 네게 있을 때는 반듯해 다리미로 다린 듯하던 돈이, 내 손에만 들어오면 못나게 구겨진다. 마치 너와 나의 관계성만 같아서 고개를 숙인다.
어느새 밖은 단풍으로 가득하다. 너와 이런 사이가 된 지 한 계절이 지났다는 말이다. 서늘한 바람이 하복 아래의 살을 스치고 지나간다. 동복은 면적이 넓어 세탁 세제가 많이 들어서 일부러 하복을 끝까지 입고 다녔는데, 아무래도 이제는 무리인 듯싶다. 다음 주부터는 동복을 입어야겠다고 생각하며 냉기 도는 팔을 쓸어올린다. 차가운 공기에 움찔거리자 너는 담요를 덮어준다. 괜찮은데…. 너는 그 말을 듣지 않는다. 담요에서 느껴지는 따스함이 마치 네게서 묻어나온 것만 같다. 고개를 조금 더 숙여 담요에 얼굴을 댄다. 입 맞출 때와는 또 다른 온기가 느껴진다. 오래 새겨진 네 체향이 깊다.
"누나? 뭐해요?"
"…아, 가고 있어."
"얼른 와요. 곧 종 치겠다."
고개를 끄덕이며 네 뒤를 따른다. 허공에 닿아있는 네 손을 잡을까 말까 고민하다 결국 잡지 않는다. 누군가 보기에는 썸, 누군가 보기에는 연인처럼 보이겠지만 결국 우리 사이는 아무것도 아니다. 가끔, 아니 실은 자주 내가 돈이 필요할 때마다 입 맞추는 사이. 서로의 가치는 겨우 천 원 한 장. 너에게 나는 더 많은 가치를 가지고 있을지도 모르지만, 나에게 있어서 네 가치는 천 원이다. 그 이상도, 이하도 돼서는 안 된다.
뺨을 스치고 지나가는 바람이 차다. 당장 내일이라도 동복을 입어야 하나. 바닥에 소복이 쌓인 낙엽을 물끄러미 바라본다. 바람에 흩날려 공기 중에 붕 뜬다. 하늘을 물들인 붉은색이 진하다. 저 속을 뒤지면 누군가 흘리고 간 천 원 한 장이라도 발견할 수 있지 않을까? 헛된 희망에 나조차도 비웃음 친다. 어이없는 생각이다. 고개를 절레절레 저으며 갈 길을 걷는다. 그냥, 이 시간에 네게 한 번 더 입 맞추고 말지. 이런저런 생각을 하며 걷고 있는데, 갑자기 멈춘 네 등에 코를 박는다. 괜찮냐는 물음에 고개만 끄덕인다.

"아, 맞다 누나. 혹시 이따가 시간 괜찮으면, 점심시간에 잠깐 볼 수 있어요? 저희 항상 보던 데서요."

"어? 응, 나야 괜찮지."

"그럼 기다릴게요."

"응, 이따 봐."

이따 또 돈을 벌 수 있는 걸까. 이미 손에 쥔 천 원짜리 네 장을 내려다본다. 피식 비소가 흐른다. 겨우 이런 것 가지고 좋아해야 한다니. 이미 구겨진 돈을 한 번 더 구기고서는, 주머니에 욱여넣는다. 나를 좋아한다는 것을 알고 있으면서도 이러고 있다는 게, 마냥 너를 갖고 노는 것만 같다. 그래서, 그게 미안하면서도 그만둘 수가 없다.

차라리 죄책감 같은 거 모르면 좋을 텐데, 그런 것 따위 없으면 좋을 텐데. 이 제안을 먼저 한 건 너고, 그걸 받아들인 건 나다. 상호합의하에 이루어진 결과물이라는 뜻이다. 그런데 거기서 한쪽이 죄책감을 느끼게 된다면 결국 이어질 수 없는 관계가 된다는 뜻도 된다. 위태로운 관계를 되레 망치고 싶지는 않다. 여전히 구해지지 않는 알바에 나는 돈 들어올 구석이 너밖에 없다. 전남친처럼 언제 헤어질지 모르는 연인이라는 이름뿐인 관계보다는, 이런 관계가 훨씬 안정적이고 좋다.

네게도 그러기를 바랐는데.

"좋아해요, 누나."
"…어?"
점심시간, 난데없는 고백 공격에 뒤통수를 얻어맞은 듯 얼얼하다. 멍하니 너를 올려다본다. 네 얼굴에 가득한 열꽃에 나마저도 할 말이 없다. 너는 붉어진 얼굴을 가릴 생각도 하지 않고 보라색 튤립을 든 손에 힘을 준다.
"알고 계시잖아요. 제가 누나 좋아한다는 거."
"아니, 그, 알기는… 아는데…."
"저, 더는 몸만 탐하는 관계가 되고 싶지 않아요. 한 번만, 진지하게 생각해 주면 안 돼요?"
물기 젖은 눈, 약간 가쁜 숨, 떨리는 목소리. 세 개의 조합이 하나가 돼 바람을 타고 내게 날아와 닿는다. 울렁거리는 속을 게워내고 싶다. 너는 도대체 내가 뭐라고, 이렇게 나를 좋아하는 걸까. 이렇게 내게 애쓰는 걸까. 네가 궁금하다. 너를 알고 싶다. 네 마음이 궁금하다. 그런데, 궁금해해서는 안 될 것만 같다.
네가 한 걸음 성큼 다가온다. 나는 한 걸음 뒤로 물러난다. 그러면 너는 또 두 걸음 다가온다. 나는 한 걸음 뒤로 물러난다. 아까보다 한 걸음 가까워진 거리에 숨이 맞닿는다. 분명 가을인데, 차디찬 가을의 숨결이 아닌 따스한 네 숨결이 내게 닿는다. 겨울도 아닌데 차갑게 얼어붙는 것만 같다. 발끝이 차갑다.
차라리 저 튤립도 얼어버려 부서져 버리면 좋을 텐데. 그러면 고백은 없던 걸로 치고, 그냥 입 맞추며 네 입을 막아버리는 것도 하나의 방도가 될 텐데. 가까워진 거리에서 느껴지는 심장박동이 들린다. 과연 네 심장 소리인지, 아니면 내 심장 소리인지. 쿵쿵대는 소리가 귓가에서 울려 금방이라도 든 게 없는 속을 비워낼 것만 같다. 신물이 혀끝에 닿는다.
"나, 나는…."
말의 끝머리가 흐리다. 잇지 못하는 목소리에 네 손도 함께 떨린다. 너는 과연 이후에 내가 내뱉을 말을 알고 있을까. 뻐끔대는 입은 성대를 빼앗긴 듯 목소리를 내지 못한다. 아니, 얼어붙은 걸지도 모른다. 얼어붙은 성대가, 제 기능을 못 하는 걸지도.

너는 알까, 내가 너를 좋아한다는 것을. 너를 좋아하지만, 그보다 나는 현실적인 문제에 처해있다는 것을. 당장 먹고살기 급급한 내게 연애 따위를 할 여력이 없다는 것도 알까. 네가 사 온 그 천 원짜리 꽃 한 송이가 내게는 과분하다는 것을 너는 알까. 아니, 그것을 알았더라면 내게 그 꽃을 사 오지 않았겠지. 그저 널려 있는 꽃 한 송이 꺾어 왔겠지.

솔직히 말하자면 그냥 네게 모든 걸 맡기고 기대버리고 싶다. 네게 도와달라고 손 뻗으며, 양심 없이 네게 모든 것을 지원받고 싶다. 지금이랑 달라질 바 없다고 생각할 수도 있겠지만, 네게 모든 걸 맡긴다는 뜻이다. 데이트 비용도 다 네가 대고, 키스 한 번에 천 원은 변하지 않으며 네게 밥도 얻어먹고 싶다.

머릿속 한구석에서는 그렇게 생각하면서도 마음속 한구석에서는 그러고 싶지 않다는 생각이다. 연인이라는 관계성 안에서 돈을 벌어 너와 동등하게 더치페이하고 싶고, 서로에게 줄 선물도 골라 사고 싶으며, 서로의 두 눈을 마주 보며 웃고 싶다. 이 지긋지긋한 키스 한 번에 천 원도 그만하고 싶다. 하지만, 하지만.

그래서는 안 된다는 것을 알아서.

"…미안."

네가 상처 입는 게, 내가 힘든 것보다 나아서.

나는 너보다, 내 가족이 더 소중해서.

"나는 너 안 좋아해."

결국, 나는 이기적인 인간이다.

***

청량한 가을하늘이 맑다. 한숨을 푹 내쉬자 숨이 얼어붙는다. 겨울이 오려다 보다. 슬쩍 곁눈질로 뒤를 돌아보자 너는 처량하게 꽃을 든 채 그대로 서 있다. 그때, 네가 나를 찾으러 왔을 때 비 맞았던 날처럼. 비를 맞지도 않았는데 비 맞은 것처럼 처량하던 그 날처럼. 차마 나를 바라보지도 못하는 네 모습에 가슴이 욱신거린다.

욱신거리는 가슴에 비소가 흐른다. 잔인한 건 난데, 거절한 건 난데, 상처 준 건 난데 왜 내 가슴이 이리도 저릿한 것일까. 참으로 우스운 날이다. 너의 마음을 짓밟은 이기적인 내가 우습다. 이미 상처 줬으면서 너무 상처받지 않기를 바라는 나라는 인간이란.

찬바람에 주머니 속으로 손을 쑤셔 넣자 구겨진 천 원이 손에 잡힌다. 네가 준 것이다. 그 돈을 매만지며 네 손때가 묻지는 않았을지 기대한다. 헛된 기대감이다. 도대체 뭘 바라는 건지, 이런 내가 우습다. 나를 향해 코웃음을 한 번 쳐주고서 발걸음을 옮긴다. 내게 있어 네 가치는 천 원 한 장이다.

앞으로도 쭉, 그래야만 한다.

***

근데 왜 하필 천 원이었어? 오천 원도, 만 원도 있잖아.

…그냥, 누나 부담스러워할까 봐요.

내가 왜? 돈 많이 벌면 좋은 거 아니야?

…누나는 나보다 자기를 모르네.

네 웃는 얼굴이 왜 슬퍼 보였는지.

제8화 짝사랑

처음 봤을 때부터였던 것 같다. 너는 멋진 사람이었고, 나는 부족한 사람이었다. 평소에 흔히 접할 수 없는 색다른 모습이 시선을 끌었고, 내가 너를 당기게 했고, 너에게 가까이 다가가게 했다. 차라리 다가가지 말걸, 그저 멀리서 지켜만 볼걸. 뒤늦은 후회를 해보기도 한다. 너와 함께한 시간은 길지만 짧았으며, 미치도록 행복했지만 미치도록 고독했다는 걸 너는 알까? 아마 알 것이다. 내가 말하지 않았던 것이 아니니, 너도 알기에 사과했었으니.

하지만 너를 너무나도 사랑했기에, 너의 그 모든 면모를 알고도 품어주고 보듬어주겠다고 다짐했기에, 그런 너마저도 사랑했기에 나는 네가 떠난 지금도 여전히 너를 사랑하고 있나 보다. 조건을 보고 사랑한 게 아니어서, 그냥 너라는 사람 자체를 사랑해서, 내가 사랑했던 기억 속 너는 여전히 너무나도 사랑스러운 사람이어서. 그래서 이 지독한 짝사랑은 여전히 현재 진행형이다.

***

아마 무더운 여름날이었을 것이다. 해가 쨍쨍해 딱히 움직이고 싶지도 않았던 날, 집에서 놀다가도 일이 생기면 곧장 나가야 했던 날. 딱히 나가고 싶지는 않았으나 지인의 전화 한 통에 나갈 수밖에 없었다. 나는 돈이 부족했고, 지인이 일하던 카페에는 아르바이트생이 부족했으니. 꽤 경력직이었던 나는 마침 아르바이트 하나가 무단으로 잠적하는 바람에 자리가 비었는데 일해 보겠냐 권유받았다.

딸랑, 명쾌한 종소리가 카페 가득히 울려 퍼졌다. 카운터에는 다른 사람들과 비교될 정도로 커다란 네가 있었다. 순간 시선이 마주쳤다. 어서 오세요. 너는 굳은 얼굴로 고개만 까닥일 뿐이었다. 왠지 다가가기 어려운 사람일 것 같았다.

사장님은 대충 나를 보더니 합격이라며 손을 휘저었다. 뭐 이렇게 허술한 데가 다 있담. 그렇게 생각하면서도 돈을 벌 수 있다는 사실에 마냥 다행이라 생각했다. 유니폼으로 갈아입으려 탈의실로 향하는데, 카운터에 있는 사람과 또 시선이 마주쳤다. 대충 봐도 180cm는 넘어 보였다. 명찰에 쓰여 있는 이름은 이찬혁이었다. 이찬혁, 이찬혁이구나. 대충 네 이름을 외며 탈의실로 들어갔다.

너는 매니저였다. 그 카페에서 가장 오래 일해온 만큼 사장님보다도 더 사장님 같았다. 사장님은 너에게 일을 맡겨놓고 홀연히 사라지기 마련이었다. 가끔은 무리하는 것 같았다. 너에게 힘들지 않냐고 물어보면 어차피 보수를 더 많이 주니까 상관없다고 했다. 단답형 인간, 친해지기 어려운 부류였다. 친해지고는 싶었다. 그냥, 사람 감이라는 게 있지 않던가. 너를 처음 봤을 때부터 끌리는 무언가가 있었다.

그런데 전에 퇴근하기 전 얼핏 들었던 네 얘기가 생각났다. 초면에 친하지도 않은데 들이대는 사람을 좋아하지 않는다는 말. 너에게 함부로 다가가면 안 다가가느니만 못하겠구나, 싶어 그냥 멀리서 지켜보며 맴돌기만 했다. 네 주변에서 살갑게 말 거는 사람이 가끔은 부럽게도 느껴졌다. 지금 생각해보면, 그게 짝사랑의 시작이었던 것 같다.

"찬혁 오빠."

부르는 소리에 너는 고개를 들었다. 너는 다른 아르바이트생인

지수와 이야기를 나누고 있었다. 나는 그런 네 뒷모습을 그저 바라만 보았다. 나도 친해지고 싶은데 어떻게 친해져야 할지 갈피를 잡지 못했다. 공통 관심 분야라도 찾아볼까. 그렇게 생각하며 컵을 닦고 있었다. 너와 이야기를 나누던 지수가 쓰레기를 버리러 밖으로 나갔다. 네가 혼자 있는 타이밍이 됐다. 뭔가 이 기회를 놓치면 안 될 것 같아 닦던 컵을 내려놓고 네게로 다가갔다.

슬쩍 얼굴을 내밀고 너와 시선을 맞췄다. 아래로 향한 네 시선이 내게 닿았다. 너는 무슨 일이냐는 표정으로 쳐다봤지만 나는 모르는 척하며 웃기만 했다. 그런데 네가 조금 이상했다. 살짝 풀린 눈과 평소보다 조금 발그레한 볼, 중심을 잡지 못해 살짝 비틀거리는 몸까지. 급히 손을 뻗어 네 이마에 대었다. 뜨끈한 열이 손을 타고 느껴졌다. 찬혁 씨! 너를 부르는데 네가 갑자기 쓰러졌다.

다행인지 불행인지 내 쪽으로 쓰러졌다. 근데 네 무게를 버티기엔 내가 한없이 작은 몸이었다. 나는 너를 보호하듯 쓰러졌고, 바닥을 짚는데 손목을 삐었다. 뒤늦게 들어온 지수가 급하게 119를 불러주었다. 나는 보호자로 너와 같이 응급실에 갔고, 네가 과로와 수면 부족으로 쓰러졌다는 사실을 알게 됐다. 알려고 한 건 아니었는데, 어쩌다 보니 그렇게 됐다.

약간 안쓰럽게 링거를 맞고 있는 너를 봤다. 새근새근 자는 네 눈 밑에는 다크서클이 있었다. 그때 너랑 더 친숙한 기분이 들었나. 솔직히 매일 일만 하는 기계 같은 네가 조금 거리감 느껴졌었는데, 과로로 쓰러졌다는 게 사람 같았다. 이런 말 하면 안 되는 거 알지만 그랬다. 나도 손목 치료하고 네가 일어나기를 기다렸다. 사장님은 나보고 너랑 같이 오라 했다. 잠깐 비어 버린 시간에 멍하니 창밖만 바라보았다.

"…여기 어디예요?"

네가 깼다. 너는 무겁게 몸을 일으키며 머리를 짚었다. 살짝 찌푸린 미간으로 봐선 아픈 모양이었다. 간호사를 부르고는 자리를 피했다. 친하지도 않은 내게 이런 약한 모습 보여주는 게 싫을 것 같았다. 왠지 손목이 욱신거리는 것 같았다. 마음 한구석이 아려오는 기분. 왜인지 알 길은 없었다. 차라리 이때 지수가 있었더라면 뭔가 달랐을까.

괜히 혼자 울컥했다. 왠지 모르겠는데 그냥 그랬다. 너랑 더 친해지고 싶은 과한 욕심이었을까. 솔직히 들이대서 안 되는 사람 없어서 더 그랬을지도 모르겠다. 대부분 사람이 나한테 호의적이었고, 나는 그 호의를 즐겼다. 그런데 너는 달랐다. 사람과 거리를 뒀고, 사람을 좋아하지 않았고, 낯도 많이 가렸다. 이런 부류의 사람은 처음이라 다가가기 더 어려웠다.

괜히 아려오는 손목만 만지작거렸다. 네 생각에 살짝 상기된 볼이 따스했다. 고개를 절레절레 저으며 네 생각을 떨쳐냈다. 요즘 자꾸만 네 생각을 했다. 이상했다. 우리는 친한 사이도 아니었고, 말을 많이 나누지도 않았는데 네 생각을 떨쳐내기 어려웠다. 애써 다른 생각을 해보려 해도 나아지는 건 없었다. 그래서 포기했던 것 같기도 하다.

"…저, 세연 씨."

"아, 찬혁 씨."

네가 나왔다. 너는 조금 머뭇거리며 내 앞에 다가왔다. 그새 더 컸나, 처음 봤을 때보다 조금 더 커진 것 같은 키에 살짝 더 고개를 올렸다. 너는 쉽게 말을 꺼내지 못했다. 무슨 일인지 몰라 고개를 갸웃거렸다. 네가 내게 먼저 말을 건 건 또 처음이라서 떨렸다. 겨우 이런 것 가지고 떨리다니, 강세연 다 죽었다고 생각했다.

네가 꺼낸 말은 의외였다. 미안하다는 말. 왜 미안한지 알 수 없었다. 고개를 갸웃거리자 너는 두 눈을 질끈 감았다. 정말로 미안하다는 듯 호소하는 말이 왜인지 낯설게 느껴졌다. 자기 때문에 일을 못 한 점, 손목을 삔 점, 시간을 낭비한 점 모두 미안하다며 사과하는데 그게 또 왠지 웃겼다. 웃으면 안 되는 상황인데 웃겼다. 혼자서 웃음을 참고 있는데 그게 들킨 모양이었다. 너와 눈이 마주쳤다.

괜찮다며 손을 뻗었다. 어깨를 다독이려 했는데 키가 잘 닿지 않아 살짝 까치발도 들었다. 어깨를 토닥이는 손길에 네 떨림이 조금씩 잦아들었다. 살짝 눈물을 머금은 눈가가 붉었다. 괜히 이상한 생각이 들었다. 잡생각을 떨쳐내며 미소 지었다. 괜찮다고 말했는데도 너는 여전히 미안한 기색이었다. 그래서 잠시 고민하다가 좋은 생각이 나 손뼉을 쳤다. 네가 고개를 갸웃거리자 씩 웃으며 입을 열었다.

"그렇게 미안하면 친구 해요, 우리."

"친구… 요?"

"네, 친구!"

어리둥절해 보이는 네 등을 팡팡 쳤다. 전부터 친하게 지내고 싶었거든요, 찬혁 씨랑. 그 말에 너는 잠시 고민하다가 고개를 끄덕였다. 허락받아야 친구가 될 수 있다니, 조금 웃기면서도 슬펐지만, 결론적으로 너와 가까워졌다는 것에 만족하기로 했다. 그때는 너와 친구가 되었다는 사실에 손목 하나쯤은 아깝지 않았다.

편하게 부르라는 네 말에 두어 걸음 앞서 걷다 뒤를 돌아 방긋 미소 지었다. 혁이라고 부를게! 내 말에 너 또한 미소 지었다. 나는 역광이라 내 얼굴을 잘 못 봤겠지만 나는 똑똑히 봤다. 부드럽게 올라간 네 입꼬리를 봤다. 그 순간 떨어진 것 같던 내 심장도 알았다. 그때부터 짐작했다. 내가 너를 좋아한다는 것을. 두근거리는 가슴에 손을 얹고서는 너와 한 걸음 가까워졌다는 것에 기뻐했다.

그리고 나는 아직도 그날을 후회한다.

***

그렇게 무의미하게 보냈던 시간이 무색하게 너와는 금방 가까워질 수 있었다. 한번 말을 트자 너는 꽤 편해졌는지 내게도 종종 말을 걸었고, 호칭은 세연 씨에서 누나로 바뀌었다. 여전히 존댓말을 썼고, 가끔은 세연 씨라고 하기도 했지만, 이 정도로 발전했다는 것에 의의를 두었다. 문제는 나였다. 너와 가까워질수록 내 마음이 선명히 드러나고 있었다. 감추려 애써 꾹꾹 눌러 보아도 점점 커지는 감정은 사그라들지가 않았다.

이러면 안 되는데, 한숨을 내쉬었다. 내가 너를 좋아한다는 걸 알면 네가 어떤 표정을 지을까, 나를 싫어하지는 않을까, 거리두지는 않을까. 그런 생각에 불안해져 괜히 애꿎은 손톱만 뜯었다. 딱딱, 빈 카페에 울려 퍼지는 소리가 왠지 아팠다. 씹고 있는 이빨도, 뜯긴 손톱도, 소리를 듣는 귀도, 이상하게 마음도.

무심코 시계를 보니 곧 네가 올 시간이었다. 괜히 한 번 더 머리카락을 정돈하고 주변이 깔끔한지 확인했다. 아무런 이상도 없다는 것에 안도하며 네가 오기를 기다렸다. 잠시 문을 뚫어져라 쳐다보고 있으니 네가 왔다. 평소보다 조금 더 피곤해 보이는 것 같은 너에 걱정됐다. 혹시 저번처럼 쓰러지는 건 아닐까, 하고. 그런데 유니폼을 입고 나온 네가 대뜸 한 말은 나를 꽤 당황하게 하기 충분했다.

"저 오늘 고백받았어요."

"……응?"

심장이 쿵 떨어진 기분이었다. 내가 지금 제대로 들은 게 맞나. 순간 뇌가 정지돼 제 기능을 하지 못했다. 심장이 잘 뛰고 있나 가슴께를 더듬거려 보기도 하고 머리를 콩콩 쳐보기도 하고 귀를 후벼보기도 했다. 네가 이상한 사람 보듯 쳐다보는 눈에 알 수 있었다. 내가 잘못 들은 게 아니라는 것을. 네가 정말로 고백받았다는 것을.

그런데 이상했다. 그걸 왜 나한테 알려주는 건지 알 수 없었다. 그냥 사귄다고, 애인 생겼다고 축하해달라는 건가? 그렇다면 정말 가슴이 아플 것 같았다. 시큰한 코끝에 미간을 찡그렸다. 눈물을 참을 때 하는 버릇 중 하나였다. 애써 입꼬리를 올리며 웃으려고 하는데 다음에 네가 꺼낸 말은 나를 또 당황케 했다.

"근데 찼어요."

"……에? 왜?"

"고백을… 별로 안 좋아해서요."

다행이라 해야 할지, 불행이라 해야 할지. 네가 그 고백을 찼다는 건 다행이었지만 고백을 좋아하지 않는다는 건 불행이었다. 이대로 영원히 짝사랑으로 남겨야 하나, 그런 생각도 들었다. 문제는 내가 그렇게 해서라도 네 곁에 남고 싶었다는 거였다. 그만큼 너를 좋아한다는 방증 같아서, 나는 그게 또 두려워졌다. 내가 너를 너무 좋아하게 될까 봐. 근데 그게 또, 나 혼자만 하는 짝사랑일까 봐.

잠시 우리 사이에 침묵이 맴돌았다. 너는 굳어 있는 나를 가만히 바라보다가 살짝 미소 지으며 일하자 했다. 나는 그제야 정신을 차리고선 고장 난 기계처럼 삐걱거렸다. 어, 그래, 그, 일, 해야지. 응. 몸을 돌려 네게서 등을 보였다. 입술을 꽉 짓이겼다. 약간 비린 맛이 맴돌기도 했다. 눈시울이 뜨듯한 것 같았다.

***

그러고 나서 얼마만큼의 시간이 흘렀더라, 아마 너를 만난 지 반년 정도 됐을 무렵이었다. 네가 네 지인을 소개해줬다. 활발하고 발랄한, 여자. 너는 낯을 참 많이 가리면서 지인은 다 여자인 것 같았다. 아무 사이도 아닌데 나는 질투에 괜히 또 기분만 축. 그래도 티를 낼 수 없으니 애써 웃으며 네 지인과 인사했다.

네 지인의 이름은 채원이었다. 빨리 외우려 입에 그 이름을 굴렸다. 채원, 채원…. 채원은 반갑게 웃으며 내 손을 맞잡았다. 나보다 1살 어린 여자아이. 나보다 2살 어린 너랑은 1살 차이밖에 안 났다. 또 예쁘장하게 생겼고, 나보다 더 오래됐고, 나보다 더 친한 그런 사이. 조금 질투 났다. 아니, 사실은 꽤 많이 났다.

"언니가 강세연이죠? 얘기 많이 들었어요."

채원의 말에 의아했다. 내 얘기를 했다고? 찬혁이? 자신의 친한 지인에게 내 얘기를 했다는 게 왜 기쁜 건지, 알고 있었지만 모르는 체했다. 이런 사소한 것에 기쁜 게 사랑이지만, 우리의 사랑은 쌍방이 아닌 내 일방적인 짝사랑이었기에 약간은 비참하게도 느껴졌다. 이런 게 사랑이라면 굳이 하고 싶지 않았다. 그런데도 너만 보면 뛰는 심장에 괜히 아랫입술만 잘근 씹었다.

채원은 사랑스러운 아이였다. 활기차고, 밝고, 밉지만 밉지 않은 그런 아이. 왜 네가 채원과 깊은 관계인지 알 수 있었다. 머리로는 이해하지만, 마음으로는 이해하고 싶지 않았다. 사랑이라는 감정의 어두움에 진절머리가 났다. 왜 사랑하면 할수록 더 비참하게 느껴지는 건지 알 수 없었다. 가끔은 포기하고 싶다는 생각이 문득 들다가도 너를 보면 다시금 세차게 뛰는 심장이 원망스러웠다.

친화력이 좋은 채원 덕에 나도 어색하지 않을 수 있었다. 너와 관계없는 사람으로 두고 본다면 채원과도 쉽게 친해질 수 있을 것 같았다. 차마 나보다 너와 친한 사람을 순수한 마음으로 좋아할 수 있을 것 같지는 않아서, 그럴 자신이 없어서 아무렇지도 않은 마음으로 채원을 대할 수 있다 확신하지는 못했다.

***

채원을 만나고부터 이상한 일이 반복됐다. 왠지 채원이 자꾸 너와 나를 엮는 느낌. 좋지 않았다면 거짓말인데, 너와 제일 친한 채원이 자꾸 우리를 엮으니 쓸데없는 기대감에 차오르는 것도 꽤 버거운 일이었다. 쓸데없는 희망, 바라서는 안 되는 일. 그런 망상들이 슬금슬금 튀어나와 불쑥 나를 덮치고는 했다.

"언니, 이찬혁이 있잖아."

"응?"

"언니가 내린 커피 맛있대."

"진짜? 나는 별로라 걱정 많이 했는데…."

"언니는 커피를 안 좋아하잖아."

"그래도…."

"이찬혁 아침마다 커피 마시는데, 언니가 타주면 되겠네."

"어, 어?"

"뭘 그렇게 놀라."

키득거리는 목소리에 붉어진 얼굴을 두어 번 두드렸다. 놀린다는 것을 알고 있으면서도 괜스레 기대감이라고 해야 할까, 그런 게 심장을 쾅쾅 두드렸다. 불쑥 찾아온 기대감은 나를 자주 당혹스럽게 했는데, 그나마 다행이라고 할 수 있는 점은 그럴 때마다 네가 아닌, 채원과 함께였다. 네게는 당혹스러운 모습을 보여줄 일이 없었다는 뜻이다.

너와 조금 친해지고 나서부터는 간접적으로 내 마음을 전했다. 조금 웃긴 말이겠지만 나는 사람에게 고백하는 일이 자주 있었다. 사랑할 때도 사랑해, 좋아할 때도 사랑해, 미안할 때도 사랑해. 사랑해, 라는 말이 입에 붙은지라 네 앞에서도 다른 사람들에게 사랑 고백을 꽤 많이 했다. 처음 너는 내가 사랑한다, 말하면 굉장히 거북한 듯 보였지만 지금쯤에 와서는 그냥 그러려니 하고 받아들였다.

혁아, 하고 너를 부르면 너는 뒤를 돌아보았다. 이제는 익숙하다는 듯 살짝 내려 나를 마주하는 시선이 낯설지 않았다. 너는 내 손을 잡아주지는 않았으나 발걸음에 맞춰 폭을 줄여주었고, 나와 입맛이 같지는 않았으나 서로가 만족할 만한 곳을 가기 위해 노력했다. 내가 습관처럼 하는 고백에 긍정을 보내주지는 않았으나 신경 써서 입고 온 옷이 예쁘다 칭찬해주었으며, 꾸미고 온 나를 배려해 가는 곳 간의 거리가 멀지 않았다. 포기하고 싶은데, 네가 포기하지 못하게 했다.

채원과는 생각보다 더 빠르게 친해졌다. 편하게 말을 잘 대해주기도 해서, 딱히 불편함을 느끼지도 못하고, 질투는 자주 했지만 질투할 상대도 못 된다는 걸 알았다. 어차피 나랑 너는 아무 사이도 아닌 때였으니까. 하루는 생각보다 채원과 전화하는 중이었다. 채원이 조잘조잘 얘기하고 있는데 갑자기 뭔가 생각났다는 듯 손뼉을 쳤다. 무슨 일인지 몰라 조용히 있었는데 채원이 꺼낸 얘기는 꽤 청천벽력 같았다.

"언니, 이찬혁 좋아하는 사람 있는 거 알아?"

"어, 어, 응, 어… 뭐, 뭐라고…?"

"이찬혁이 나한테 전에 좋아하는 사람 있댔어."

"혁이가 짝사랑하는 거야…?"

"뭐… 그렇지? 근데 썸 타는 사람 있다는 것 같던데."

차마 말을 잇지 못했다. 속에서 뭔가가 끓어오르는 기분이었다. 왠지 구역질 나 아침에 먹은 게 뭔지 확인할 것만 같고, 뇌가 정지돼 말이 드문드문 끊기고, 귀에서 이명이 들려 채원이 뭐라 말하는지 알아듣지 못했다. 욱신거리는 머리에 관자놀이를 압박했다. 어차피 보는 사람도 없는데 애써 미소 지으며 목소리를 가다듬었다. 최대한 부드럽게, 내 마음을 알지 못하도록.

"좋아한다는 그 사람이랑 잘 되면 좋겠다."

전화를 끊고서 한동안 아무것도 못 했다. 온몸이 무기력해져 차마 뭘 해야겠다는 생각도 안 들었다. 괜히 코끝이 시큰거리고, 눈시울이 뜨끈하고, 가슴이 지끈거렸다. 고개를 든 채 팔로 눈을 가렸다. 아무도 나를 보지 못하도록, 이런 내 한심한 모습을 보이지 않도록. 이 지독한 짝사랑의 끝을 마감해야 할 때가 된 것 같았다. 두 뺨 위로 지나간 뜨끈한 액체가 뭐였는지, 나는 아직도 모른다.

***

네가 내게 연락하는 시간이 늘었다. 우리의 접점이 늘었다. 왜지? 너는 좋아하는 사람도 있댔고, 썸 타는 상대도 있댔는데 왜 나한테 이렇게 잘해주는 걸까. 네 의중을 알 수 없었다. 그러다가도 작은 기대감이 부풀어 올랐다. 만약 네가 좋아하는 상대가 나인 건 아닐까, 하는 작은 희망. 그런데도 네가 나와 지수를 대하는 태도를 보면 그 기대감은 작은 먼지가 되어 사라졌다.

솔직히 말하자면 네가 내게 유별나게 잘해주는 건 아니었다. 조금 더 친근하게 대해준다, 딱 그 정도였다. 어떻게 보면 네가 지수를 좋아한다는 생각도 들었다. 그럴 때마다 지수가 미워지는 내가 미웠다. 인간이라는 존재가 사랑이라는 감정에 치우쳐 이렇게 못나질 수 있다는 게, 인간이 동물이라는 방증 아닐까 싶었다. 인간은 이성적인 존재라 하면서 이렇게 감정적으로 흔들린다는 점이 내가 아직 미숙하다는 뜻이었을까.

잡생각이 많았던 탓에 순간 컵을 떨어트렸다. 쨍그랑, 그 소리와 동시에 카페 문이 열렸다. 시선이 분산됐다. 너는 내게 다가왔고, 지수와 다른 아르바이트생은 손님 맞을 준비를 했다. 그런데 형, 이라는 한마디에 네가 내게서 시선을 돌렸다. 네 시선이 닿은 사람은 방금 들어온 손님이었다. 너와 꽤 닮은, 그런데 조금 더 작은 남자아이.

"찬아?"
찬, 네 사촌 동생 이름이었다. 원래 외국에서 유학 생활하고 있었는데 방학이라 잠시 한국에 들렀다고 했다. 너는 찬을 굉장히 반겼다. 네가 이렇게 반기는 상대는 또 처음 봤던 터라 신기했다. 이상한 마음이지만 남자인데도, 가족인데도 찬에게 조금 질투가 났다. 5살이나 어린 상대에게 질투라니, 누가 알면 코웃음을 칠 얘기였다.
찬 또한 굉장히 친화력이 좋은 아이였다. 이렇게 보면 사실 너는 친화력 좋은 사람과 잘 어울려 지내는 게 아닐까 하는 생각이 들었다. 채원도 그렇고, 찬도 그렇고 네가 깊은 관계를 맺고 있는 사람들은 다 친화력이 좋았다. 그러고 보면 나도 좀 억지스럽게 다가가기는 했다. 그게 잘 발전해서 여기까지 오게 된 것을 보아하면 아예 신빙성 없는 주장은 아니겠다고 생각했다.
찬과도 금방 친해졌다. 우리는 금방 사적인 대화를 나누는 사이가 됐고, 찬은 너와 달리 빠르게 말을 놓았다. 낯가림도 없이 누나, 누나 하며 다가오는 모습이 꽤 귀여웠다. 너는 바빠 시간을 잘 내지 못했기에 내가 찬과 함께 있는 시간이 더 많았다. 하루는 카페 외각에서 함께 음료를 마시고 있었다. 네가 일하는 모습을 보며 잠시 멍때렸다. 그런 내 모습을 보며 찬은 잠시 고개를 갸웃거리더니 그저 웃었다.
"누나, 우리 형한테 왜 고백 안 해요?"
"무, 뭐?"
"우리 형 좋아하는 거 티 나는데."
얼굴에 열이 확 올랐다. 마시던 음료를 뱉을 뻔했다. 그렇게 티가 났나, 그러면 너도 이미 내 마음을 알고 있는 건 아닐까. 화끈거리는 얼굴에 찬의 시선을 피했다. 너와 가족인 찬에게 들켰다는 것이 괜히 민망했다. 그것도 나보다 5살이나 어린 남자애인데. 부끄럽고 창피했다. 어른이 돼서 제 감정 하나 제대로 숨기지 못했다는 게 왠지 너한테 피해를 줬을지도 모른다는 생각이 드니 미안해졌다. 하지만 그것과는 별개로 찬의 말이 궁금해졌다.

내가 너를 좋아한다는 것을 눈치챘다고는 해도 왜 나한테 고백을 부추기는 건지, 네가 좋아하는 사람이 있다는 것을 모르는 건지, 아니면 그 사람이 나라서 저런 말을 하는 건지. 사실은 이 전부터 들었던 의문이었다. 왜 자꾸 네 주변 사람이 네가 좋아하는 사람에 대한 정보를 내게 알려주고, 너와 나를 엮으려고 하는 건지, 너는 왜 헷갈리게 내게 잘해주는 건지. 정말 혹시나 하는 마음이었다.

"혹시 혁이가 나를 싫어하게 되면 어떡하지…? 혁이는 고백 별로 안 좋아한다던데…."

"그건 시도해보지 않으면 모르죠."

그러며 웃는 찬이 얄밉기도 했지만 사실 맞는 말이긴 했다. 내 마음을 전하지 않는 한 영원한 내 짝사랑으로 남을 테고, 마음을 전하지 못했다는 사실에 혼자 앓고 있을지도 모르는 노릇이었다. 하지 못해서 후회할 바에는 일단 저지르고 보자는 생각에 두 눈을 질끈 감았다. 왠지 찬이 웃었던 것 같기도 하다. 지금 와서는 다 모르는 일이 돼버렸지만. 일단 그때 나는 네게 고백하는 것 외에 아무런 생각도 하지 못했고, 그럴 겨를도 없었다.

거기에 솔직히 말하자면, 찬이 부추기는 느낌이었다. 마치 '우리 형도 누나 좋아하니까 빨리 고백해서 쌍방 삽질은 멈추란 말이에요.' 같은 느낌이었다고나 할까. 그래서 더 네가 나를 좋아할지도 모른다는 생각을 하며 쓸데없는 용기가 샘솟아 올랐던 것도 같다.

혀, 혁아! 내 부름에 네가 돌아보았다. 동공이 떨렸다. 시선을 차마 네게 맞추지 못해 바닥으로 자꾸만 떨어져 갔다. 너는 의아하다는 듯 나를 쳐다보았다. 카페에 사람이 없어서 망정이었지,

있었으면 아마 나는 수치 사로 사망했을지도 모른다. 나는 네게 다가가 손목을 붙잡고 밖으로 거의 뛰쳐나가다시피 했다. 찬이 뒤에서 오, 박력 하며 손뼉을 쳤던 건 모르는 일이다.

"조, 조, 좋, 좋아, 해…!"

너는 당황스러운 표정이었다. 내가 이럴 줄 몰랐던 건가. 그러면 내가 잘못 짚은 건가. 머릿속에 오만가지 생각이 다 들었다. 내가 더 당황스러운 표정으로 안절부절하고 있자 너는 이내 피식 웃음을 흘렸다. 그 웃음에 순간 멈칫. 멍하니 너를 올려다보자 너는 눈가에 살짝 눈물을 머금은 채 활짝 미소 지었다. 그렇게 환한 미소는 아마 처음 봤던 것 같다. 너를 안 이래로, 정말 처음.

"…세연 누나 나랑 사귈까요?"

"헐."

진짜 말 그대로 헐이었다. 솔직히, 진짜 솔직히 말하자면 아예 눈치 못 챘던 건 아니었지만 그래도 괜히 기대해서 실망하지 말자는 주의였는데 이렇게 원하는 대답이 돌아오니 세상 기쁘지 않을 수 없었다. 실실 새어 나오는 웃음을 애써 꾹꾹 눌러 담았다. 입을 가린 손이 덜덜 떨리고 있는데 네가 손을 뻗어 내 손을 맞잡았다. 심장이 떨어지는 기분. 입이 살짝 벌어져 목구멍에서 뭐라 말이 나오는데 이게 말인지 그냥 흘러나오는 소리인지 알 수가 없었다.

내 손등을 살짝 만지작거리는 손길이 부드러웠다. 이게 꿈이라면 영원히 깨고 싶지 않은 꿈이었다. 정말, 이 행복이 영원하기를 바랐다. 그래, 내가 바란 건 딱 그 정도였다. 현실이기를 바란 적도 없었고, 꿈이라면 영원히 그 꿈에서 살고 싶다는 작은 바람 하나뿐이었다. 그런데 그 바람을 너는 너무나도 쉽게 깨버렸다. 나는 여전히 그 과거에 묶여 있는데 너는 어디에 갔는지 모른다. 잘 살고 있는지, 못 살고 있는지, 살아있기는 한지조차.

***

너와 함께하는 건 정말 행복했다. 내 기나긴 짝사랑의 끝이 빛을 발한 듯했다. 매일매일 꿈같았고, 그 꿈에서 깨어나지 않기를 바랐다. 눈에 띄게 달라진 네 태도에 그저 좋기만 했다. 그러다 문득 든 생각은 채원이 해줬던 말이었다. 네가 짝사랑했다던 사람과 썸 탔다던 사람. 찬에게 물어보고 싶었지만, 방학이 끝나 해외로 돌아간 후로 연락이 되지 않던 참이었다. 이걸 채원에게 물어보자니 내가 모르는 걸 알고 있는 게 왠지 질투 나 차마 물을 수도 없었다.

결국 너에게 직접 물어봐야겠다고 생각하며 다짐했다. 네 앞에 서면 그 다짐이 흐물흐물해졌지만, 그래도 이건 제대로 정리해야 한다고 생각했다. 나는 네게 좋아한다고 했지만 너는 내게 좋아한다고 하지 않았다. 혹시라도 나와의 관계가 끊어지기를 바라지 않은 네가 억지로 내 고백을 받아준 건 아닐까 하는 불안감에 확실히 정리해야 한다고 생각했다.

"혁아, 내가 저번에 들은 얘기가 있거든."

"…네."

"네가 좋아하는 사람이랑 썸 타던 사람이 있다고 했는데… 혹시 누군지 알려줄 수 있어?"

너는 쉽게 말을 꺼내지 못했다. 그저 침묵으로 대답할 뿐이었다. 그게 조금 답답했다. 나는 대답을 원했지, 이런 침묵을 원한 것은 아니었기에. 잠시 너를 가만히 바라보다 살짝 재촉하는 듯 말을 꺼내자 너는 그제야 천천히 입을 열었다. …누나예요. 그 말에 잠시 몸이 굳었다. 어, 어, 뭐, 뭐라고? 빠르게 흔들리는 동공은 지진이 일어난 것만 같았다.

그러니까 둘 다 나인 거라면 네가 짝사랑하던 상대는 사실 나였고, 우리가 썸까지 타고 있다는 말인데 나는 왜 몰랐던 것인지. 앓는 소리를 냈다. 내가 너무 바보 같았다. 그러고 보니 네 입장에서 생각해보면 내가 꽤 가까운 거리까지 다가갔다는 것을 그제야 눈치챌 수 있었다. 이제야 알았다는 사실이 꽤 우스웠다. 괜히 쪽팔림에 열이 오르고, 네 시선을 제대로 쳐다보지 못해 바닥만 바라보았다. 너는 그런 나를 보며 웃더니 뒤에서 살짝 끌어안았다. 따스함에 살며시 눈을 내리감았다. 이 따스함이 영원했으면 좋겠다고, 그리 생각했다.

정말 너무 허튼 바람이었다고, 한순간 깰 백일몽이었다고. 그때는 알지 못했다.

***

네 연락이 뜸해졌다. 원래도 바쁜 사람이었으니 이상한 일은 아니었다. 그래도 가끔 답장이 하루가 넘어가고, 이틀이 넘어갈 때면 답답해지기도 했다. 개학해서 나는 카페 일을 그만뒀지만 너는 계속했다. 그 카페에 자주 들렀지만 네가 너무 바빠 말을 걸 엄두도 나지 않았다. 뜸해지는 연락, 뜸해지는 만남, 위태로운 감정, 불안해지는 마음. 몸이 멀어지면 마음이 멀어진다는 말이 괜히 있는 것이 아니었듯, 불안감은 서서히 나를 지배했다.

2022년 9월 27일 화요일
- 혁아 _ 13:21
- 오늘도 학원인가? _ 15:13
- ...응 _ 23:47
- 밥 먹었어? _ 23:50

2022년 9월 28일 수요일

- 응…먹었어 _ 21:32
- 많이 먹었어? _ 21:45
- 굶고 다니면 안 돼! _ 21:46
- 내가 늘 말하지? _ 21:46
- 건강이 제일 중요한 법이야 _ 21:46
- 건강 망치면 될 것도 안 돼! _ 21:46
- 밥 꼬박꼬박 챙겨 먹어 _ 21:47
- …응 _ 22:30
- 세연은…? _ 22:30
- 나도 많이 먹었어! _ 22:31

2022년 10월 2일 일요일
- 아 나 오늘부터 면접 보러 다닌다? _ 11:25
- 잘하고 와요. _ 19:58
- 응! _ 20:01
- 혁이는 요즘 뭐해? _ 20:22

2022년 10월 4일 화요일
- … _ 03:08
- 그냥…공부. _ 03:09

네가 마지막으로 보낸 연락을 그저 바라만 보았다. 칠까, 말까 고민한 흔적이 보이는 커서만 깜박였다. 단답형 인간이라는 건 알고 있었지만 실제로 연락할 때 이런 유형을 마주하니 당황스럽기만 했다. 할 말도 없고, 답할 말도 없고. 연락을 안 하자니 보고 싶은데 이 이상 더 무슨 말을 해야 할지 몰라서 노란색으로 가득한 애꿎은 화면만 노려봤다.

후, 한숨을 내뱉으며 휴대폰을 내려놓았다. 결국 연락하는 건 포기했다. 권태기인가, 그렇게 따지기엔 여전히 사랑한다는 말에는 사랑한다고 대답했다. 그 말이 거짓으로 보이지는 않아서, 만약 작게 다투기라도 하면 그래도 풀려는 의지가 보여서 너를 믿었다. 아직 우리가 헤어질 때는 되지 않았다고, 내가 조금만 더 참고 버티고 기다리면 될 거라고. 막연히 믿었기에, 너를 믿었기에 우리가 이렇게 됐을까.

네가 카페를 그만두었다. 사장님은 언제든 돌아오라 했지만 네가 돌아갈지는 미지수였다. 더는 너와 접할 거리가 없었다. 네가 없는 카페를 그저 바라만 보았다. 플라스틱 빨대를 잘근잘근 씹으며 불안감을 표출했다. 연락 두절, 만남 두절. 이대로 가다가는 정말 헤어질 것만 같았다. 당장 헤어져도 이상하지 않을 상태. 그게 우리 둘의 사이였다. 결국 빨대는 못 쓰게 돼버렸다. 입맛도 없어 초코 라테도 다 마시지 못했다. 심각하구나 싶었다. 떨어지지 않는 발걸음을 애써 떼며 미련이 철철 남겼다.

보고 싶지만, 매달리고 싶지는 않았다.
그건 사랑이 아니라 짝사랑이니까.

얼마나 연락을 안 했는지도 모르겠다. 나도 일부러 너를 잊으려 바쁘게 살았다. 정신 차려 보면 졸고 있을 정도로 피곤한 하루하루. 아마 너도 이런 하루를 보내고 있을 거라 생각하며 마냥 버텼다. 무심코 본 휴대폰에는 연락이 쌓여 있었다. 그중 네 연락은 없었다. 이제는 조금 당연한 하루. 네가 없는 게 당연해져버린 하루.

처음에는 힘들었다. 정말 많이 힘들었다. 하루에도 몇 번씩 네 생각에 잠 못 이뤘고, 문득 정신을 차려 보면 너와의 추억을 뒤지고 있었다. 그런데도 너는 내 앞에 나타나지 않아서, 내게 달려와 안아주지 않아서, 나를 더 외롭게만 만들어서 그게 또 비참해졌다. 솔직히 말하자면 크게 변한 일상은 없었다. 오히려 너에게 보내는 시간을 다른 일에 쏟을 수 있으니 일은 효율적으로 흘러갔다. 내게 있어서는 좋을지도 몰랐다.

너와 내가 사귀고 있는 건 맞을까. 마지막으로 한 연락이 3개월 전이라는 것에 1차 서운, 그 사이 네가 단 한 번도 먼저 연락하지 않았다는 것에 2차 서운. 애꿎은 입술만 잘근잘근 씹었다. 조금은 식은 것 같은 사랑. 요즘 들어 또 너를 짝사랑하던 때로 돌아간 것만 같았다. 아니, 그때보다도 못한 사이가 된 것 같았다. 시간을 돌릴 수만 있다면 그때로 돌아가고 싶을 정도로.

나 또한 예전과 같은 마음이 아닌 것 같았다. 물론 너를 여전히 지독하게도 사랑하지만, 너를 사랑하는 게 힘들어졌다. 나만 기다리고 있는, 나만 매달리는 연애. 이런 연애는 하고 싶지 않았는데. 내가 원하지 않던 방향이라는 것을 알고 있었다. 내가 더 좋아하는 것도 알고 있었지만, 그렇다고 해서 매달리는 갑과 을의 관계가 되고 싶지 않았다. 한쪽만 바라면 뭐 하겠는가, 그건 다른 한쪽이 맞춰주는 짝사랑일 뿐이다.

괜히 또 눈물만 울컥했다. 흐르지도 않는 눈물을 벅벅 닦아내며 조금 어두워진 화면을 바라보았다. 손을 가져다 대자 밝아진 화면에 잠시 눈을 깜박였다. 머뭇거리다가도 결국에 손을 뻗었다. 타자 치는 손이 떨리고 있었다.

2023년 1월 9일
- 혁아 _ 18:19
- 우리 헤어지자 _ 18:20
- ...응 _ 22:59

떨렸던 처음, 행복했던 만남, 허무한 이별, 외로운 끝.
결국 다시 짝사랑.

***

너와 헤어진 지 이 주일이 넘었다. 벌써 26일이 된 것을 보아하면 시간 참 빠르다. 요새 날씨는 춥다. 뒤늦은 한파가 오기라도 한 건지 밖으로 나가기 싫어질 정도다. 너를 처음 봤을 때는 무더운 여름날이라 밖에 나가기 싫었는데, 지금은 추운 겨울날이라 나가기 싫다. 너는 잘 지내고 있는지 모른다. 그래도 잘 지내고 있기를 바란다. 네가 미워서 헤어진 게 아니라, 사랑하지만 내가 힘들어서 헤어진 거니까.

이상하게도 네가 아직 밉지 않다. 미워하고 싶은데, 차라리 절절하게 미워해서 원망이라도 하고 싶은데 그게 마음대로 되지 않는다. 나는 여전히 너를 그리고, 바라고 있다. 차라리 너에게 다가가지 말걸, 후회도 한다. 바쁘게 살면서 너를 잊으려고 해봐도 가끔 떠오르는 네 생각에 눈시울이 뜨겁고, 새벽에는 너와 한 연락이 떠오른다. 그 추억은 예쁘게 포장돼 있어 열어보면 웃음이 나온다. 너와의 마지막이 슬펐을 뿐, 우리가 함께한 추억이 슬픈 건 아니니까.

누군가는 미련하다고 할지도 모른다. 누군가는 우습다고 할지도 모른다. 나 또한 내가 우습기에 그 마음을 모르는 것도 아니다. 마음 같아서는 이미 다 잊고 새 출발 했을 것이다. 그런데 또 우습게도 첫사랑이라, 첫 연애라. 모든 게 풋풋했던 처음이라 네가 쉽게 잊히지 않는다. 딱히 잊고 싶지도 않다. 그냥 놓아주고 싶은데 그게 안 된다.

혁. 차마 네 이름을 부를 용기도 나지 않아 입속에만 맴돈다. 왠지 쓴 네 이름이다. 맨날 그렇게 집안에만 있지 말고 좀 나가보기라도 하라는 엄마의 말에 무거운 몸을 일으킨다. 할 것도 없는데 나가서 뭐 한담. 제대로 씻지도 않은 채 고양이 세수만 잔뜩. 아무거나 두꺼운 옷을 걸쳐 입은 후 밖으로 나간다. 훅 풍겨오는 찬 공기에 잠이 확 깬다. 지금 당장이라도 집으로 들어가고 싶지만, 엄마의 호통이 무서워 느릿느릿 발걸음을 옮긴다.

또 무심코 향한 곳은 카페다. 발걸음을 돌릴까 싶었지만 오랜만에 초코 라테를 마시고 싶어 문을 연다. 딸랑, 명쾌한 종소리가 울리며 고개를 든다. 순간 멈칫한다. 발이 쉽게 떨어지지 않는다. 지금 이게 꿈인가 싶어 눈을 비벼보기도 한다. 아까 고양이 세수를 하지 말 걸 그랬나. 어안이 벙벙하다. 저 카운터에서 미소 짓고 있는 게 정말 너인지 의심이 간다.

"어서 오세요. …세연 누나."

너다. 정말 너다. 서글픈 미소를 짓는 네가 내 앞에 있다. 이게 무슨 일인지 알 겨를은 없다. 그저 욱신거리는 가슴의 통증만이 이전의 감각을 일깨울 뿐이다. 차라리 모든 미련을 털어낸 다음에 너와 헤어졌더라면 조금 달랐을까. 하지만 네 웃음 속에 숨어 있는 감정이 무엇인지 알 것 같아서 오늘도 나는 너를 위해 한 걸음 물러난다. 그래, 조금 더 사랑하는 사람이 지는 거다.

다시 시작된 첫 만남, 다시 만난 첫사랑, 또 시작하는 짝사랑.

정말이지 너를 향한 이 짝사랑은 참 지독하다.

제9화 육상부

달린다. 숨이 벅차오르도록 달린다. 두근거리는 심장은 터질 듯 쿵쾅대고, 따가운 목구멍은 불을 넣은 듯 따끔거리고, 욱신거리는 폐는 찢어질 듯하다. 그런데도 멈추지 않는다. 너도 멈추기를 바라지는 않을 것이다. 너를 향해 달린다. 결승선에 네가 있다. 너를 향해 달린다. 나를 향한 네 미소가 좋다.

***

육상, 이라는 것은 생각보다 단순하다. 지구력과 스피드, 두 가지가 있으면 생각보다 쉽게 성립되는 것이다. 물론 그게 대다수 재능으로 결정되는 것이라 말처럼 그리 쉽지 않은 것이지만, 운 좋게도 나는 재능 있는 쪽이다. 대한민국 단거리 달리기 100m 최고 기록 10.07초, 나는 11.03초다. 마냥 나쁘지만은 않지만, 아예 빠른 속도도 아니다. 재능이라는 것도 계속해서 발굴하고 발전시켜야 겨우 빛을 발하는 것이다.

형과 누나 각각 한 명씩 있다. 나이 차도 꽤 있어서 둘은 이미 대학생과 회사원이다. 덕분에 부모님이 나에 대한 제한이나 억압 같은 게 거의 없다. 하고 싶은 일을 하라고 했고, 하고 싶은 일인 육상을 택했다. 뛸 때 느끼는 쾌감이 있다. 땀에 젖은 얼굴을 시원하게 강타하는 부드러운 바람이나, 두근거리는 심장에서 느껴지는 생동감이나, 벅차오르는 숨에서 전해지는 감각이라든가. 그런 것들이 좋아서 육상을 택했다. 그게 다다. 부모님은 내가 하고 싶은 일을 적극적으로 지원해 주고 밀어줬고, 그 결과물이 나다. 나는 이런 결과물이 만족스럽다. 그리고 좋아하는 일을 하는 것이니만큼 더 잘하고 싶다.

코치님도 성적을 내는 나를 좋아한다. 솔직히 편애하는 게 눈에 보여서 조금 그렇게도 하고, 애들한테 미안하기도 하지만 결과적으로는 나한테 도움이 돼서 별말 하지 않는다. 모르는 척 웃어넘기는 게 가장 쉬운 일이다. 조금 웃긴 것은, 부모님도 하지 않는 간섭을 코치님이 해서 가끔 코치님이 내 아버지인가 싶은 기분이 든다. 어느 정도냐면, 여자애들한테 고백받을 때마다 따로 불러내서 연애는 대학 가고 나서나 하라고 당부하는 것이다. 지금은 육상에만 집중하라며. 내 연애사에도 간섭한다니, 정말 부모님이나 할 짓 아닌가. 어차피 연애할 생각도 없긴 해서 딱히 신경 쓰지도 않았다. 하고 싶지도 않았다. 그랬다.

너를 만나기 전까지는.

장애인 학교는 아니다. 다만 장애인이 없는 것도 아니다. 후천적도 아닌 선천적 장애인. 단순히-장애라는 것이 단순한 것은 아니지만 일반적으로 생각하는 장애인을 표현한 말이다- 귀가 안 들리거나 눈이 안 보이는 것이 아닌 다리를 못 쓴다. 네가 다닐 때는 항상 드르륵, 드르륵 하는 소리가 난다. 아이들은 네가 다닐 때면 모세의 기적이라도 일어난 듯 쩍 갈라져 네가 지나가는 모습을 바라만 본다. 너는 복도 아이들의 시선을 한 몸에 받으며 돌아다녀야 하는 것이다. 그런 네 표정도 좋아 보이지는 않아서, 불편하구나 싶었다. 그 때문인지 복도에서 네 모습을 보기란 쉽지 않았다. 너를 볼 때는 항상 반이었다. 반에 앉아 고개 숙이던 모습. 물론 그 상황이 불편하지 않을 사람이 얼마나 있겠냐마는.

처음부터 너를 신경 쓰던 건 아니었다. 그냥 단순히 우리 학년, 그것도 우리 반에 장애인이 있구나, 휠체어를 타고 다니려면 꽤 힘들겠다. 그런 생각이었다. 그냥 딱 그 정도의 접점 없는 타인. 굳이 성별도 다른 너와 친해질 생각은 없었고, 육상만으로도 바빴으니까 신경 쓸 겨를조차 없었다.

문득 너를 바라보다 눈이 마주치면, 퍼뜩 놀라 경기를 일으키는 수준으로 벌떡 일어났다. 그러면 친구들은 질리지도 않는지 히죽거리는 얼굴로 꾸준히 물어왔다.

"야, 박태현 어디 보냐?"

"아무것도."

"뭐야, 뭔데 그렇게 죄지은 사람처럼 깜짝 놀라?"

"신경 꺼."

그렇게 고개를 휙 돌린 채 창밖을 보고 있으면 뒤에서 키득거리는 소리가 들렸다. 그런데 그 키득거리는 소리보다 더 신경 쓰였던 건, 뒤통수를 뚫어버릴 듯 강렬한 시선이었다. 이미 고개를 돌려버려 누구의 시선인지는 알 수 없었지만, 항상 같은 사람이 바라보고 있다는 것만큼은 느낄 수 있었다. 그 끈적하고도 강렬한, 열망을 가득히 담은 시선은 정말 말 그대로 지겨울 정도-표현이 그럴 뿐이지 실제로 지겹다고 생각한 적은 없다-로 나를 쫓아다녔으니까.

사실 내 시선의 끝이 너를 향해 있다는 것을 알고 있었다. 인정하고 싶지 않았을 뿐이었다. 봄날의 햇살을 가득히 머금은 네가 나보다 찬란하다는 것을 인정하고 싶지 않았다. 내 인생의 주인공은 언제나 나였고, 앞으로도 그럴 터였다. 그런데 거울 속 나보다도 내 시선을 더 잡아끄는 네 존재에 내 가치가 휘청였다. 그렇게 단순하게밖에 생각하지 못했다. 네게 가진 감정의 정의가 꼭 그런 것만을 의미하지 않을 수도 있다는 것을 몰랐다. 그저 익숙하지 않은 감정을 모르는 척하며 너를 지나쳤다. 네 곁을 지나갈 때마다 봄바람이 일렁였다. 가슴속에서 몽글몽글 피어오르는 감정의 이름을 몰랐다. 그럴 때면 그 바람에 땀을 적시고 싶어져서 달렸다. 무작정 달리기만 할 뿐이었다.

나한테는 달리기가 취미이자 여가이고, 일이자 즐거움이다. 너에게 신경 쓸 시간에 달리기하는 게 나았다. 모르는 감정에 쏟을 시간은 없었다. 땀 속에 갇혀 너를 보지 않았다. 물론, 내가 모르는 새 또 두 눈은 너를 쫓고 있었을지도 모른다. 그래도 아니라고 생각했다. 모르고 싶었다. 그래서 뛰는 것밖에는 할 수 있는 일이 없었다. 그런 너에 대해 조금 더 알게 된 것은 개학하고 한 달 하고도 보름 정도 뒤, 점점 무르익는 봄 속에서였다.

작은 부상이었다. 평생 못 달릴 정도는 아니고, 대략 한 달 정도 깁스하고 있으면 풀 수 있는 거였다. 달리기 연습하다가 갑자기 인도에 침범한 오토바이에 치일 뻔해 급하게 피하다 발목 삐어서 인대가 늘어난 탓이었다. 다행히 오 주 정도 나와서, 여름방학 때 있을 육상 대회와 겹치지는 않았다. 물론 깁스 풀고 대회 전까지 미친 듯이 연습해야겠지만, 크게 개의치는 않았다. 가장 최근 기록은 10.58초로 실력은 꾸준히 좋아지고 있었고, 마냥 쉬고 있을 생각도 아니었으니까. 명상 트레이닝이라는 것을 하며 단련할 생각-실제로 효과를 봤다는 말이 있다-이었다.

다만 조금 아쉬웠던 점은 가장 좋아하던 체육 시간에 참여하지 못하는 점이었다. 체육 시간에 열심히 참여하면 지구력을 높이기도 좋아 매시간 정말 죽을힘을 다해 참여하고는 했는데, 그러지 못하니 몸이 근질근질했다. 에너지를 발산하지 못한다는 건 꽤 힘든 일이었다. 너와 친하지 않을 적, 이야기하며 시간을 때울 상대도 없어 그토록 즐겁던 체육 시간이 지루했다. 할 것도, 할 말도 없으니 혼자 언제 깁스를 푸나, 하며 무거운 발목만 까딱이고는 했다. 애들이 운동장에 서서 체조를 하고 있으면, 꼭 너랑 나만 남아 땡볕에서 체조하는 애들을 바라봤다. 땀에 젖은 애들은 찝찝해 보이면서도 살아있는 것처럼 생동감 있어 보여서 괜히 질투 났다. 내 자리였던 곳을 턱을 괸 채 바라보고는 했다.

내 자리가 저렇게 다른 사람으로 쉽게 채워질 수 있는 자리였나. 그런 생각에 괜스레 서글퍼지기도 했다. 생각을 전환하려 네 쪽으로 시선을 돌렸다. 너는 선망의 눈빛으로 애들을 바라보며 눈에 담았다. 그 눈빛은 정말로 저기 뛰어들고 싶어 보여서, 나도 모르게 말을 걸었던 것 같다.

"이도연, 맞지?"

"어? 어, 어떻게 알았어?"

"같은 반이잖아."

"아… 그렇지."

끄덕이는 고개.

이어지는 침묵.

"…넌 보통 체육 시간에 뭐해?"

"어? 나?"

"응, 너."

"어…."

너는 할 말이 없는지 말꼬리를 흐렸다. 기억을 뒤져보니 너는 항상 우리를 바라만 보고 있었던 것 같아서, 내가 내뱉고도 아차 싶었다. 대답 안 해도 된다는 말에 너는 고개를 절레절레 저으며 아까보다도 초롱초롱한 눈빛으로 애들이 아닌 나를 담았다.

나를.

"너희를… 보고 있어."

분명 너희, 라고 했는데 너, 라고 들리는 것만 같았다. 똑바로 마주한 시선은 태양보다 뜨거웠다. 네 눈은 열망을 품고 있었다. 모래바람이 휘날리는데도 눈을 감을 생각을 못 했다. 찰랑거리는 네 머리카락이 아주 살짝 내게 닿았다. 간지러움이 네 흔적처럼 남았다. 살랑거리는 머리를 정리하며 애들에게로 시선을 옮기는 네 모습은 햇빛을 받아 반짝였다.

…예뻤다.

***

너와 친해졌다고 해서 매번 함께하는 건 아니었다. 나도 친구들이 있었고, 너도 조금-실례일지도 모르지만 너는 좁고 깊게 사귀는 듯했다 그래서인지 눈에 띄는 친구는 딱 둘뿐이었다-이지만 있는 듯했으니까. 각자의 친구들과 함께하다가 일주일에 한 번 있는 체육 시간 때 만났다. 그렇게 얘기했다. 너와 얘기할수록 장애인에 대해 갖고 있던 편견이 깨지는 기분이었다. 그토록 말하던 우리의 차이는 장애인과 비장애인일 뿐이라던 말이 이해됐다. 단순히 너는 나보다 다리가 불편한 사람일 뿐이고, 나는 너보다 다리를 잘 쓰는 사람일 뿐이다. 우리의 차이는 그뿐이다.

너는 하늘을 보며 미소 짓는다. 반짝이는 눈에서 사랑을 느낀다. 어쩌면 나는 그보다 훨씬 전부터 그 눈의 반짝임을 알아봤는지도 모른다. 그래서 내 눈이 그토록 너를 쫓았는지도. 너의 반짝임은 사람을 끌어당기는 힘을 가졌다. 나는 그 반짝임을 좇았다. 너를 쫓았다. 너는 멋진 사람이다. 다리가 불편해도 그뿐이다. 너는 그런 결함이 보이지 않을 정도로 멋진 사람이다. 너와 대화하면 누구나 알 수 있는 사실이다. 그래서 너와 대화하는 게 즐겁다. 발목을 다친 게 천운이라고 생각될 정도로. 다치지 않았더라면, 너와 얘기할 일은 없었겠지. 그렇게 생각하면 발목 하나 내어주고 너와 만날 수 있었던 게 행운이다. 싼값이다.

너는 왜소하다. 잦은 움직임을 하지 못해 운동하지 못하는 사람치고 너무 왜소해서 잘 먹기는 하는 건지 걱정될 정도로 말랐다. 한 번쯤 너를 들어보고 싶은 욕망도 있다. 들 수 있을 것 같을 정도로 마르기도 했고, 무엇보다 너를 든 채 달린다면, 너에게 바람을 맞는 쾌감을 알려줄 수 있다면 정말 좋을 것 같기도 하다. 물론 위험하기도 하니 할 생각은 없지만, 그래도 언젠가

기회가 된다면 해보고 싶다. 네게 휠체어가 아닌, 다른 세상을 보여줘 그 세상을 보고 맛보게 해주고 싶다. 그리고 그 첫 세상을 맛보게 한 건 다름 아닌 내가 되었으면 좋겠다. 그 바람을 품은 채 네게 건네는 말이다.

"이도연."

"아, 태현아."

너와 함께하지 않는다고 해서 네가 소중하지 않은 건 아니다. 오히려 너와 함께하는 일주일 중 이 한 시간이 가장 기다려질 정도로 네가 좋았으니까. 왜 그런지는 몰랐다. 그냥 처음 겪어보는 부류라 네게 관심이 갔다고만 여겼던 것 같다.

"오늘은 뭐 하고 지냈어?"

"그냥… 책 읽으면서."

"무슨 책?"

"신이 죽어가는 과정이라고…."

너는 네가 좋아하는 것에 관해 이야기하는 걸 좋아한다. 네 관심사를 이야기할 때면 눈을 반으로 접어 그 작은 입을 조잘대는데, 그게 참 보기 좋다. 나도 듣는 파가 아니고 말하는 파라 말이 참 많은데, 너랑 있을 때면 말수가 적어진다. 네가 말하는 걸 듣는 게 훨씬 좋다. 다른 애들이 말하는 걸 들을 때는 그런 기분을 못 느끼는데, 너랑 있을 때만 그런 기분을 느낀다. 너로 내가 변해가는 기분이다. 그리고 나는 그 변화가 썩 나쁘지 않다. 네 목소리를 들으며 눈을 감으면 세상을 가진 듯 찬란하다. 네 목소리는 봄처럼 나긋나긋하고 따스해서, 휴식처를 하나 찾은 듯하다. 달리는 것 외에도 이렇게 좋은 것이 세상에 존재할 수 있다는 사실에 놀랐다.

왜 너를 피해 다녔는지 알 수 없었다. 이전의 나를 만나게 된다면 뇌 속을 끄집어내 보고 싶을 정도로 궁금해진다. 과거의 나는 도대체 왜 너를 피해 다녔을까? 왜 너라는 사람의 가치를 알지 못한 채 어영부영 시간을 흘려보내기만 했을까? 왜 조금이라도 더 빨리 너를 마주할 생각을 하지 않았을까? 알 수 없는 의문에 고개만 갸웃거린다. 지금이라도 너를 만났다는 사실에 감사해야 할 판이다. 안식처. 그래, 너는 안식처다. 이 봄날에 눈을 감고 나를 맡길 수 있는 나만의 작은 안식처.

"있지, 태현이 너는 다리가 없다면 어떨 것 같아?"

"…다리가?"

솔직히 말도 안 되는 소리라고 생각한다. 나한테 있어서 육상은 인생이다. 그런데 다리가 없다는 것은 내 인생을 살지 못한다는 뜻과 같다. 그런 삶이 삶일 리가 없다. 상상해 본 적조차도, 앞으로 있어서도 안 되는 일. 그런 의문을 네가 품고 있다. 뻐끔대는 입이 두어 번 부딪히더니 다물린다. 네가 이 이야기를 꺼낸 저의가 무엇일까. 네 의도를 파악해 보면 그 속에 숨은 뜻을 찾을 수 있게 될지도 모를 노릇이다. 네 눈 속에 담긴 나를 마주한다. 내가 다리가 없는 사람이었다면, 너처럼 휠체어를 타고 다니는 사람이었다면….

"…그래도, 끝까지 이겨냈을 거야. 어떻게 해서든, 무슨 짓을 해서든. 결국에는 굴복할 수밖에 없더라도 노력했을 거야. 노력했다는 것에 의의를 둘 거야. 그럼 나는 패배한 게 아니야."

"멋지다."

배시시 미소 짓는 네 얼굴이 햇살 같다. 너를 보며 두근거리는 심장을 부여잡는다. 살짝 눈을 구긴 채 너를 바라본다. 너는 정말이지 저 하늘 높이 떠 있는 햇살과도 같아서, 너를 똑바로 마주하기란 굉장히 힘든 일이다. 그렇다고 해서 한시도 눈을 떼고 싶지는 않아서, 항상 너를 바라본다. 내가 너를 생각하는 것만큼 너도 나를 생각하고 있을까. 그래 주기는 할까. 욱신거리는 가슴을 부여잡으며 너를 바라본다. 너는 그런 내 마음을 아는지 모르는지 그저 밝게 웃고 있을 뿐이다. 그 미소를 마주하면, 모든 걱정은 아무것도 아니라는 듯 바람에 흩날린다.
"…너는?"
"나?"
"응, 너. 너는 지금 어떻게 하고 있는데?"
"나는…."
흐려지는 말꼬리가 길어진다. 너는 잠시 고민하는 듯하더니 이내 배시시 미소 짓는 얼굴로 두 다리 위에 손을 얹는다. 부드럽게 어루만지는 손길이 따스해 보인다. 발갛게 달아오른 두 뺨이 생기가 돋은 듯 붉다. 너는 살아있다. 나도 살아있다. 우리는 같은 세상에서 살아 숨 쉬고 있다.
"나도, 노력하고 있는 것 같아."
"응."
그거면 됐어. 희망찬 목소리가 바람을 타고 흩어진다. 미소 짓는 네 얼굴은 어딘가 후련해 보인다. 너도 그 말을 내뱉기를 바랐던 걸까, 누군가 네게 이런 질문을 건네주기를 바랐던 걸까. 너에게 한 걸음 더 다가간 것 같아서 뿌듯하다. 내 심장박동이 네게 들리지 않기를 바랄 뿐이다.
너는 내 봄이다.

***

깁스를 풀었다. 다행히 움직이는 데 큰 지장은 없었다. 덕분에 마사지 몇 번 해주고, 재활 몇 번 다니자 어느 정도는 달릴 수 있게 됐다. 물론 무리해서 달리는 건 금지였지만, 그 정도도 나쁘지 않을 성싶었다. 달라진 점이 있었다면, 깁스를 풀자마자 내가 하고 싶었던 건 달리는 것이 아닌 너를 보러 가고 싶었다는 것이다. 이런 내 모습을 보며 미소 지어줄 너를 상상했다. 잘됐다며 웃어주기를 바랐다. 천천히 뛰며 네게 가던 중, 발걸음이

재차 느려졌다. 울렁거리는 속을 참을 수 없었다.
내가 지금 무슨 짓을 하려고 했던 건지 알 수 없었다. 네게, 내가. 다리가 안 좋은 네게, 다리가 좋은 내가. 여전히 다리를 못 쓰는 네게, 다리를 쓸 수 있게 된 내가. 결국 참지 못하고 속을 몇 번 게워낸다. 욱신거리는 기도가 아리다. 헉헉대며 거친 숨을 내뱉는다. 목구멍에서부터 올라온 신물이 쓰라리다. 내가 네게 하려고 했던 짓은 폭력이나 다름없다. 네가 그렇게 생각하지 않을 수도 있지만, 이것이 너를 향한 동정이 돼 네게 더 상처를 줄 수도 있다는 것을 알지만 그래도 생각이 멈추지 않는다. 욱신거리는 속에 내상을 입은 듯 눈시울이 뜨겁다.
나는 원래 이기적인 사람이다. 남들이 피해받든 말든, 나를 무슨 시선으로 보든 말든 크게 개의치 않는다는 뜻이다. 그래서 코치님이 편애할 때도, 그게 다른 애들에게 피해가 될 수 있음에도 모르는 척했다. 신경 쓰지 않았다. 나는 그 정도로 이기적이고, 역겨운 인간이다. 스스로 그걸 잘 알고 있고, 고칠 생각 따위는 없다. 없었다. 세상 사는 데 죄책감 따위는 쓸모없다. 경쟁에서 상대에게 죄책감, 연민 같은 것을 느껴봤자 내 발목을 붙잡는 일이다. 성립해서는 안 되는 문장이라는 것이다. 그런데, 그런데. 내가 왜 너한테 죄책감을 느끼고 있는 걸까. 주저앉은 자리에서 일어서지 못한다. 폭포수처럼 쏟아지는 눈물이 의미하는 바는 단 하나다. 그 외에는 생각할 수도 없다.
내가, 너를 좋아한다. 이기적인 내가, 이타적인 너를. 성립할 수 없는 문장이다. 성립해서는 안 되는 문장이다. 끊임없이 흐르는 눈물을 닦아낸다. 나 같은 게 너를 좋아해서 미안해. 그런데 지금 또 보고는 싶어서 미안해.
"…보고 싶어…."
어느 순간부터 너는 내게 스며들었다. 달릴 때뿐만 아니라 너와 함께 있을 때도 살아있음을 느낄 수 있었다. 너의 말투, 너의 행동, 너의 표정, 그 모든 것이 좋다. 무엇 하나가 좋은 것이 아닌 너 자체가 좋다. 봄. 봄은 생명의 계절이다. 생명이 내게 다가왔다. 내게 생기를 불어넣었다. 사람은 자신에게 생명을 불어넣어 준 제 어머니를 사랑할 수밖에 없다.

너라는 봄이 내게 다가온다.

***

네게는 미안하지만 의도적으로 너를 피해 다녔다. 너를 계속해서 보고 있자니 죄책감이 밀려왔고, 또 보고 있자니 계속해서 보고 싶었다. 여름방학 때 있을 경기에 집중해야 하는데, 죽을힘을 다해 연습해야 하는데 네게 정신 팔릴 시간이 없었다. 아무리 네가 소중하고, 너를 좋아한다고 한들 너는 너고 나는 나다. 너로 인해 내 인생을 망치고 싶지는-솔직히 말해서 너 때문에 내 인생을 망치는 것이 아닌 내 선택으로 인함이지만 핑계라도 대야 편할 듯했다- 않다. 그래서 의도적으로 너를 피해 다니며 연습에 집중했다. 아니, 집중하려고 했다. 끊임없이 생각나는 너만 아니었더라면 이미 집중하고도 남았을 것이다.

너를 못 본 지 어언 보름. 눈만 감아도 네가 떠오른다. 두 눈을 끔벅이다 이내 포기한다. 네가 보고 싶다는 것쯤 쉽게 인정할 수 있다. 인정하고 싶지 않을 뿐이다. 그저 친구일 뿐인데, 너한테 나는 단순한 친구일 텐데 바라서는 안 될 것을 바라는 것만 같다. 울렁거리는 속 때문에 뛰다가 멈춘 게 한두 번이 아니다. 코치님의 편애도 슬슬 사라져 가고 있다. 하지만 뭐라 할 수도 없는 것이, 내가 부족한 건 사실이다. 코치님이 왜 항상 연애하지 말라고 외쳤는지 알 것만 같은 기분이다. 이왕 알려주시려면 누군가를 좋아하지도 말라고 해주시지. 투정 부리고 싶어 괜히 아무 잘못 없는 코치님만 원망한다.

삑—!

호루라기 소리에 뛰던 다리를 멈추고 흐르는 땀을 닦아낸다. 코치님은 모자를 올려 보이는 표정으로 불만을 표현한다. 강렬한 햇빛 아래 그늘진 표정은 기록이 얼마나 처참한지 드러낸다. 쯧, 짧게 차는 혀에 온몸이 굳는다. 그 정도로 처참한 성적인 건지. 과거의 내가 안일하게 느껴진다. 발목 하나로 너를 만난 게 싼 값? 다쳐도 죽을힘을 다해 노력하면 괜찮다? 명상 트레이닝으로 어떻게든 할 것이다? 어떻게든? 과거의 내가 얼마나 어리석었는지 뼈저리게 느껴진다. 거친 숨을 내뱉으며 비 오듯 흐르는 땀이 적시고 있는 땅을 내려다본다. 이런 내 모습을 보면 너는 뭐라고 할까? 비웃을까? 아니면 괜찮다며 다독여 줄까. 뛰어서인지, 너를 생각해서인지 모르게 욱신거리는 가슴을 부여잡는다. 눈물이 샐 것만 같다. 내가 너무 한심하다.

11.24초, 너를 향한 성적이다.

과오를 씻어내기 위해 몇 번이고 달린다. 여름날의 청량함 따위는 모른다. 폭포수처럼 쏟아 내리는 땀은 유일한 면죄부다. 그 땀으로 죄를 씻어낸다. 그래야만 내가 숨 쉴 수 있다. 집으로 들어가지 않는 날도 늘었다. 정확히는 늦게 들어갔다. 종일 연습하다가 집에 들어가면 조금은 걱정스러운 표정으로 나를 바라보고 있는 엄마가 있다. 엄마에게는 미안하지만 나는 연습을 멈출 생각이 없다. 결국 그 또한 내가 선택한 길이기에 내가 전부 책임져야 한다. 결국 이 또한 내 길이다.

"너무 무리해서 하지는 마. 대회일 뿐이잖아."

"전국 대회에요, 엄마."

"그래도 네 몸이 성해야 다음 기회도 노리지…."

"너무 걱정 안 해도 돼요. 저 알아서 적당히 하고 있어요."

사실 아니다. 네 생각으로 가득 찬 머리는 멈출 생각을 하지 않는다. 그런 짓이라도 해야지 너를 잊을 수 있을 것만 같다. 미친 듯이 달리고, 미친 듯이 움직인다. 머리를 뜨겁게 달궈 과부하를 일으켜야지만 그제야 비로소 너를 잊을 수 있는 것 같다. 그런데 그렇게 해봤자 너를 잊을 수 있는 시간은 얼마 안 돼서, 그게 더 괴롭기도 하다. 네가 제발 내 머릿속에서 사라져 줬으면 좋겠는데. 너는 그럴 생각조차 하지 않는다.

"…이도연."

너는 내 봄이다. 내 처음이다. 내 따스함이다. 그래서 더 너를 잊지 못한다. 너를 잊을 수가 없다. 너라는 따스함이 온몸을 부드럽게 감싸 안는다. 부드러움이 더 강하다는 말, 이해할 수밖에 없다. 너는 나를 그리워하고 있을까? 나를 생각하기는 할까? 끊임없는 물음을 던지며 고개를 젓는다. 그런 생각 해봤자 달라질 것 따위는 없다. 우리가 다시 만나는 날은 오로지 내 대회가 끝나면, 그때뿐이다. 물론, 네가 나를 만나줄지는 미지수지만.

***

방학 전, 기말고사 끝난 김에 체육대회가 열린다. 코치님은 체육대회에서 약해진 체력을 조금 기르기도 할 겸, 다른 애들과 비교도 해볼 겸 육상에 나가보라고 권유했다. 보통 육상부는 나가면 밸런스 붕괴라 양심상 잘 안 나가고는 하는데, 나가보라는 말에 고개를 끄덕였다. 그렇게 틈틈이 노력해야 겨우 대회 전에 돌아올까 말까 할 것 같았으니까. 인생은 항상 실전처럼 해야 한다고 생각한다. 그래서 일 등 할 생각이다. 세상은 일 등을 취급하고, 나 또한 마찬가지다. 일 등이 아닌데 어디 가서 명함 내밀 생각 없다. 고작 학교체육대회에서 일 등 하지 못한다면 전국 대회에서 우승할 수 있을 리가 없다. 무조건 일 등, 그 생각만으로 달린다. 일 등이 아니면 안 된다.

조금 변한 것 같은 내 모습을 보며 코치님은 미소 짓는다. 그제야 마음에 드는 눈빛을 하고 있다는 듯, 그제야 만족스럽다는 듯 웃는 모습에 고개를 젓는다. 결국 다 제 사리사욕을 채우기 위한 도구일 뿐이다. 실력도 없었으면 정말 할 말이 없었을지도 모른다. 그 실력으로 겨우 지금껏 가꿔놨는데, 그게 전부 무너지게 내버려 둘 수는 없다. 내 이기심이다.

사람의 인생에서 가장 중요한 건 타이밍이라는 말이 있다. 전적으로 동의하는 게, 출발선에서 타이밍을 놓쳐 제대로 출발하지 못하면 거의 꼴찌 확정, 마지막에 스퍼트할 타이밍 놓쳐도 꼴찌 확정. 가타부타 사랑도 타이밍이다. 그런 걸로 따지자면 나는 지금 최고의 타이밍을 놓치고 있는 최악의 상황인지도 모른다. 하지만 그렇다고 해서 내 인생에서 가장 중요할지도 모르는 타이밍을 놓치고 싶지는 않다. 결국 두 개의 타이밍 중 내게 더 소중한 것은 이상보다는 현실이다. 이런 내게 서운함을 느낀다고 해도 할 수 있는 말은 없다. 나는 이기적인 인간이며, 너보다 내가 더 소중한 인간이며, 그와 동시에 이 순간마저 너를 바라고 있는 인간이다. 이런 내가 우습고 어이없다. 나도 그렇게 느끼는데 너는 어떻겠는가. 할 수 있는 말이 없어 비소만 흘린다. 하하, 터져 나오는 웃음이 무겁다.

발이 이렇게나 무거웠던가 싶다. 깁스하고 있을 때도 이렇게 무겁지는 않았던 것 같은데. 욱신거리는 다리를 두어 번 주무르고 나서 몸을 일으킨다. 석양 진 하늘을 바라보다가 고개를 돌린다. 네가 없는 곳에서 마주하는 태양은 뜨겁기만 하다. 달릴 때 폐부에 깊숙이 침투하는 모래바람은 기침을 자아낸다. 너도 나와 같은 하늘 아래 있겠지. 두 눈을 감고 뜨거운 태양열을 받는다. 눈을 뜨고 보는 하늘은 붉은색이다. 여름이 다가오는 것 같다.

"…보고 싶다."

결전의 날. 몸 상태는 좋다. 그래도 집 나오기 전에도 스트레칭하고, 집에서부터 학교까지 뛰어서 왔다. 몸도 가볍고 실수할 것 같다는 생각이 안 든다. 오늘이라면 할 수 있을 것 같다는 생각. 주먹을 꽉 쥔 채 내려다본다. 땀에 흠뻑 젖은 채 반으로 들어가려던 순간, 그 앞에서 너와 마주하게 돼버렸다. 움찔거리며 너를 내려다보자 너는 잠시 물끄러미 나를 올려다보더니 곧 아무 일도 없었다는 듯 밝게 웃으며 인사를 건넨다.

안녕. 짧은 한마디를 건네며 너는 미소 짓는다. 그 미소가 쓰리고 아파서, 차마 이다음에 무슨 말을 건네야 하는 건지 알 수 없다. 욱신거리는 입술을 두어 번 물어뜯는다. 네가 내게 바라는 것이 무엇인지 모르겠다. 아니, 아무것도 바라지 않을지도 모른다. 사실 그게 더 슬프다. 나는 너에게 바라는 게 너무 많은데, 너는 내게 바라는 게 하나 없어서, 나한테 미련 하나 없을까 봐 그게 너무 걱정되고 슬프다. 나를 지나치고 지나가는 네게서 느껴지는 체향은 여전히 익숙해서, 나만 너와 함께하던 시간 속에 머물러 있는 기분이다. 욱신거리는 심장을 부여잡으며 고개를 돌린다. 나는 오늘 일 등을 거머쥐어야 한다. 자신 있는 모습으로 네 앞에 똑바로 서기 위해서라도. 그러니까 오늘 내 발돋움은 오로지 너를 위한 것이다. 너에게 더 나아가기 위한 발돋움.

주변에서 들리는 함성에 고막이 울린다. 미간을 찌푸린 채 소리의 근원지를 살핀다. 그 속에는 네가 없지만, 네가 어디 있는지는 한눈에 알 수 있다. 알아보고 싶지 않아도 알 수밖에 없는 위치에 있는 너는, 원하지 않아도 튈 수밖에 없다. 너는 관객석-이라고 하기에는 거창하지만 어쨌든 애들이 있는- 가장 앞부분에 있다. 자칫 잘못하다가는 경기에 휘말릴 수도 있는 자리인데, 위험하게 왜 저기 있는지 알 수 없다. 조금은 못마땅한 표정으로 너를 바라보았다. 너와 시선이 얽혔는지는 잘 모른다. 솔직하게 말하자면 나는 너에게 신경 쓸 겨를이 없다. 트랙 위 거리를 계산하고, 어디서 전력을 다해야 가장 효율적인 결과를 낼 수 있을지 산출해 내야 한다. 일 등이란 그냥 얻어지는 것이 아니라서, 가장 최선의 결과를 도출해 내기 위해서는 이 작업이 꼭 필요하다. 누군가는 결국 단순한 학교 경기일 뿐인데 뭐 그렇게 열과 성을 다하냐고 비웃을지도 모른다. 하지만 여기서 성공하지 못한다면, 일 등을 거머쥐지 못한다면 나는 결국 거기까지밖에 되지 않는 인간이라는 방증이 되기도 해서 차마 허투루 할 수 없다.

우우, 몇몇 야유 섞인 소리가 들려온다. 육상부나 돼서 참여한다는 게 퍽이나 멋없어 보이는 모양이다. 굳이 신경 쓰지는 않는다. 결국 틀린 말 하나 없기도 하고, 어차피 신경 써서 나한테 득 될 것 하나 없다. 그런데 너는 아니었나 보다. 야유 섞인 목소리를 무시한 채 몸이나 풀고 있는데, 그 사이에서 우렁찬 목소리가 들려온다.

"박태현 파이팅!"

두 눈을 깜박이며 네 쪽을 바라본다. 너는 부끄러운지 얼굴을 확 붉히면서도 외치는 소리를 멈추지 않는다. 나는 정말 괜찮은데, 하나도 신경 안 쓰는데, 시기 질투하는 사람들이 내뱉는 소리 따위 아무런 상관없는데. 그런데 그런 나를 위해서 외쳐주는 네 모습에 가슴속 무언가가 끓어오른다. 씰룩거리는 입꼬리가 내려갈 생각을 하지 않는다. 입술을 매만지며 제발 진정하라고 하고 있는데 너와 시선이 얽힌다. 너는 힘찬 얼굴로 으쌰, 하며 내게 힘을 건넨다. 네 힘을 받고서 힘내지 않을 리가 없다. 흐르는 미소가 가볍다. 응, 나 힘낼게.

탕—!

공기를 가르는 소리가 고막을 자극한다. 그 순간과 동시에 자리를 박차고 나간다. 모든 사람의 공통된 순간이다. 달리고, 달린다. 그래, 나는 이 느낌이 좋아서 달리는 행위를 시작했다. 피부를 가르고 지나가는 공기의 찬 맛이 기분 좋다. 활짝 미소를 지으며 바람을 느낀다. 땀 범벅이 된대도 상관없다. 그 땀을 식히는 공기가 차다. 미소가 끊임없이 피어오른다.

여러 장애물을 손쉽게 통과한다. 이 정도는 장애물도 아니다. 손쉽게 마지막 난관까지 도착한다. 다행히 아직 나를 따라잡은 사람은 없다. 호흡법부터 다른 탓이겠지. 조금의 여유를 가지고 있는 게 중요하다. 그 여유를 느끼며 마지막 미션, 쪽지에 적힌 것 찾아오기. 쪽지를 펼치자마자 당황스러움에 멈칫거린다. 어쩜 이렇게도 로맨스 클리셰 같은 게 적혀 있는 건지 모른다. 두근거리는 심장이 멈출 생각하지 않는다. 고장 난 듯 쿵쾅대며 나를 못살게 군다. 이거, 정말 해야 하는 건가? 입으로 손을 가린 채 골머리를 앓는다. 그리고 그 순간, 저 멀리서 네가 응원하는 목소리가 들려온다. 그 목소리를 듣자마자 잠에서 깨어난 듯 정신이 확 든다. 그래, 나는 일 등 하기 위해 지금껏 달렸다. 그리고 앞으로도 달릴 것이다. 변함없는 사실이다.

"어?"

거친 숨을 내뱉으며 네 앞에 선다. 당황이 섞인 네 눈동자를 바라보며 미소 짓는다. 뻗은 손이 한결 가볍다. 네가 맞잡아주기만 한다면, 나는 그 무엇도 두려울 게 없다.

"나랑, 같이 가줄래?"

당황스러움도 잠시, 너는 곧 활짝 미소 지으며 손을 뻗어 내 손을 마주 잡는다. 손끝에서 전해지는 온기가 낯설지 않다. 가볍게 너를 안아 든다. 역시, 너는 상상했던 것 이상으로 가볍다. 그 무게가 조금은 서글프지만, 그래도 안정감 있다. 덕분에 너를 안고 달리기 좋다. 발을 움직이며, 서로의 숨을 느끼며 결승선까지 달려 나간다. 내 두 팔 안에 있는 네 온기가, 네 무게감이 싫지 않다. 힘들어도 웃음만이 나온다. 환히 미소 지으며 결승선까지 들어간다. 아마 너에게는 처음으로 느껴봤을 달릴 때만 느낄 수 있는 바람. 그 처음을 선사해 준 게 다름 아닌 나라서, 나는 그게 참 좋다. 그리고 앞으로도 네게 처음을 줄 수 있도록 허락해줬으면 좋겠다. 그것이 내 바람이다. 일 등을 외치며, 우리는 서로를 껴안았다. 따스한 온기가 전해진다. 이제는 다 지나가 버린 봄바람이 콧잔등을 간질거린다.

나의 봄이 품 안에 들어온다.

***

근데 쪽지에 적힌 거 뭐였어?

어? 아… 말하기 부끄러운데….

아, 왜 우리밖에 없잖아, 응? 한 번만 말해줘 봐.

우리밖에 없으니까 더 부끄러운 건데….

응? 한 번마안.

아, 진짜…. …듣고 후회하면 안 된다?

후회를 왜 해!

…….

미심쩍은 눈 금지.

……좋아하는 사람.

…어?

좋아하는 사람이라고,

쪽지에 적혀 있던 거.

제10화 수영부

풍덩—.

수영장에서만 느낄 수 있는 괴리감이 있다. 물속에 얼굴을 침수시켜 한 줄로 가지런히 놓인 타일이 일렁이는 것을 볼 때라든가, 물 위에 동동 떠서 물결이 비치는 천장을 올려다볼 때라든가, 귀를 막고 이런저런 소리를 들려주는 물소리를 들을 때라든가. 가만히 그런 것들을 바라보고 있을 때면 세상에 나만 남은 듯 고요해진다. 출렁거리는 물소리, 그 소리만이 귓가를 가득히 채우면 비로소 나 혼자 다른 세상에 동떨어진 기분이 든다. 온몸을 감싸고 있는 물은 수압 때문에 또 다른 느낌을 줘서, 이질감을 두 배로 들게 한다. 일탈을 끝마치고 수영장에서 나와 내게서 떨어지는 물이 타일을 후두둑 때리면, 다시 그 소리에 정신을 차리고 정신을 차리는 것이다.

현실로 돌아올 시간이다.

***

수영을 그만둔 지는 얼마 안 됐다. 건강상의 이유 같은 것은 아니고 그냥, 세상은 상위 1%의 재능만을 반기고, 나는 그 1%에 속하지 않는다는 것을 너무 늦게 깨달아 버린 탓이었다. 그렇다고 해서 수영을 싫어하게 된 것은 아니라서, 그냥 동네 수영장 이용권을 끊고 종종 사용했다. 그렇다고 수영을 너무 늦게 그만둔 것도 아니었다. 그냥 적당히 고등학교 일 학년 이 학기 중간고사 직전. 어떻게든 죽을 정도로 노력하면 뒤늦게라도 역전은 가능하다는 걸 알았다. 하지만 그도 상위 1%의 노력이나 빛을 발했고, 나는 여전히 그 1%에 속하지 않았다. 부모님의 기대를 잃은 지는 오래였다. 물론 나 또한 그 기대감을 충족시키려 굳이 애쓰지 않았다. 어차피 안 될 거, 빠르게 손 털고 그 시간에 다른 것에 집중하는 게 나았다.

느지막한 여름, 귓가를 가득히 메우는 매미 소리에 미간을 찌푸린다. 적당히 습한 날씨, 적당히 눅눅한 기분. 괜스레 손을 털어내며 주변을 둘러본다. 어느새 수영을 그만둔 지 일 년이 조금 안 된다. 그런데도 꾸준히 수영장은 다니고 있는 현실이 조금은 웃긴 것도 같아 웃음을 흘린다. 적당히 망한 것 같은 기말고사 시험지를 가방에 마구잡이로 구겨 넣고서 수영장으로 향한다. 습도도 높아 피부에 달라붙는 옷들이 기분 나쁘다. 그런데 또 하늘은 맑고 푸르러서 괴리감을 느낀다. 이런 날, 수영장에 가서 현실과의 괴리감을 느낀다. 그 순간만큼은 모든 근심 걱정을 잊고 현실에서 벗어날 수 있어서.

내가 가는 곳은 동네 작은 수영장이다. 역사가 꽤 깊은 곳이라 구석에 있기도 하고, 교통편 좋은 곳에 재작년 신설된 커다란 수영장이 있어서 내가 가는 수영장은 사람이 거의 없다. 게다가 내가 가는 시간대는 굉장히 애매한 시간대라 어르신들도 거의 없어서, 혼자서 둥둥 떠다니기 좋다. 회원권을 끊어둬서 사람이 있을 때는 나오고 사람 없는 시간대에 다시 간다. 사람이 없어야 세상과 동떨어진 기분을 느낄 수 있다. 그래서 인기척만 들려도 발걸음을 돌리기 일쑤였다.

그랬는데.

풍덩—.

오랜만에 들리는 내가 아닌 다른 사람의 소리에 발걸음이 멈춘다. 갈아입던 옷을 손에 쥔 채 수영장 문만 물끄러미 바라본다. 소리가 겹쳐 들리지 않는 것을 보아하니 한 사람만 있는 듯하다. 돌아갈까? 그렇게 생각하면서도 몸은 움직인다. 옷을 마저 갈아입고, 수영장 문손잡이를 잡는다. 두근거리는 심장이 이상하다. 두근, 풍덩, 두근, 철썩.

두근.

철썩거리는 수영장 물이 발끝에 닿는다. 거칠지 않고 부드러운 호흡이 닿을 듯 말 듯 내게 속삭인다. 내 존재를 눈치채지 못한 듯 오로지 수영에만 집중하고 있는 모습에 정신을 빼앗긴다. 넋 놓고 쳐다보기만 할 뿐, 아무런 말도, 행동도 할 수 없다. 인어가 사람이 된다면 이런 모습일까, 실은 사람 모습을 한 세이렌일까. 뻐끔대는 입은 목소리를 빼앗긴 듯 아무 말도 내뱉지 못한다. 상위 1%의 재능이란 저런 것일까.

수영을 끝냈는지 천천히 걸어 물을 가로지른다. 물 밖으로 나오자 폭포수처럼 쏟아지는 물이 또다시 내 발끝에 닿는다. 그 순간 시선이 맞부딪힌다. 여름날의 습도보다 더 축축한 시선이, 물기에 젖어 서로에게 끈적하게 달라붙는다. 고개를 갸웃거리는 모습에 허둥지둥한다. 몰래 보고 있던 것을 알면 기분 나빠하려나. 그러자 피식, 웃는 소리가 들린다. 작게 웃은 것 같은데도 수영장이라 소리가 울린다. 그게 또 다행이다.

"학생처럼 보이는데, 맞아요?"

"네? 아, 네. 맞아요."

"몇 살이에요? 저는 저기 석천고등학교 다니는 열일곱 살 서이진이라고 해요."

"아, 저는 재명고등학교 다니는 이도혁이라고 해요. 열여덟 살이에요."

"저보다 형이네요? 형이라고 불러도 돼요?"

배시시 미소 짓는 이진에 나도 모르게 고개를 끄덕인다. 붙임성이 좋구나 싶다. 존댓말 쓰는 나에 반말 쓰라고 하길래 얼떨결에 반말 쓴다. 이진은 처음 보는 나한테 묻지도 않은 것들을 떠벌린다. 이를테면 자기는 오로지 수영에만 전념하고 싶은데 부모님께서 공부를 강요한다든가, 국어 학원 등록하라고 한 돈으로 여기 수영장 새로 끊어 부모님 모르게 피로 풀고 싶을 때마다 여기로 온다든가, 자기가 한 달 뒤 전국 수영 대회에 나간다든가… 뭐, 그런 것들 말이다.

역시 상위 1%는 1%인지, 이진은 공부마저 잘했다. 공부 상위 3, 4%, 한마디로 1등급이다. 수영은 전국 대회 나갈 정도니 말 안 해도 1%. 겨우 나간 지역 대회 순위권에도 들지 못한 나로서는 대단할 뿐이다. 너무 대단해서 시기하는 것조차 어이없는 존재. 그냥, 완벽한. 그런 사람처럼 느껴진다. 드러내지는 않고 담담히 말을 듣는다. 시원하게 내뱉었다는 듯 아까보다 후련해진 이진의 표정이 눈에 선하다. 이상하게도, 출렁이는 물소리가 귓가를 메우자 단둘이 다른 세상에 있는 듯하다. 분명 남들과 같이 있을 때는 이런 느낌 느낀 적이 없었는데, 이진과 같이 있는 건 그런 느낌이다.

아니, 내가 동떨어져 있고 싶은 건가.

이진과 단둘이.

“형, 형 회원권이에요?”

“응.”

“형은 혹시 여기 오는 시간 정해져 있어요?”

“어? 뭐… 정해져 있는 건 아닌데, 비슷한 시간에 오기는 해.”

사람 없는 시간대만 골라서 오니까.

“언제 오시는데요? 형만 괜찮으면 같이 수영하면 안 돼요?”

“어? 같이?”

솔직히 이렇게 잘하는 이진에게 내 저급한 수영 실력 따위 보여주고 싶지 않다. 그런데 그 초롱한 눈망울이 자꾸만 나를 따라붙어서, 아니겠지만 제 하나뿐인 바람을 외치는 듯해서 차마 거절하지 못하고 고개를 끄덕인다. 활짝 미소 짓는 얼굴에 선택 잘 한 거라며 스스로 다독인다. 주중마다 오후 세 시나 다섯 시, 혹은 아홉 시. 올 시간대가 너무 많으니 시간 맞춰 오자며 번호까지 나눈다. 얘는 처음 본 사람한테 다 이러나. 조심히 가라며 저 먼저 빠르게 달아나 버린 이진에 혼자 덩그러니 남는다. 의도치 않게 얻게 된 번호에 휴대폰 화면만 물끄러미 내려다볼 뿐이다.

서이진. 정갈하게 적힌 세 글자는 서이진 그 자체를 나타내는 단어 같다. 만난 지 몇 시간도 안 됐지만, 서이진이라는 사람에 대해 어느 정도는 알게 된 듯하다. 그도 그럴 것이 이진은 내게 이런저런 정보를 다 알려줬으니까. 어릴 적, 맞벌이 부모님에 바빠서 시골에서 살다가 수영을 접하게 됐다든가, 이혼하기 직전인 부모님을 위해 수영 실력과 더불어 공부도 열심히 해야 한다든가, 사실 아버지의 외도를 알고 있다든가. 그런 시시콜콜한 얘기들이다. 전혀 시시콜콜하지 않은, 시시콜콜한 얘기들.

혀끝에서 이진의 이름을 굴린다. 삼키지도, 내뱉지도 못한 채 휴대폰으로 입술을 막는다. 잠시 도르르르 굴러간 두 눈이 향한 곳은 하늘이다. 푸르른 하늘 속, 새하얀 구름 하나가 둥둥 떠다닌다. 손을 뻗어 가리지 못할 하늘을 가린다. 손을 뻗어도 닿을 수 없는 곳에 순결한 구름 하나가 있다. 사람들은 갖지 못할 것을 바라곤 한다. 나도 그런 사람 중 하나일까.

철썩, 내 세상 속 서이진이 젖어 든다.

***

"혀엉."

이제는 익숙해져 버린 이진의 부름에 뒤를 돌아본다. 먼저 와서 텅 빈 수영장을 만끽하던 시간도 이제는 끝났다. 하지만, 함께 있는 시간이 더 기대되는 건 왜일까. 이진을 보며 수경을 위로 올린다. 먹먹한 귀가 이진의 부름에 단숨에 뚫리는 듯하다. 미소 짓고 있는 이진의 머리에서 물 한 방울이 뚝 떨어진다. 오늘도 다른 수영장에서 수영하다 온 듯하다.

"오늘도?"

"네, 오늘도."

이진의 대회가 이제 보름도 채 남지 않았다. 이진과 함께한 날이 보름이 넘었다는 뜻이다. 이진이 익숙해질수록 이진을 보는 날이 줄었다. 어쩔 수 없는 일이었다. 실은 이렇게 꾸준히 만나러 와주는 것만으로도 감사할 일이다. 천천히 걸어 내려오는 이진에게서 시선을 떼지 못한다. 길게 눌어붙어 떨어질 생각조차 하지 않는다. 그러면 이진은 키득거리며 내게 다가와 어깨를 툭툭 친다. 그 온기가 좋다.

장난기 가득한 모습도 연습에 들어가면 금방 사라진다. 수경을 내리고부터 이진의 연습은 시작된다. 이진의 종목은 경영 중 접영인데, 나는 접영을 제일 못해서 이진이 새롭다. 개인적으로 수영 중에 가장 체력이 많이 드는 종목인 것 같다. 그래서 다른 수영장에서 연습하고 온 이진이 여기서도 연습할 때면, 마냥 대단하다는 생각밖에는 안 든다. 자기 일에 몰두하고 있는 서이진은 멋지다. 누구나 이진을 본다면 그런 생각을 할 것이다.

한두 차례 연습을 마친 이진은 둥둥 떠다니던 내게 다가와 조곤조곤 말을 건넨다. 수영장에는 항상 우리 둘밖에 없어서, 작게 말해도 모든 소리가 들리고 울린다. 이진이 얘기하는 건 한정적이다. 그날의 자기 이야기, 혹은 밀린 날들의 자기 이야기. 매일 똑같은 일상 속 가끔의 균열을 들을 때가 있다. 대개 그 균열은 부모님에 의한 것이다. 맞벌이로 두 분 다 바빠 집에서조차 자주 마주치지 않지만, 만날 때마다 싸운다고 했다. 그럴 바엔 둘 중 한 분만 계시는 게 좋다며 이진은 종종 말하고는 했다.

잠깐의 어두운 분위기를 거치고 나면 이진은 한층 더 밝아져 다른 이야기로 화제전환하고는 했다. 억지로 밝은 척하는 게 보여 신경 쓰였다. 웃고 있는 얼굴은 익숙한 가면을 쓴 듯했다. 자꾸만 신경 쓰였고, 자꾸만 생각났다. 수영장에서도, 집에서도, 학교에서도. 종일 이진의 생각으로 머릿속이 가득 차 조금은 불편했다. 그렇다고 해 이진을 만나고 싶지 않은 것은 아니라, 또 만나기로 한 삼십 분 전부터 먼저 들어가 이진을 기다리고는 했다.

"오늘도 일찍 왔네요, 형?"

그 웃는 얼굴을 보는 게 좋아서.

***

이진의 대회 일주일 전, 이진이 어두운 얼굴로 수영장에 들어왔다. 무슨 일인지 굳이 묻지는 않았다. 어차피 조금 이따가 말해줄 것이라 생각했다. 그리고 그런 생각이 우습게 이진은 몇 번 첨벙거리더니 중간에 멈추고서 나를 바라본다. 뚝, 뚝. 이진에게서 물이 떨어진다. 톡, 톡. 이진에게서 슬픔이 떨어진다. 이진이 슬퍼하고 있다.

"무슨 일이야."

결국 참지 못하고 말을 건넨다. 후두둑, 떨어지는 눈망울이 수영장을 채운다. 실은 이 수영장 물이 모두 이진의 눈물로 이루어진 것은 아닐까, 싶을 정도로 눈물이 흐른다. 그렇다고 또 소리내어 우는 것은 아니라서, 끅끅대며 울음 참는 소리만 귓가에 웅웅댄다. 이진 근처의 물결이 출렁인다. 이런 모습 보는 게 정말 처음이라, 조금은 낯설게 느껴지기도 한다.

이진은 아무 말도 하지 않는다. 그저 울음을 참은 채 물기에 젖은 손으로 눈물로 적신 눈가를 닦을 뿐이다. 벅벅, 또 벅벅. 그래봤자 닦이지 않는 눈가에 비빌수록 붉어지기만 한다. 결국 이진의 손을 대신해 내 손을 뻗는다. 수모에 닦아 이진의 손보다는 물기가 적은 내 손으로 이진의 눈가를 부드럽게 어루만진다. 그 손길에 조금이나마 진정됐는지 거친 숨소리가 점점 잦아든다. 이윽고 훌쩍이는 작은 소리만 들리게 될 때쯤, 이진이 입을 연다.

"…아버지의 외도 상대를 알았어요."

"어? 아… 그거 때문에 그런 거야?"

"…남자더라고요."

움찔. 이진의 말 한마디에 몸이 멈춘다. 어색한 움직임으로 이진을 바라보며 눈가를 지분거리던 손을 멈춘다. 이진은 따가운지 제 손으로 눈가를 몇 번 벅벅 닦더니 두 눈을 깜박인다. 텅 빈 눈에 멈칫거리며 한 번 뒷걸음질 친다. 왜 그랬는지는 나도 모른다. 고개 숙인 이진의 모습이 낯설다.

이진은 말을 멈추지 않는다. 한번 시작한 얘기를 멈춘 적이 없다. 그게 아무리 자기 치부를 드러내는 일이 되더라도, 이진은 멈칫거릴지언정 얘기를 끊고 다른 얘기로 돌리지 않는다. 그래서 나는 또 이진의 사정을 다 듣는다. 나는 그저 들을 뿐이다. 이진은 말하는 입이고, 나는 듣는 귀다. 우리의 관계성은 고작 이런 것이다.

이틀 전, 이진은 수영장에 가는 길에 아버지를 봤다. 이진이 수영장을 가는 시간은 딱히 정해져 있지 않고, 학교와 학원 외 시간에 대다수 수영장에 가는지라 거의 오후 네 시 삼십 분부터 저녁 열 시까지는 아무 때나 수영장에 있는 경우가 많다. 그날도 마찬가지로 수영장으로 가는 길이었는데, 아무래도 저녁이었나 보다. 이진은 저 멀리 걷고 있는 제 아버지를 발견했다.

바깥에서 제 아버지를 보는 것이 오랜만이기도 했고, 반가운 마음에 이진은 달려가 아버지께 깜짝 인사를 하려 했던 모양이다. 그런데 이진이 달려가서 본 광경은 다정하고 그윽한 눈으로 옆에 있는 남자를 내려다보고 있는 아버지의 모습이었다. 어머니도 그런 눈으로 본 적이 없는데, 저도 그런 눈으로 봐준 적이 없는데, 그런 눈을 한 아버지를 보니 꽤 충격적이었던 모양이다.

아닐 거라고, 아니어야 한다며 이진은 아버지의 뒤를 밟았다. 어느새 수영장은 뒷전이었다. 하지만 이진이 아버지의 뒤를 밟아서 보게 된 장면은 그 남자와 아버지가 모텔에 들어가는 장면이었다. 들어가는 장면까지 다 지켜보지 못하고 이진은 결국 그 자리에서 달아났다. 그러고 미친 듯이 수영만 하다가, 이대로는 정말로 미칠 것만 같아서 나를 보러 왔다고 했다. 나한테는 미안하지만 어디엔가 털어놓고 싶어서.

“아버지는 게이일까요? …그럴 거면 어머니랑 도대체 왜 결혼한 건지 모르겠어요.”

“그러게.”

“어머니가 불쌍해요. …아버지가 경멸스러워요.”

사실 그런 상황에서는 내가 제격이기는 하다. 남 일에 크게 신경 쓰는 편도 아니고, 이런 말 들어봤자 어차피 내 일 아니라며 고민하지도 않는다. 다만, 원래 그랬던 내 심장이 과하게 뛰는 것은 왜일까. 약간의 식은땀이 흐르고, 쿵쾅대는 심장이 튀어나올 것만 같다. 이 밀폐된 공간에서 내 심장 소리가 울리면 어떡하지, 그런 걱정에 입을 열지 못한다. 입을 열면 목구멍으로 심장이 튀어 오를 것만 같아서.

“…형? 도혁 형?”

“…아, 어.”

“…역시 이런 말 부담스럽죠? 죄송해요. 근데 진짜, 누구한테라도 털어놓지 않으면 미칠 것만 같아서….”

“아… 아니야. 딱히 신경 안 써.”

“저, 정말요?”

“어, 내 일도 아닌데 뭐. 아무튼, 고생 많았겠네. 수고했어.”

손을 뻗어 이진의 머리를 두어 번 쓰다듬는다. 그러자 이진은 그제야 마음이 편안해졌다는 듯 환하게 미소 짓는다. 눈꼬리에 매달려 있는 눈물은 지난날에 과오를 씻어내는 듯 시원하게 떨어진다. 그 과오가 물을 타고 내게 닿는다. 나는 왜 이진의 과오를 뒤집어쓰는 걸까.

"아, 저 일주일 뒤에 대회 있어서 당분간 여기는 못 올 것 같아요. 보러 와 주실 거죠, 형?"

"어? 아… 최대한 가볼게."

"진짜요? 감사해요!"

환하게 미소 짓는 얼굴에 심장이 떨어진다. 떨어진 심장에 물이 스며들어 제 기능을 하지 못한다. 쿵, 풍덩, 쿵, 철썩.

쿵.

"…큰일 났다."

"네?"

"…아니야."

난 서이진을 좋아한다.

***

일주일 동안 진득하니 생각해봤다. 내가 서이진을 좋아하는가? 좋아한다. 연애 상대로서? 그렇다. 왜 좋아하는가? 웃는 게 좋고, 수영 잘하는 것도 멋지고, 조잘거리는 입도 좋고, 나를 담는 눈도 좋고, 그냥 다 좋다. 정말, 하나도 빠짐없이 다 좋다. 마치 내게 사랑받기 위해 태어난 사람처럼. 그렇다면 언제부터? …처음부터.

맙소사.

어질거리는 머리를 부여잡는다. 나는 처음부터 지금까지 쭉, 서이진을 연애 상대로 보고 있었다. 처음 느꼈던 그 두근거림이

실은 설렘이었던 것이다. 이 사실을 이진이 알게 되면 어떻게 될까, 제 아버지처럼 나를 경멸할까? 다시는 보지 못하게 될지도 모른다. 누군가를 좋아해 본 게 처음이라서, 하필이면 그 상대가 또 동성이라서 어떻게 해야 할지 모르겠다. 확실한 것은, 섣부른 고백으로 이진을 잃고 싶지 않다는 것. 굳이 연애 상대가 아니더라도, 이진은 너무 좋은 사람이다. 함께 있으면 즐겁고, 웃음만이 나온다. 자기 이야기를 해주는 것도 좋다. 주변에 그렇게 솔직한 사람이 많이 없다 보니 이진 같은 사람이 필요하다. 그래, 나한테는 이진이 필요하다. 연애 상대가 아니어도 친구로서도 필요하다. 겨우 마음을 전하고 싶다는 이유 하나만으로 잃을 상대가 아니라는 말이다.

고백은 안 한다. 그렇게 마음먹었다. 어설프게 마음을 고백해서 서이진을 잃을 바에는 그냥 이 상태 그대로 유지할 것이다. 크게 어려울 것 없다. 서이진은 그저 그대로 있어 주면 되고, 나만 자각하기 전으로 돌아가면 된다. 별로 어려울 것 없는 사이. 달라질 것 없는 사이다. 그리고 내가 무슨 짓을 하든, 그건 바뀌지 않는 현실일 것이다. …그게 조금, 섭섭한 것 같기도 하다. 또 섭섭하다고 해서 달라지는 것 따위가 없다는 것도 현실이다.

어쩔 수 없다. 처음은 서이진이 먼저 다가왔다지만 조금 이후부터 약자는 내가 됐다. 내가 더 서이진을 좋아했고, 내가 이 관계를 유지하고 싶었다. 서이진이 곁에 있기를 바랐다. 이 얄팍한 친구-혹은 그것도 안 되는 단순한 수영 메이트-관계를 유지하기 위해서라도 나는 서이진에게 다가가면 안 된다. 그래야만 한다. 욕심 따위는 사치니까. 갖지 못할 것을 바라는, 가져서는 안 되는 것을 바라는 미련 덩어리다. 눈을 감은 채 이진을 떠올린다. 귓가에 물소리가 들리는 듯 먹먹하다. 이진의 목소리가 수영장에 낮게 울려 퍼질 때 좋다. 이진은 그 목소리로 절망을 건넸다.

서이진 아버지는 남자다.
서이진 아버지 외도 상대도 남자다.

서이진은 남자다.
나도 남자다.

그래서 우리는 성립하지 못한다.
…잘 안다.

***

사람들의 호응 소리가 들린다. 이렇게 시끄러운 데 오는 건 딱 질색인데, 그래도 서이진이 부탁해서 왔다. 잘 보이는 자리에 앉아 이진을 기다린다. 이윽고 접영. 이진의 차례가 됐을 때, 이진이 나온다. 멀리 있어도 한눈에 알아볼 수 있다. 이진밖에 안 보이는데 못 알아볼 리가 없다. 이진도 나를 알아봤는지 배시시 웃는 얼굴로 손을 흔든다. 주변에서 자기한테 손 흔든 거라고 꺅꺅대던데, 다 아니다. 나다. 괜스레 자부심이 생겨 어깨를 편 채 이진을 내려다본다. 일주일만에 본 이진은 약간 야윈 것 같다. 연습을 많이 한 탓인지, 걱정 때문인지는 모른다.

이진은 웃고 있다. 일주일 전 일은 까맣게 지운 사람처럼. 그러니까 나도 지워야 한다. 이진을 좋아한다는 사실을 지워야 한다. 마냥 웃는 얼굴로 손을 흔든다. 해줄 수 있는 게 고작 이런 것뿐이더라도, 이진이 조금 더 힘을 냈으면 좋겠다. 내가 이진에게 힘이 되어줬으면 좋겠다. 그런 바람을 품은 숨을 날린다. 숨은 몽글몽글하게 변해 물에 닿는다. 이진이 그 물속으로 뛰어든다. 이진에게 내 바람이 닿았을까? 아마 닿았을 것이다. 그러기를 바라니까.

사 등에서 시작한 이진은 마지막에 일, 이 등을 다툰다. 심장이 떨려 차마 제대로 볼 수 없다. 그래서 그냥 두 손 꼭 모으고 기도한다. 하나님, 동성애는 죄악이라 하셨잖아요. 그러면 제가 서이진을 좋아하는 건 죄악이잖아요. 서이진이 일 등하면, 더 이상 서이진 안 좋아할게요. 교회도 다니면서 회개도 할게요. 그러니까 서이진 일 등만 하게 해주세요. 그렇게 열심히 연습한 서이진 얼굴에 꽃이 피게 해주세요. 서이진의 연습의 결과가 열매 맺게 해주세요.

서이진이 행복하게 해주세요.

삑—!

경기가 끝난다. 기도했던 대로 이진은 일 등이다. 시원하게 벗어던진 수경을 손에 쥔 채 세상 그렇게 밝을 수 없이 미소 짓는다. 모든 걱정 따위는 저 수경과 함께 벗어던진 듯하다. 이진에게서 흐르는 물방울이 수영장으로 떨어진다. 그 순간, 이진과 눈이 마주친다. 수영장에서 느끼던 괴리감, 둘만의 세상에 떨어진 기분이다. 입꼬리를 올려 웃으며 만족스러운 미소를 짓는 이진에 나도 웃음이 나온다. 수고했어. 얼른 이 말을 건네주고 싶다.

하나님 죄송해요. 좋아하는 건 그만둘 수 있겠지만, 서이진을 사랑하게 된 것 같아요. 시큰거리는 가슴을 부여잡은 채 이진에게 손을 흔든다. 전할 수 없는 마음은 수영장 저 가장 밑으로 가라앉힌다. 언젠가 이진이 잠수해서 찾게 된다면, 그때 전하겠다고. 지금은 친구로 만족해야 한다고. 그래도 곁에 있을 수 있다는 것만으로도 만족한다. 이렇게 이진의 행보를 지켜볼 수 있고, 응원할 수 있다는 게 좋다. 이진이 힘들 때 곁에 있어 주고, 힘을 줄 수만 있다면. 이진이 행복할 수만 있다면.

뚝, 떨어지는 물소리가 슬프지 않다.

제11화 축구부

살랑거리는 바람이 불어온다. 선선한 것을 보아하니 점차 가을이 다가오는 듯하다. 옅은 미소를 지은 채 발걸음을 옮긴다. 반팔은 이제 조금 추우려나. 서진은 조금 서늘한 팔을 두어 번 쓸어내린다. 청량한 가을하늘은 참 맑다. 문득 눈을 감으면 떠오르는 날이 있다. 터울이 많은 동생이 태어난 날. 서진에겐 처음 그 작은 손이 내 손을 쥐었을 때, 그날이 눈을 감으면 문득 떠오르는 날이다. 그 작은 생명체가 배시시 웃는 얼굴로 서진의 검지를 제 손에 꽉 잡았을 때, 그때 서진은 말로 차마 다 설명할 수 없는 행복을 느꼈다. 하지만 그 행복은 오래 가지 못했다. 선천적으로 몸이 한 동생은 집보다 병원에 사는 일이 많았고, 부모님도 서진보다는 동생에게 신경 쓰는 경우가 많았다. 나이 터울도 여섯 살이나 나니까, 어느 정도는 머리가 있어 혼자 살기 무리 없어서 그랬을지도 모른다.

괜찮았다. 서진도 동생을 사랑하고, 동생도 서진을 사랑하고, 부모님도 서진을 사랑하니까. 그 사랑 안에 모두 이겨낼 수 있다고 믿었다. 그래야만 한다고 세뇌었던 것 같기도 하다. 어리고 아픈 동생을 내버려 두고 자기를 신경 써달라고 떼쓸 수도 없는 노릇이었으니까. 서진은 강제적 어른아이였다. 괜찮지 않아도 괜찮다며 웃고, 괜찮다며 다독였다. 동생만으로도 힘들 부모님께 투정부리는 건 못된 딸이었으니까. 그래서 웃었고, 그래서 성장했다. 그렇게 성장한 아이는 커서도 부모님께 투정 한 번 못 부리는 착한 딸이 돼버려서, 정말 아무 말도 하지 못한 채 웃는 얼굴만 보일 뿐이었다. 웃어야지, 그래야 부모님께서 좋아하시겠지. 웃지 않고 투정 부리면 곧바로 나쁜 딸이 돼버리는 거였다. 그러고 싶지는 않았다. 그렇게 스스로 다독이며 살아온 지 어언 십일 년, 백혈병 진단을 받았다.

손에 쥔 진단서를 비참하게 구긴다. 이런다고 해서 달라지는 것 따위 없다는 것을 잘 알고 있지만, 이렇게라도 하지 않으면 조금은 원망스러울 것 같다. 꾹 억눌러 왔던 숨을 푸, 내쉰다. 그제야 좀 시원한 기분이 든다. 푸하하, 짧은 웃음이 가을 하늘을 가로지른다. 쥐락펴락하는 손이 시야에 들어온다. 어쩐지, 요즘 힘이 잘 안 들어가더라. 대수롭지 않다는 듯 제 상황을 물에 흘러가듯 말한다. 어차피 아무것도 없는 삶이었고, 이후도 다를 게 없다. 잃을 것 따위라고는 가족밖에 없는데, 그 가족은 자신에게 관심이 없어서 아픈지도 모르는 상태. 굳이 이후의 이야기까지 꺼내고 싶지는 않았다.

깜박, 서진이 두 눈을 비빈다. 몰려오는 피로감에 몸이 무겁다. 이 또한 백혈병 증상 중 하나라는 것을 알고 나니 궁금증이 풀린다. 하암, 짧은 하품을 이어 나가고서 가방 가장 깊숙한 곳에 진단서를 구겨 넣는다. 존재해봤자 득 될 게 없는 진단서다.

집이 유복한 편은 아니다. 서진이 태어났을 때까지만 해도 부족할 것은 없던 집이, 동생이 태어나자마자 쏟아지는 병원비로 항상 빚에 시달리게 됐다. 빚까지 내어가며 사랑하는 딸을 살리려는 노력이 있었다. 그리고 거기에 서진마저 아프다고 하면 제 부모님은 자신들이 무리하면서까지 살리려 들 게 뻔해서, 서진은 오히려 입을 다물고 있기를 택한다. 이러다가 죽어도 어쩔 수 없는 거라며, 결국 다 제 업보라며 그냥 그렇게 고개를 끄덕인다. 솔직히 말하자면, 굳이 살고 싶지도 않다. 동생을 사랑할 뿐, 동생이 서진의 인생에 기쁨을 주는 존재는 아니니까. 서진의 발목을 붙잡는 건 그 무엇도 없다. 이쯤 되니 그게 조금 서럽게 느껴진다. 도대체 무슨 삶을 살아왔기에 미련 하나 남아있지 않은 삶인지.

"…어떤 삶이긴, 보호자의 삶이지."

픽 흘리는 웃음이 무겁다. 웃고 있지만 웃고 있지 않은 느낌. 그리고 그런 서연을 아는지 모르는지 매정한 휴대폰은 또 제 할 일을 건네며 알람을 울린다.

-서진아 오늘 서연이한테 좀 가주겠니? 엄마 일이 안 끝나네…

-네, 엄마. 마침 지금 병원 근처니까 제가 갈게요.

-그래주겠니? 고마워 항상 미안하구나…

-너무 신경 쓰지 마세요. 걱정도 하지 마시고요.

바쁜 부모님을 대신해 동생을 돌보는 건 서진의 일상이다. 덕분에 공부는 손에 쥘 시간조차 거의 없었다. 그나마 남는 시간도 부모님을 대신해 동생을 돌보거나, 동생에게 이야기를 들려주는 식으로 써야 했으니까. 서진의 어린 동생은 호기심은 많아서 정말이지 매일 새로운 이야기를 가지고 가야 했다. 사실 서진에게 가장 버거운 건 매번 새로운 이야기를 가지고 가야 한다는 부담감이었을지도 모른다. 물론 그런 서진의 마음을 모르기에 동생은 매일같이 이야기해달라 조르는 것이겠지만.

쓰레기 취급하듯 진단서는 가방에 구겨 넣고, 힘없는 다리를 이끈다. 병원으로 돌아가는 뒷모습은 왜인지 모르게 쓸쓸해 보인다. 물론 정작 본인은 아무런 신경도 쓰지 않고 있을 테지만. 사실 서진은 지금 오히려 사랑하는 동생을 볼 수 있다는 사실에 기쁘다. 아무리 자기가 원하는 삶을 산 건 아니라지만 동생을 사랑하는 마음만큼은 변하는 게 없었으니까 어쩌면 당연한 일일지도 모르는 일이다. 서진은 단 한 번도 동생을 미워한 적이 없다. 서진은 일평생 동생을 사랑하는 삶을 살아왔고, 앞으로도 그럴 것이다. 단지, 그게 미련이 아닐 뿐이다.

솔직히 말하자면 족쇄라는 생각도 많이 했다. 그도 그럴 것이 서진에게 자유란 존재하지 않았다. 그렇다 보니 서진은 자유로운 모든 것을 동경했다. 이대로 치료하지 않고 살 수 있는 기간은 삼 개월. 그마저도 최대치일 뿐이다. 차갑게 얼어붙는 공기를 내쉬며 서진은 하늘을 본다. 푸른색이 덧입혀진 가을 하늘은 맑아도 너무 맑다. 사형 선고받기에는 너무 좋은 날씨다. 그런 제 마음을 아는지 모르는지, 차가운 바람이 불어온다. 으슬거리는 팔을 두어 번 쓸어내린다. 삼 개월, 하고 싶은 것 하나쯤은 하고 죽을 수 있다.

***

"저기, 축구부 매니저… 아직 신청할 수 있나요?"

갑작스러운 서진의 등장에 시선이 서진에게로 쏠린다. 갑작스러운 시선 집중에 서진은 똘망한 두 눈만 두어 번 끔벅이고서 고개를 수그린다. 망부, 라고도 불리는 축구부는 부원이라고는 거의 없다. 딱 축구 시합을 할 수 있을 정도의 부원. 적다고 할 수는 없지만, 대타도 뛰지 못해 각자 자기 할 일을 전부 해야 한다. 그런 망부에 여자가 매니저로 지원하다니. 남자로 득실한 축구부에서는 단비와 같은 존재다. 학생들은 당연히 서진의 존재를 환영했고, 서진은 별다른 힘을 들이지 않고 축구부 매니저가 됐다. 그래도 허투루 할 생각은 전혀 없었던 터라, 최선을 다해 해야겠다고 마음먹는다. 자료까지 전부 찾아보고, 축구부의 문제점과 보완해야 할 점 등, 이런저런 것들을 찾아 담당 선생님께 가져다드리자, 선생님은 축구부에 인재가 들어왔다며 좋아했다. 호탕한 선생님의 웃음에 서진은 괜스레 가슴 한구석이 아려왔다. 단순히, 죽기 전에 한 번이라도 자신이 선택한 일을 하고 싶어서 이러는 것뿐인데. 언제 죽을지 모르는 매니저 따위, 있어봤자 걸리적거리기만 할 뿐일 텐데.

하지만 그런 말을 입 밖으로 내뱉을 수 있을 리 없다. 서진은 제 모든 것을 꽁꽁 숨긴 채 입을 다문다. 밝힐 필요도, 이유도 없다. 하지만 문제점은 얼마 가지 않아 나오게 됐다. 그러니까, 서진이 축구부의 매니저가 된 지 정확히 일 개월 후의 일이다.

"오늘도 다들 수고 많으셨어요."

"서진이도 수고 많았어."

"네가 들어 온 후로 부가 많이 바뀌었다니까? 부원도 늘고."

"정말요? 그거 다행이네요."

"앞으로도 잘 부탁한다."

"네, 저도 열심히 할게요."

홀리듯 지원한 것치고는 부원들과 너무 친해져 버렸다. 학생들은 일도 잘하고, 축구부 중 유일한 여자인 서진에게 굉장히 관대하고 친절했다. 선생님도 일 잘하는 서진을 아꼈으니 서진의 부서 생활은 이래도 괜찮은 건지 의심이 들 정도로 편하고 즐거웠다. 가끔씩 몸에 힘이 빠지고, 주저앉고, 탈진해 버려도 다행히 부원들 앞에서 그런 적은 단 한 번도 없어서 아직 들키지 않았다. 해산하는 부원들을 뒤로하고 서진은 뒷정리한다. 사람들이 사용한 흔적을 보고 있자면 서진은 가슴 한구석이 시큰거린다. 실은, 매니저 같은 거 말고 축구부에 정식으로 입부하고 싶었다. 하지만 그럴 수 없다는 사실을 너무나 잘 알아서 지켜보는 것만으로도 만족하려 했다. 하지만 그것마저도 꽤 힘든 일이다.

달리는 일은 멋지다. 다만 그것에 멈추지 않고, 공과 함께 달리는 모습이 멋지다. 마치 공과 하나가 된 듯한 움직임은 동경할 수밖에 없는 모습이다. 그렇게 바람을 가르며 달리는 모습을 가만히 보고 있자면, 정말 그 모습에 반해버릴 수밖에 없어서 곤란하다. 햇볕에 탄 축구부의 까무잡잡한 얼굴은 그들만의 또 다른 매력이다. 그들이 달리는 모습을 보고 있으면 가슴이 두근거린다. 마음껏 관찰할 수 있다는 것만으로도 서진에게는 축복이다. 근래에 들어 몸 상태가 더 안 좋아졌지만, 축구부 일은 그만두지 않을 것이다. 서진은 이미 축구부에 진심이 돼버렸다. 그리고 여전히 서진의 가족은, 서진이 아픈 것을 모른다.

오늘도 어김없이 서진은 병원으로 향한다. 그래야 했다. 정리하던 도중, 몸을 일으키다 어지럼증을 느껴 쓰러지지만 않았더라면 서진은 동생을 만나러 병원에 갔을 것이다. 자신이 쓰러져 병원에 가는 것이 아니라.

끔벅, 무거운 눈을 들자 보이는 건 익숙하게 새하얀 천장이다. 서진은 곧바로 자신이 있는 곳이 병원이라는 것을 알아차릴 수 있었다. 깜짝 놀라 몸을 벌떡 일으키고서 주변을 살핀다. 자신은 분명 이미 전부 하교한 시간에 운동장에서 쓰러져서 자신을 보고 신고해 줄 수 있는 사람도 없었을 텐데, 도대체 누가 자신을 구해 준 건지 모른다. 식은땀을 흘리며 주변을 둘러본다. 그러자 그런 서진을 기다렸다는 듯 잠시 굳어 있던 목소리가 바깥으로 새 나온다. 그리고 그 목소리는 정확하게 서진의 귓가를 강타한다.

"…아, 일어났어?"

"…조현민?"

"나 아네."

축구부 조현민. 서진이 입부하고 나서 일주일쯤 후 축구부에 입부했다. 왜 입부했는지도 모를 정도로 자주 활동하지는 않아 막 친하다고는 할 수 없는 사이이다. 그런데 서진은 지금 왜 현민이 눈앞에 있는 건지 알 수 없다. 두 눈만 몇 번 깜박이고 나서야 서진이 말문을 연다.

"네… 가 왜 여기 있어?"

"그야, 네가 쓰러진 걸 봤으니까?"

철렁. 의문은 확신이 된다. 두근거리는 심장이 몇 번이고 아려온다. 어떡하지? 어떻게 해야 하지? 울렁거리는 속을 게워내고 싶다. 이제 더는 축구부 매니저로서 활동하지 못하는 걸까? 너무 큰 욕심이 화를 불러일으켰나? 두 눈을 꾹 감는다. 아마 부모님이 여기 계시지 않고 현민이 있다는 것은 현민이 보호자로서 있다는 뜻일 게 분명하다. 그렇다는 건 아마, 제 백혈병 얘기도 들었을 가능성이 높다. 불안함에 손톱을 물어뜯자 현민이 제지한다. 울먹거리는 눈이 현민을 담는다. 잠시 움찔거리던 현민은 서진의 손목을 놓고서 머쓱한 듯 뒷목을 긁는다. 서진을 보니 익숙한 사람이 떠오른다.

"뭘 걱정하는지는 모르겠는데, 너무 걱정하지 마."

"어, 어?"

"네가 걱정하는 일 아무것도 없을 거라고."

"내가 걱정하는 게 뭔 줄 알고…."

"말해주면 도와줄 수는 있지."

태평한 목소리에 왠지 모르게 웃음이 나온다. 픽, 한 번 웃음이 새자 현민도 조금은 안심했다는 듯 미소 짓는다. 어떻게 될지도 모르는데 마냥 웃는 저 자신이 낯설다. 그렇지만 마냥 나쁘지만은 않은 기분이라는 것을 안다. 한바탕 웃고 나니 부끄러워졌는지 헛기침하며 얼굴을 붉힌다. 조금 분위기가 풀어지자 현민은 조심스럽게 본론을 꺼낸다.

"근데 나 궁금한 거 있는데, 물어봐도 돼?"

"어? 뭔데?"

"…백혈병이면, 치료받아야 하는 거 아니야?"

쿵. 심장이 떨어지는 소리가 들린다. 다시금 욱신거리는 가슴이 아리다. 숨이 잘 쉬어지지 않는 것 같아 가슴을 두어 번 두드리자 걱정스러운 표정을 지은 현민이 다가온다. 괜찮다는 듯 미소 짓지만 괜찮지 않다는 것을 안다. 민감한 주제일 수도 있다는 것을 안다. 하지만 괜스레 걱정되는 마음에 어쩔 수 없이 이야기를 꺼냈다. 물론 들은 것마저 옳은 방법으로 들은 것은 아니라서, 괜스레 그게 또 미안해진다. 이렇게 힘들어할 줄 알았더라면 그냥 궁금증 따위 해소하지 않고 가만히 모르는 척했을 것을.

애써 미소 지으며 괜찮다고 말하는 서진을 눈에 담는다. 열린 창문 새로 가을바람이 스며 들어온다. 스치듯 흐트러지는 서진의 기다란 머리카락이 공중에 흩날린다. 담담한 듯 보여도 불안할 텐데, 어떻게 축구부 일마저 할 수 있는 건지. 현민이 아랫입술을 잘근 씹는다. 그런 현민의 모습을 보며 서진이 두 눈을 동그랗게 뜬다. 손목을 붙잡고 살짝 끌어당기고서 고개를 젓는다. 씹지 마, 상처 나. 그 말 한마디에 치아에 들어가던 힘이 잦아든다. 현민은 그저 고개를 끄덕일 뿐이다. 그 모습에 서진이 다시금 배시시 미소 짓는다. 자신 때문에 누군가 아프거나 걱정하는 것은 바라지 않는다. 신경 써주는 건 고맙지만, 과분하다.

너무 그렇게 신경 쓸 필요 없어. 그 말은 정말 진심이 담긴 듯해서, 현민은 더 이상 아무 말도 할 수 없게 된다. 진심으로 말하는 사람에게 걱정된다고 말하는 건 의미 없는 짓이다. 현민은 그것을 잘 알고 있고, 서진은 그런 현민의 배려가 고맙다. 조금은 이상하게 공존하는 두 사람의 마음이 조화롭게 이루어진다.

"그냥 모르는 척… 해줬으면 좋겠어."

"…그래."

"고마워, 이런저런, 모두 다."

"아니야. …근데."

"응?"

"앞으로, 친한 척은 해도 돼?"

"뭐?"

현민의 말에 두 눈을 동그랗게 뜨고서는 푸핫, 웃음을 짓는다. 이런 귀여운 허락이 또 어디에 있을까. 방금까지 세차게 뛰던 심장이 다른 의미로 뛴다. 누군가 자신의 의견을 묻고 허락을 묻는 것은 굉장히 오랜만이라서, 서진도 모르게 진심으로 미소 짓는다. 이렇게 환한 미소를 얼마 만에 지어봤는지 기억도 나지 않을 정도다. 당연히 되지! 활짝 미소 짓는 서진의 모습을 보며 현민은 두근거리는 심장을 부여잡는다. 얼굴에 열이 오를 것만 같아 결국 몸을 돌린다. 그만 갈게. 짧은 인사에도 서진은 미소 짓는다. 손까지 흔들어주며 인사하는 서진에 현민도 얼굴을 가린 채 반대쪽 손을 살짝 흔든다. 병실 문을 닫고서 그 문에 기대 주르륵 내려앉는다. 두근거리는 심장이 잠잘 생각을 하지 않는다.

"…하, 겨우 친해질 계기 만들었네."

서투른 가을이다.

***

현민과 서진은 빠르게 친해졌다. 그날 이후로 이상할 정도로 잘 참석하는 모습을 보였다. 담당 선생님도 현민이 뭔가를 잘못 먹었나 싶을 정도였다. 현민이 동아리에 와서 하는 일은 정해져 있었는데, 오자마자 곧장 서진에게 다가가 인사하는 것이었다. 그러면 서진은 또 언제 친해졌는지 환하게 미소 지으며 현민의 인사를 받아주었다. 솔직히 초반에는 현민이 어색하게 대하거나, 백혈병 사실에 관해 다 이야기할까 봐 굉장히 불안했는데, 그럴 것 같지도 않고 무엇보다 편하게 대해주는 현민에 서진도 빠르게 적응했다. 어느새 남자로 득실거리는 축구부에서 현민은 서진이 가장 의지할 수 있는 존재가 됐다.

"서진아."

"어, 응?"

"여기, 묻었다."

"아… 고마워."

그것과는 별개로 은근슬쩍 많아진 스킨십에 서진의 심장이 남아나지 않게 된 지도 좀 됐다. 아무렇지도 않다는 듯 무미건조한 얼굴과 다정한 목소리로 입가를 쓴다. 피부를 스치고 지나간 손가락은 정말 운동하는 애처럼 단단하고 거칠어서 왠지 모르게 두근거린다. 현민의 손가락이 스치고 지나간 자리를 매만지고 있자 주변에서 함성이 들린다. 우우, 그 목소리에 서진이 얼굴을 붉히며

빽 소리를 지른다. 그런 거 아니라며 부정하는 목소리에 되레 소리는 더 커진다. 목소리도 어찌나 큰지 서진의 목소리가 죄다 묻힌다. 어쩜 이렇게 놀리는 걸 좋아하는지 모른다. 붉어진 볼을 두어 번 두드리고서 서진은 고개를 젓는다. 그리고 서진이 그러든지 말든지 부원들은 현민에게 다가가 어깨동무를 한다.

"이야, 조현민! 맨날 그렇게 빠지더니, 힘순찐이었냐?"

"아, 뭐라는 거야…."

귀찮다는 듯 친구의 팔을 쳐내는 현민을 보며 서진이 미소 짓는다. 현민은 생각 외로 축구를 굉장히 잘했다. 심장이 두 개 있는 누군가를 떠올리게 하는 모습이었다고 해야 하나. 그렇다 보니 아무리 참여를 잘 안 했던 현민이라고 하더라도 금세 축구부의 인기 스타가 됐다. 다른 사람들 사이에 잘 스며드는 현민을 보며 서진이 미소 짓는다. 현민은 서진 때문에 참는다는 듯 고개를 저으며 툴툴댄다. 맞는 말이기는 하다. 현민은 오로지 서진 때문에 축구부에 나오고 있으니까. 서진을 보기 위해서.

현민은 축구 하지 않는 날이면 항상 서진의 곁에 있다. 처음에는 왜 그러나 싶었는데, 서진이 부담 갖지 않게 하되 서진을 지켜보고 싶어서 그랬다. 그래서 그냥 대놓고 있으니 서진도 점차 신경을 안 쓰는 듯 보여 성공했다고 생각했다.

고등학교 이 학년, 서투른 짝사랑이다.

"야, 백서진."

"백서진."

"서진아."

점차 다정해지는 목소리, 다정해지는 부름, 다정한 눈길과 손길. 처음부터 그랬을지도 모르지만, 그 모든 것을 눈치챌 정도로 서진은 눈치가 좋지 못하다. 어느 순간부터 현민이 곁에 있는 게 익숙해졌다. 눈을 돌리면 현민이 곁에 있었다. 불편하지 않게 적당한 거리감을 유지해 주며 곁을 맴도는 현민이 싫지 않았다. 점차 서진도 현민에게 곁을 허락했고, 그 거리감이 줄어들수록 현민이 서진의 곁에 있는 날이 많아지고 길어졌다. 자신의 비밀을 아는 유일한 사람이라서 더 그랬을지도 모른다. 다른 사람은 안 되고 현민은 되는 일이 많아졌다. 그러다 보니 자연스럽다면 꽤 자연스럽게 둘이 사귀냐는 이야기도 종종 나왔다. 서진은 항상 그런 거 아니라며 반박했지만, 생각해보면 현민은 단 한 번도 반박한 적이 없었다. 그게 참 이상했다.

차가운 단비가 내리던 날, 우산이 없었다. 당연하다는 듯이 현민은 서진의 반으로 와 서진을 찾았다. 아이들도 익숙하다는 듯이 서진의 위치를 알려주었고, 현민은 일 층으로 내려가 바깥 풍경을 바라보고 있는 서진의 등을 톡톡 두드렸다. 그러자 서진은 뒤를 돌아 현민을 바라보았다. 저를 부른 사람이 현민이라는 것을 알자 배시시 미소 짓던 얼굴은 한동안 현민의 머릿속에서 떠나지 못하고 오래도록 남았다.

"같이 갈래? 감기 걸리면… 안 되니까."

"응, 그러자."

하나밖에 없는 우산 속에서 커다란 몸을 구겨 넣고 서진과 함께 걸었다. 미안. 그 한마디와 함께 어깨를 감싸던 따스한 손길이 있었다. 붉어진 얼굴을 감출 틈도 없이 앞으로 나아가야 했다. 두근거리는 심장의 소리가 현민의 것인지, 제 것인지 알지 못했다. 젖은 어깨는 분명 축축한데, 그 축축함 위로 새겨진 따스함을 잊지 못했다. 잊을 수가 없었다. 결국 그날도 서진에게는 잊지 못할 날로 자리 잡아 버렸다.

조심히 들어가라며 집까지 배웅해 주던, 자신이 집에 들어간 후에도 방에 불이 켜지는 것까지 기다려 주던 그 모습이 아직도 두 눈에 생경하게 남아있는 듯했다. 왜인지는 모르겠지만 최선을 다하며 잘해주는 모습에, 자신보다 저를 먼저 생각해 주는 것만 같은 모습에, 저와 눈이 마주치는 순간 무표정이던 얼굴에 꽃이 피는 모습에, 서늘한 가을바람을 전부 막아주던 모습에, 현민의 그 다정한 모든 모습에 서진도 고개를 끄덕일 수밖에 없었다.

현민이라면 괜찮을지도 모른다.

"서진아."

"응?"

"오늘 나랑 같이 가자."

"으음… 그래."

환히 미소 짓는 서진을 보며 배시시 미소 짓는다. 약간 붉어진 얼굴에 서진은 고개를 갸웃거린다. 그러거나 말거나, 현민은 제가 하고 싶은 일을 한다. 서진의 가방을 들고서는 한 걸음 앞서 걷는다. 그러면 서진은 익숙하다는 듯 웃음을 흘리고서 현민의 뒤를 쫓는다. 내가 들 수 있다니까. 그 말에도 아랑곳하지 않고 현민은 그저 걷는다. 가끔 자기가 가방을 들려고 뛰어오르는 서진의 모습은 개구리 같기도 해서 웃음이 나온다.

개구리 같다고 말했을 때, 서진은 미간을 찌푸리며 개구리는 징그럽다며 최악이라는 듯 말했지만, 입꼬리만은 웃고 있던 기억이 있다. 작은 장난도 칠 수 있는 사이가 된 게 현민은 그저 기적처럼 느껴진다. 항상 지켜만 보던 서진과 이런 사이가 됐다는 게 얼마나 감격스러운 일인지 서진은 모를 일이다.

"서진아."

"응?"

"나중에 나랑… 같이 벚꽃 보러 갈래?"

멈칫, 서진의 발걸음이 멈춘다. 앞서가던 현민은 어느새 서진의 뒤에 있다. 서진이 천천히 고개를 돌려 현민을 바라본다. 현민의 서글픈 미소가 햇볕을 받아 반짝인다. 현민이 애써 용기 내서 말한 말에 답할 말이 없다. 뭐라고 말해야 할지 몰라 뻐끔대던 서진의 입가가 곧 애써 올라간다. 애써 입꼬리를 올리고서, 애써 미소 짓는 얼굴로 현민을 바라본다. 현민은 그 미소를 알고 있다. 항상 서진만 바라보고 있는데, 모를 리가 없다. 확신할 수 없는 무언가에 대한 작은 미안함. 용기에 대답하지 못한다는 미안함. 지금, 이 순간 미안함을 느낄 사람은 서진이 아닌데도.

"나중에… 기회가 된다면 같이 보러 가자."

"…응."

그렇게 말하는 서진의 표정은 너무 슬퍼 보여서, 그리고 서진의 그 표정이 무엇을 의미하는지 너무 잘 알고 있어서, 현민은 차마 아무 말도 할 수 없었다. 그저 아무 잘못 없는 애꿎은 손만 손톱으로 꾹꾹 괴롭히는 수밖에.

서진이 죽는다.

"형."

"응?"

"나 걔랑 친해졌어. 내가 좋아하는 애."

"누군데?"

"…백서진이라고, 예쁜 애."

"잘 됐으면 좋겠네."

"…응."

서글픈 미소를 짓는 현민을 보며 형이 고개를 갸웃거린다. 친해지기는 했는데 관계 발전은 잘 안되는 건가? 이런 현민의 모습은 처음 봐서, 저도 모르게 어떤 사람인지 궁금해진 탓이다. 정말 잘 됐으면 좋겠다는 바람과 함께 고개를 까닥인다. 고등학교 들어가자마자 좋아하는 애가 있다면서 난리 부르스를 치다가 아무것도 못 하더니, 이제야 좀 친해진 모양이다. 표정이 좋지는 않아 조금은 걱정이 되지만 그래도 친해졌다는 사실에 의의를 두기로 한다. 괜스레 뿌듯한 마음에 현민의 머리를 두어 번 쓰다듬는다.

그러자 현민은 하지 말라며 미간을 찌푸리고서 형을 향해 손을 내젓는다. 하하, 짧은 웃음을 흘린 후 고개를 돌린다.

"우리 겨울에 같이 가기로 한 스키장 말인데…."

섣부른 응원, 서투른 짝사랑, 나빠지는 건강.

쿨럭.

"…어?"

평상시와 같은 기침과 평상시와는 다른 무언가가 함께 쏠려 나온다. 피다. 서진은 굳은 채 움직이지 못한다. 각혈(咯血)이다.

각혈 이후, 서진의 몸 상태는 말이 아니다. 엄밀히 따지자면 각혈의 개념보다는 기침과 함께 출혈이 일어났다고 보는 것이 옳았지만 그게 그거다. 몸 상태가 말도 안 되게 안 좋아졌다는 것이기도 하다. 서진 본인이 그것을 모를 일은 없었고, 단순히 모르는 체했을 뿐이다. 여전히 서진의 부모님은 서진이 백혈병을 앓고 있다는 사실을 모르며, 여전히 서진은 제 동생을 위해 희생하고 있다. 아마 서진이 죽기 직전까지 변하지 않을 일상. 서진은 되레 이 일상이 소중하다. 그냥, 죽기 직전까지 편안하게 일상을 보내다가 가고 싶은 마음이다. 비록 그것이 이기적인 마음일지라도.

"서연아, 언니 왔어."

"언니!"

활짝 미소 짓는 동생을 보며 서진이 미소 짓는다. 그래, 서진은 동생만 있으면 충분하다. 동생은 서진을 행복하게 만들어주니까. 사랑도 사랑 나름이다. 환히 웃는 얼굴로 저를 반기는 모습에 애틋함을 느낀다. 익숙하게 의자를 빼 동생의 곁에 앉는다. 오늘은 또 무슨 일이 있었냐며 보채는 동생에 서진은 부드럽게 미소 짓는다. 다행히도 축구부 매니저가 되고 나서부터는 할 이야기가 많다. 그것이 제 생명을 깎아 먹으면서 하는 짓이라고 할지라도.

오늘은 말이야…. 이어지는 목소리에 동생은 귀를 기울인다. 그런 모습에 서진은 또 미소 짓는다. 어지러운 정신을 부여잡으며 동생에게 바깥은 어떤지 이야기해준다. 동생은 초등학교 삼 학년 이후로 학교에 제대로 다녀본 적이 없다. 서진은 그런 제 동생이 불쌍하다. 그래, 연민을 느끼는 것도 옳은 표현일지도 모른다. 서진은 제 동생이 불쌍하고, 행복했으면 좋겠다. 그런데 서진이 치료를 같이 받아버리게 되면, 동생의 행복이 줄어든다. 사랑하는 부모님과 사랑하는 동생의 행복이 줄어든다. 돈과 행복은 비례한다. 돈이 많다고 무조건 행복한 것은 아니지만, 돈이 없으면 불행하다. 어쩔 수 없는 현실이다.

동생은 큰 수술을 앞두고 있다. 이번 수술이 성공적으로 잘 끝나면, 건강해질 수도 있다고 했다. 그리고 가족은 그것에 희망을 걸었다. 동생은 일 개월 후 있을 수술을 위해 체력을 기르는 중이다. 그리고 부모님은 동생의 수술을 위해 돈을 모으는 중이다. 뼈 빠지도록 일해서, 어떻게든 동생을 위한 수술비를 마련해야 한다. 그런데 거기에 대고 나 백혈병이에요, 하면 부모님은 있는 보험을 모두 해지하고, 낼 수 있는 모든 빚을 내서라도 저를 살리려 들지도 모른다. 차라리 가족이 저를 사랑하지 않았더라면 그게 더 나았을지도 모른다. 병 같은 거 알리든 말든 신경 쓰지 않아 줬으면 이렇게 무거운 짐을 혼자 떠안고 살 필요 없을 테니까.

"…아니, 따지자면 혼자는 아닌가."

피식, 웃음이 샌다. 미소 짓는 현민의 모습이 아른거리며 떠오른다. 이 순간에 현민이 보고 싶다는 생각이 든다면 자신이 정말로 미친 걸까 싶다. 살면서 단 한 번도 누군가를 보고 싶다는 욕심 같은 거 내본 적 없었다. 아니, 없었다면 거짓말이겠지만 그런 이기적인 마음 따위 초등학교 졸업하기도 전에 먼저 졸업해 버렸다. 보고 싶은 동생은 병실에 틀어박혀 있어야 한다. 보고 싶은 부모님은 그런 동생을 위해 일해야 한다. 보고 싶은 친구를 만나기 위해서는 아픈 동생을 버리고 이기적인 행동을 해야 한다. 보고 싶은 애인을 만들기 위해서는 자신의 많은 것을 투자해야 한다. 중학생 때 딱 한 번 초콜릿을 받아본 적이 있지만, 누가 줬는지도 몰랐고 사귈 여력도 없었다. 그리고 그건 지금도 마찬가지다. 서진에게는 그게 또 버겁고, 무거워서. 지금 있는 것만을 지키기만으로도 벅차서 그 무엇도 바랄 수 없었다. 그래서는 안 되는 삶을 살아왔다. 그리고 서진은 이게 익숙하다. 그런데 익숙하지 않은 것이 서진을 침범해 버렸다.

물끄러미 동생을 내려다본다. 수척한 동생의 모습에 가슴이 울렁거린다. 사랑하는 사람의 이런 모습 따위 보고 싶지 않다. 사랑하는 사람이 힘들지 않았으면 좋겠다. 사랑하는 사람이 행복했으면 좋겠다. 그건 누구나 바랄 수밖에 없는 일일 것이다. 그래서 서진은 바란다. 그냥 자기 없이 셋이서 화목하고 행복하게 살기를 바란다. 그게 더 안정적일 것처럼 생각된다. 그런데 막상, 자기 없이 행복할 가족의 모습을 생각하면 눈물이 나온다.

"언니, 왜 울어?"

"…어? 아냐, 언니 안 울…."

"언니 울지 마…."

결국 같이 울먹거리는 동생이 서진을 껴안는다. 분명히 슬프지 않다고 생각했는데, 슬픈 모양이다. 주르륵 흘러내리는 눈물이 무겁다. 미련이 떨어지는 것만 같다. 떨어진 미련은 아무런 힘도 없이 바닥에 처박힌다. 결국 서진의 미래 모습이나 다름없다. 서진도 그것을 알고 있어 아랫입술을 억세게 깨문다. 비린 맛이 입안 가득 퍼진다. 욱신거리는 가슴이 제 심정을 드러낸다. 서진은 가족들과 헤어지고 싶지 않다. 그것이 제 욕심일 뿐이더라도.

그렇다고 해서 되돌릴 수는 없다. 이미 너무 늦어버렸다. 서진도 이미 알고 있다. 뒤늦은 욕심이라는 것도, 빌어서는 안 될 것이라는 것도 안다. 어차피 이루어지지 않을 것이다. 흐르는 눈물이 멎지 않는다. 아려오는 가슴이 백혈병 때문인지, 그것과는 다른 미련 때문인지 알 수 없다. 슬프지 않다고 생각했는데, 슬프면 안 된다고 생각했는데 역시 사람은 마음대로 안 되는 모양이다.

"…서연아, 언니가 당분간 아주 잠깐만… 좀 덜 와도 될까?"

"그러면 언니 안 울어?"

"응, 그러면 언니 안 울 것 같아."

"그러면 괜찮아. 언니 조금 덜 와도 안 울면 돼!"

"응, 언니 그러면 조금만 쉬다가 올게. 다녀와서는 서연이만 본다고 약속할게."

"응, 약속!"

새끼에 손가락을 걸고서 약속한다. 눈물을 그렁그렁 매단 채 미소 활짝 미소 짓는 서연에 가슴이 시큰거린다. 서연은 지금 자신이 무슨 말을 한 건지 알기나 할까. 청량한 가을하늘을 그저 물끄러미 올려다본다. 서진에게 남은 시간은 많아봤자 일 개월이다.

일 개월 동안, 하고 싶은 걸 과연 다 할 수 있을지는 모른다.

***

"현민아."

"어? 무슨 일이야?"

서진이 먼저 이름을 불러주는 건 굉장히 드문 일이라, 현민이 미소 지으며 뒤를 돌아본다. 뒤를 돌아보니 약간 불그스름한 얼굴로 서진이 저를 올려다보고 있다. 긴장 안 하고 봤다가 심장 망가질 뻔했다. 현민은 두어 번 심호흡하고서 무슨 일이냐며 다정하게 말을 건넨다. 왠지 그 목소리가 간질거린다. 서진은 몸을 배배 꼬며 또 슬쩍 현민을 올려다본다. 오늘따라 더 귀여운 것 같은 서진의 모습이다. 할 말이 있나 싶어 고개를 갸웃거리는데 아무래도 빙고인 모양이다. 서진은 현민을 조용한 곳으로 끌고 들어간다.

둘밖에 없는 조용한 공간에서 서진은 또다시 입을 다문다. 무슨 애기를 하는 건가 싶어 현민은 아무 말 하지 않고 조용히 기다린다. 잠시 기다리자 서진이 천천히 입을 연다. 서진의 입에서 나온 말은 굉장히 뜻밖이라, 현민은 자기가 꿈을 꾸고 있는 건지 잠시 고민해야 했다.

"…뭐라고?"

"나랑… 사귀지 않을래?"

"진, 진심이야…?"

"……."

잇지 못하는 서진의 말에 알 수 있다. 사귀자는 말은 진심이 아니다. 그렇다면 서진이 이런 말을 하는 저의는 무엇일까. 가슴 아프지만 곰곰이 생각해 본다. 착해 빠지기만 한 서진이 이런 거짓을 말할 정도라면 분명 큰일이 있을 것이다. 그리고 현민의 머릿속에 떠오르는 큰일이란, 그것밖에는 없다.

"…백혈병 때문이야?"

날카로운 현민의 질문에 서진이 움찔거린다. 꼼지락거리는 손가락이 느릿하다. 천천히 끄덕이는 고개를 보며 옅은 한숨을 내쉰다. 다행인지 불행인지, 그 한숨은 서진에게 닿지 않았다. 단순히 서진은 자기가 말실수했을까 봐 불안해할 뿐이다. 그 모습에 현민은 웃음을 피식 흘린다. 이렇게 돼서는 더 화낼 수도 없다. 애당초 서진에게 화를 낼 수도 없는 현민이지만.

현민이 손을 뻗어 서진의 머리를 느릿하게 쓰다듬는다. 거칠고 단단한 손이 머릿결을 쓸 때마다 서진이 움찔거린다. 낯선 감각이다. 누군가가 머리를 쓰다듬어 준 적은 많이 없으니까. 부모님은 항상 바빠서 서진이 뒷전이다. 서진이 아무리 잘해도 말로만 칭찬할 뿐, 머리를 쓰다듬어주는 등의 행위는 많이 해주지 못했다. 그런 서진에게 머리를 쓰다듬는 사람이 나타났으니, 서진도 꽤 낯선 감각이다. 부끄러움을 감추고서 가만히 있으니 현민의 낮은 목소리가 느릿하게 흘러나온다.

"사귀면, 어느 정도 사귈 건데?"
"많아도 한 달… 정도."
"이거 하나만 미리 말해둘게. 나는 너 진심으로 좋아해."
"…어, 어?"
정말로 몰랐다는 듯 고개를 번쩍 들며 두 눈을 크게 뜨는 서진에 피식 웃음을 흘린다. 그래, 내가 좋아하는 백서진은 눈치 꽝이지. 서진다운 면모에 이제야 웃음이 샌다. 지금 서진의 모습은 현민이 잘 아는 서진의 모습이다. 이유 모를 것으로 고백하는 서진이 아니다.
"그래도 괜찮다면, 우리 사귀자."
"하, 하지만…."
흐려지는 말꼬리가 길게 늘어진다.
"그러면 내가 너무 미안하잖아…."
"네가 왜 미안해."
"널… 이용하는 것 같잖아."
"딱히, 그렇게 생각하지는 않는데."
"나… 너 안 좋아해. 그냥, 죽기 전에 연애 한번 해보고 싶어서 그러는 거야. 그런데도 괜찮아?"
"응."
"왜…?"
"나도 너 죽기 전에 너랑 한번 사귀어보고 싶어서."
맞잡고 있는 손에 힘이 들어간다. 울망거리며 떨어지는 눈망울이 바닥으로 추락한다. 그러면 현민은 또 손을 들어 서진의 눈가를 쓴다. 다정하고 부드러운 손길이다. 그 손길에 몸을 맡기고 있으면, 진득하고 집요한 시선이 저를 바라보고 있다. 그 시선에 침을 한번 꼴깍 삼키고 마주하고 있으면 현민의 눈이 얼마나 깊은지 알게 된다. 현민의 눈은 정말이지 가늠하지 못할 정도로 깊어서, 보다 보면 빠져들게 된다.

"…나, 죽기 전에 키스 한번 해보고 싶은데."

그 말도 아마 충동적으로, 현민의 눈을 보다가 내뱉은 말일 것이다. 제정신으로 그런 말을 할 수 있을 리가 없으니까.

"그럼, 한 번 해보든가."

천천히 다가오는 입술은 뜨겁게 맞부딪힌다. 어느새 벽 쪽에 있는 건 서진이 됐다. 처음 해보는 입맞춤에 몸을 지탱하지 못하자 현민이 서진을 벽 쪽에 밀어 넣고 저가 받힌다. 서진은 현민에게 기댄 채 현민에게 맡길 뿐이다. 아무래도 현민은 처음 해보는 게 아닌가 보다. 그렇지 않다면 이렇게 잘할 리가 없으니까.

"그럼 우리, 사귀는 거다?"

***

"서진아."

"…아, 현민아."

"둘이 있을 때는 민이라고 부르기로 했으면서."

"아…."

목소리가 바람에 흩어진다. 붉어진 서진의 얼굴을 보며 현민은 키득거린다. 아무래도 서진은 이런 데 면역이 없다. 그래서 더 놀리기 좋은 것도 있다. 서진이 붉어진 얼굴을 식히려 손을 들면, 그 손을 맞잡고서 끌어당긴다. 그러면 서진은 속수무책으로 끌려온다. 깍지를 껴 잡으면 부끄러워하면서도 맞잡아 준다. 서진이 귀여운 것은 알고 있었지만, 이렇게 귀여울 줄은 생각도 못 했던 터라, 현민은 하루하루가 즐겁다. 너무 즐거워서, 이렇게 즐거워도 되는 건가 싶을 정도로 즐겁다. 그래서 현민은 불안하다. 이 행복이 언제 사라질지 몰라서.

그리고 그건 서진 또한 마찬가지다. 현민과 함께하는 날이 너무 즐겁다. 십팔 년 동안 살면서 현민과 함께한 일주일이 가장 행복했다고 자부할 수 있을 정도로 행복하다. 이런 제 모습이 낯선데, 또 드디어 살아 있는 느낌이 든다.

그렇게 현민과 서진이 사귄 지 어느새 일주일이다. 이제 많아 봤자 삼 주 남았다. 한정된 시간 속 행복함은 배가 된다. 하지만 그 끝에 있을 실망과 슬픔과 상실감을 알아서 서진은 그 끝이 오지 않기를 바란다. 물론 그건 현민 또한 마찬가지인 마음이다. 차라리 시간이 멈춰서 이 시간이 영원히 지속됐으면 좋겠다. 서진이 제 곁을 떠나지 않았으면 좋겠다. 하지만 이루어지지 않을 허황한 바람이라는 것을 알고 있다. 그래서 그 바람은 점차 얼어붙는 가을바람에 흘려보낸다. 그것밖에는 할 수 있는 일이 없다.

"날이 추워. 감기 걸리면 어쩌려고."

"네가 이렇게 챙겨주니까."

"말은 참 잘해요."

피식, 웃음을 흘리며 서진에게 담요를 두른다. 따스한 담요 속 스며들어 있는 온기는 현민에게서 나온 것이다. 그 온기를 한껏 맛보며 서진은 담요 속으로 얼굴을 묻는다. 그런 서진의 모습을 보며 현민은 웃음을 흘린다. 머뭇거리던 손은 서진의 어깨 위에 안착한다. 부드러운 손길에 서진은 움찔거리다가도 몸을 맡긴다. 현민이라면 괜찮다. 누군가를 좋아해 본 기억이 없지만, 그래서 누군가가 자신을 좋아한다는 느낌을 모르지만 현민을 보면 알 수 있다. 현민은 자신을 좋아한다. 그게 온몸으로 느껴져서 서진은 현민을 믿을 수밖에 없다.

현민 쪽으로 몸을 기울여 어깨에 기댄다. 밤하늘을 가득히 담고 있는 한강을 바라보고 있으면 어쩐지 마음이 편안해진다. 바람이 차기는 하지만, 그마저도 현민과 함께 있으면 그저 여흥일 뿐이다. 살포시 두 눈을 감고 바람을 느끼고 있으면, 그 바람을 타고 현민의 체향이 코끝에 와 닿는다. 그 체향을 한껏 들이켜면 온몸에 현민이 느껴지는 것만 같아 기분이 좋다. 배시시 미소를 짓고 있는 서진을 보면 현민도 기분이 좋다. 그래서 서진이 뭘 하든 말든 그냥 내버려 둔다. 그게 서진에게 해가 가는 일만 아니면 된다. 서진의 몸에 해가 되지 않는 선에서, 서진이 하고 싶은 일이라면 현민은 악마에게 영혼을 팔아서라도 들어주고 싶은 심정이다. 첫사랑은 서투르고 모양이 예쁘지 않지만, 처음이라 설레고 낯설어서 최선을 다하고 싶은 것이다. 처음일 때만 느낄 수 있는 풋풋함에 현민은 절여져 있다.

"있지 민아, 나 궁금한 거 있어."

"뭔데?"

"너는 언제부터 나 좋아했어?"

"…그런 게 궁금해?"

"응."

단호한 서진의 목소리에 현민이 뒷목을 매만진다. 붉어진 현민의 귓가를 바라보며 풋 웃음을 흘리자 현민의 피부에 붉은색이 늘어난다. 저런 반응을 보이니까 괜히 기대되네. 귀엽기도… 하고. 키득거리며 현민의 반응을 보고 있는데, 한쪽 손으로 얼굴을 가린 채 중얼거린다.

"…중학교 일 학년부터."

"…어?"

"그때, 우리 만난 적 있어."

서진은 예상치 못한 현민의 말에 조금 당황스럽다. 솔직히 말해서 끽해야 고등학교 일 학년일 줄 알았다. 처음 현민과 말문을 트게 된 날, 제 백혈병 사실을 현민에게 들킨 날 현민은 저를 원래부터 알고 있는 눈치였으니 저를 좋아한다고 고백했을 때 본능적으로 좋아하기 시작한 건 그때부터가 아니라는 것을 알았다. 그래서 현민은 자신을 좋아하는 동안 쭉 지켜봐 왔겠구나, 그게 고작 한 달밖에 안 된 마음은 아니겠구나 싶었다. 그런데 갑자기 나온 이야기는 중학교 일 학년. 사 년 동안 자신을 짝사랑했다는 말에 얼굴이 달아오르면서도 무슨 사연인지 궁금해졌다. 분명 중학교 일 학년 때는 점점 아파지는 동생을 돌보느라 그 무엇도 신경쓰지 못했던 시기였을 텐데, 그런 자신을 보며 사랑을 키웠다는 현민이 궁금해졌다.

서진이 현민의 손 위에 제 손을 살포시 겹친다. 그 손을 한 번 내려다보고, 서진을 한 번 올려다본다. 맞닿은 시선에서 웃음이 흘러내린다. 철썩이는 한강 소리가 귓가를 맴돈다.

"그냥, 별건 아니었어."

***

입학식 날이었다. 길을 잃고 헤매던 현민에게 먼저 다가와 손을 내밀어 준 사람이 있었다. 하필이면 지각한 탓에 주변에 사람도 거의 없었는데, 동생 때문에 입학식 날 조퇴하던 서진이 현민을 안내해 준 것이었다. 달린 명찰에 새겨져 있던 이름은 백서진. 다음에 만났을 때, 보답이라도 하려고 이름을 몇 번이고 되새겼다. 백서진, 백서진. 그리고 그렇게 외운 보람이 있게 서진을 다시 만났을 때는, 긴 생머리를 흩날리는 미녀가 돼 있었다. 왠지 가지고 있는 초콜릿을 그냥 건넸다가는 고백하는 모양새처럼 돼버릴 것 같아서, 현민은 그냥 서진의 서랍 속에 몰래 넣어두고 도망쳤다. 그리고 혹시 서진이 안 좋아할까 봐 몰래 숨어서 반응을 지켜봤다. 서랍을 연 서진의 얼굴에 피어난 웃음꽃이 너무나 예뻐서, 예고도 없이 만개해 버려서 현민의 심장을 강타해 버렸다.

그렇다고 해서 좋아한다고 생각하진 않았다. 그냥 조금 관심이 가는 애, 딱 그 정도로만 생각했다. 자꾸만 시선이 가고, 신경이 쓰이지만 관심이 가서 그런 것이라 생각했다. 벌써 잘 모르는 애를 좋아하게 된 게 아니라고, 그렇게 생각하고 싶었다. 그리고 그날도 어김없이 서진을 쫓고 있던 날이었다. 서진은 사람 없는 한

적한 곳으로 가더니 갑작스럽게 주저앉아 눈물을 흘렸다. 왜 그런지는 알 수 없었다. 그저 울고 있는 서진의 모습을 지켜볼 수밖에 없었다. 그런 모습을 보고 있는 게 예의가 아니라는 것은 알고 있었지만, 왜인지 서진을 두고 그 자리를 뜨고 싶지 않았다.

항상 웃고 있어서 강인한 줄로만 알았는데, 그게 아니었다. 처음 보는 모습이 우는 모습인데도 현민은 가슴이 두근거렸다. 숨어서 운다는 뜻은 남에게 보여주고 싶지 않은 모습이라는 것. 그렇게 오랫동안 지켜봐 왔는데 처음 보는 모습이라는 것. 처음이라는 단어는 현민의 심장을 간질거렸다. 옳지 않은 일이라는 것을 알아도 자리를 뜰 수 없었다. 약해 보이는 서진을 보며 지켜주고 싶다는 생각이 들었다. 곁에서 지켜주고 싶었다. 나서지는 않되 그 자리를 지키며 다가오는 사람들을 쳐냈다. 그렇게 현민은 서진의 수호천사와도 같은 존재가 됐다.

"그냥, 그뿐이야."

"그, 그 모습을 봤다고…?"

서진이 붉어진 제 얼굴을 감싼다. 부끄러운 모양이다. 그 모습을 보며 이제는 되레 현민이 키득거린다. 손을 뻗어 팔 속에 서진을 가두고서 서로의 체온을 나눈다. 얽힌 숨이 무겁다. 현민은 서진의 어깨에 제 얼굴을 묻는다. 깊게 스며드는 서진의 체향을 맡으며 기분을 안정시킨다. 서진의 머리를 매만지다가 짧게 입을 맞춘다. 간지러움에 키득대는 서진을 보며 미소 짓는다. 갇힌 시간 속에서 살 수 있다면, 그게 더 행복할 것 같다.

좋아해. 말할 수 없는 말을 목구멍으로 삼킨다. 마음을 전한 건 그때 한 번으로 족하다. 마음을 전해봤자 서진은 받지 못한다. 받는 건 이기적이고, 서진은 이타적이다. 제 마음인데 마음대로 하지 못한다는 사실이 조금 서글플 때도 있지만, 서진을 위한 일이라 되뇌며 고개를 젓는다. 서진은 모른다. 현민이 자신을 얼마나 좋아하는지. 단순히 말로 표현할 수 없는 감정이다. 끓어오르는 사랑을 주체할 힘이 없다. 고작 말로 설명한 것으로는 전부 표현할 수 없다. 서진을 좋아하게 된 계기만 말했을 뿐, 그 이후의 행적은 말해주지 않았으니까. 서진은 두근거리는 심장을 부여잡으며 현민을 올려다본다. 마주한 두 시선이 부드럽다. 피식 웃는 얼굴로 서연이 손을 뻗어 현민의 두 뺨을 어루만진다. 현민은 서진이 하는 행동의 의미를 안다. 천천히 두 눈을 내리감으며 서진과의 거리를 좁힌다. 맞닿은 입술의 온기를 느끼며 서로의 숨을 섞는다. 하나가 되는 과정처럼 느껴진다.

차라리 서진이 아니라 자신에게 백혈병이 있었더라면 더 좋았을까. 남겨진 이의 슬픔을 느끼지 않아도 되니까 더 나았을까. 감고 있는 두 눈에 힘을 준다. 그 힘에 결국 미간에 주름이 생긴다. 그러든 말든, 현민은 힘을 풀지 않는다. 풀지 못한다. 서진은 찌푸린 현민의 미간을 볼 수 없다. 열려 있는 입술 새로 나오는 말은 없다. 현민은 함부로 말할 수도, 그 심정을 알 수 없다.

자신은 아프지 않으니까.

아픈 건 자신이 아니니까.

결국, 축구부 합숙이 시작됐다.

"괜찮겠어?"

"응… 괜찮아."

"무리하지 말고 무슨 일 있으면 꼭 나한테 말해."

"응, 그럴게."

이제 살 수 있는 날도 보름 정도밖에 안 남았던가. 서진은 기억이 가물가물하다. 툭 치면 금방이라도 쓰러질 것 같은 몸뚱어리를 애써 이끌고서 차에 올라탄다. 서진의 옆자리는 선생님 옆이다. 다 남정네들밖에 없어서 선생님이 배려했다고는 하는데, 그 배려가 서진에게는 되레 독이 됐다. 어지러운 머리는 속을 울렁거리게 한다. 앞자리인 것은 불행 중 다행이지만, 마냥 다행이라고 여길 수도 없다. 불쑥불쑥 머리를 내밀며 걱정하는 현민의 모습에 피식 웃음이 샌다. 선생님께는 멀미하는 거라고 대충 둘러대고서 눈을 감는다. 무거운 몸과 느껴지는 피로감이 힘들기만 하다.

덜컹!

순간 머리를 부딪혀 깬다. 욱신거리는 온몸에 미간을 찌푸린다. 이곳저곳에 든 멍이 익숙하다. 아랫입술을 살짝 깨물고서 고개를 숙인다. 백혈병 증상 중 하나다. 다행히 가을이라 긴팔을 입고 다닐 수 있지만, 여름이었다면 굉장히 곤란했을 것이다. 옅은 한숨을 내쉬며 다시금 잠을 청하려 하는데, 그 순간을 기다렸다는 듯 울컥하며 뜨뜻한 것이 흘러내린다.

"서진아!"

선생님의 외침에 눈을 뜬다. 또, 또 코피가 흘러내린다. 서진은 미간을 찌푸린 채 콧방울을 누른다. 선생님의 외침에 현민은 눈치 챈 것인지 거즈를 들고 앞으로 달려 나와 서진에게 건넨다. 서진은 익숙하다는 듯이 받아들고, 학생들과 선생님은 두 사람을 멍하니 쳐다본다. 그러거나 말거나 두 사람은 지금 서로밖에 없다는 듯 다정하게 이야기를 나눈다.

"괜찮아?"

"응, 괜찮아. 많이 나지는 않아."

"그래도 잘 지혈해. 또 터지면 어떡해."

"아마 방금 버스에서 머리 부딪혀서 그런 것 같아."

"그러게 내 옆에 앉…."

그 순간 자신들이 있는 장소를 알아차린 것인지 문득 고개를 든다. 확 붉어지는 얼굴에 다들 두 사람을 놀리기 바쁘다. 그러자 현민은 결심한 것인지 두 눈을 부릅뜬다.

"그래, 우리 사귀거든? 그러니까 너, 나랑 자리 바꿔."

제 옆에 앉아있던 아이에게 손가락질하자 그 아이는 똥 밟았다는 표정을 지으며 자리를 바꿔준다. 어깨를 툭 치고서 너, 나한테

빗진 거다? 이러고는 키득거린다. 그러든가. 짧은 현민의 한마디에 재미없다는 듯 쯧쯧. 뒤쪽으로 가서 현민은 조심스럽게 서진의 머리를 제 어깨에 올린다. 퀭한 얼굴의 서진이 조심스럽게 말을 건넨다.

"민이 너… 나중에 뒷감당 어떻게 하려고…."

"괜찮아. 지금은 그런 거 하나도 신경 쓰지 말고, 그냥 자."

"…응… 나 너무 피곤하다…."

커튼을 치고서 서진을 몇 번 다독인다. 정말 피곤했던 것인지 점차 눈을 감는 서진을 물끄러미 바라만 본다. 슬쩍 내려간 옷 사이로 짙은 멍이 보인다. 입술을 꾹 깨물고서 고개를 돌린다. 사실 지금이라도 치료받으면 좀 나아지지 않을까, 하는 생각이 자꾸만 현민을 탐식한다. 솔직히 말해서, 자기 욕심뿐이라고 하더라도 서진이 오래 살아줬으면 좋겠다. 힘들어도, 고통스러워도 제 곁에 있어 줬으면 좋겠다. 물론 무모한 바람이라는 것은 안다. 서진이 더 고통스러울 수도 있다는 것도 안다. 그래서 제 욕심일 뿐이다. 단 한 번도 입 밖으로 내 본 적 없는 작은 욕망덩어리.

너무나도 작은 숨소리와 들썩임에 괜스레 두려워진다. 침을 한 번 꼴깍 삼키고서 검지를 슬쩍 뻗어 서진의 코에 가져다 댄다. 서진이 숨을 쉬고 있다. 옅은 안도의 한숨을 푹 내쉰다. 욱신거리는 가슴은 긴장했다는 것을 알려준다. 쿵쾅대는 심장에 손을 얹고서 두 눈을 내리감는다. 눈을 감으면 소리가 잘 들린다. 서진의 숨소리를 들어야지만 안심할 수 있을 것 같다.

새근새근. 작은 숨소리가 울려 퍼진다. 약간은 불규칙한 숨소리를 듣고 있자면 서진의 건강이 얼마나 불안정한지 알 수 있다. 두 눈을 꾹 감은 채 입술을 짓이긴다. 서진의 건강을 바라는 것이 너무나 큰 일인 것만 같아서, 세상이 전부 그 일을 방해하고 있는 것만 같아서 현민은 그게 조금 버겁게만 느껴진다. 꽉 쥔 손에 난 고통의 자국 따위 서진의 아픔에 비하면 별것 아니다.

어느새 도착한 합숙 장소에 현민은 조심스레 서진을 깨운다. 요새 면역 체계가 약해져서 그런지 부쩍 잠이 는 서진에 현민은 종종 심장이 덜어질 것 같은 느낌을 받고는 한다. 그냥 잠든 것이라는 걸 알고 있으면서도 두근거리는 심장은 어쩔 수 없다. 잠든 서진을 보면 몰래 숨 쉬는 걸 몇 번이나 확인했는지 모른다.

깜박, 서진이 무거운 눈을 뜬다. 천천히 몸을 일으키자 뻐근함이 느껴진다. 두근거리는 심장박동이 평소보다 옅다. 가슴께에 손을 한 번 얹고서는 현민을 올려다본다. 현민은 고개를 갸웃거리며 다정한 미소를 지을 뿐이다. 그에 서진은 시선을 피한다. 현민은 뭔가 이상하다는 것을 느꼈지만, 뭐라고 할 수는 없다. 다물린 입술을 한 번 내려다보고서 고개를 돌릴 뿐이다. 서진은 직감할 수 있다. 이번 합숙 훈련이 고비가 될 것이다.

"자, 다들 놀러 왔다고 생각하지 말고 성실하게 임하도록."

"아 샘, 여기까지 왔는데 무슨 훈련이에요."

"성실하게 임하도록."

샘의 단호한 말에 애들은 의기소침해진다. 그런 모습을 보며 키득대는 서진에 현민은 질투 나는 듯 툴툴댄다. 그러면 서진은 웃는 얼굴로 손을 뻗어 현민의 머리를 쓰다듬는다. 대형견 같은 느낌이 좋다. 이제 애들도 전부 알았겠다, 거리낄 것 없다는 느낌이다. 애들은 그런 두 사람을 보며 혀를 차기 일쑤였지만.

솔직히 말하자면 서진은 이미 현민에게 감정이 생겼다. 어떻게 보면 당연할 수밖에 없는 일이다. 현민은 저에게만 다정했고, 저를 사랑했고, 저를 위해 헌신했다. 이렇게 가까이서 그 모습을 전부 지켜보고 있으면 아무리 마음 없는 사람이라도 움직일 수밖에 없을 것이다. 심지어 서진은 현민이라면 괜찮다고 생각했으니, 애초에 마음이 어느 정도 있다는 전제였다. 그 누구도 제 발목을 붙잡는다고 생각하지 않았고, 그러지 않기를 바랐는데 서진은 자꾸만 제 발목을 붙잡고 늘어지는 현민이 두려웠다. 이렇게 가다가는 자꾸만 살고 싶어질 것 같아서, 현민과 헤어지고 싶지 않을 것 같아서, 치료받고 싶어질 것 같아서.

현민이 그럴 바란다는 것은 이미 알고 있는 사실이었다. 하지만 알면 안 됐다. 서진은 이대로, 조용히 죽어가야 하는 존재였다. 이따금 현민과 사귄 것을 후회하기도 했다. 현민이 저를 좋아하는 줄 알았더라면 그때 그런 말은 입 밖으로 내뱉지 않았을 것이다. 더불어 제 병세를 알고 있는 현민이라면.

현민에게 미안한 감정만이 남아있다. 현민은 저가 죽을 것을 알고 있다. 많아봤자 한 달이라고 한 말도 현민이라면 금방 이해할 수 있었을 것이다. 시한부 연애, 시한부 사랑. 죽을 사람을 사랑하는 현민의 심정은 어떨까. 차마 이해할 수가 없다. 가슴께를 꽉 쥔 채 비틀거린다. 점점 빈혈이 심해진다. 이대로 가다가는 정말 오래 버티지 못할 것 같다는 생각이 들 정도다. 입술을 깨물며 정신을 차린다. 비린 맛이 입안을 장악해도 모르는 체한다. 살고 싶지 않다. 살고 싶지 않아야 한다.

서진은 죽어야 한다.

"서진아, 물 좀 마셔."

"…아, 고마워 민아."

"뭘, 이런 거 가지고."

빙긋 미소 짓는 현민의 얼굴에 가슴이 시큰거린다. 차라리 현민이 제 병세를 알지 못했더라면 조금 더 편했을까. 일렁이는 가슴을 부여잡은 채 애꿎은 입술만 잘근대며 씹는다. 현민이 엄지로 하도 씹어대서 망가진 입술을 매만진다. 가까워진 거리에 숨을 참는데, 현민은 걱정스러운 표정뿐이다. 주머니에 쟁여두었던 립밤을 꺼내고서 조심스럽게 발라준다. 이런 것, 별 소용도 없는데 현민은 그렇게도 열심이다. 서진 본인보다도 열심이다. 그게 또 서진의 가슴을 아리게 한다.

욱신대는 온몸에 숨이 벅차다. 이대로 말라비틀어져 죽어버릴 것만 같다. 서진은 두 눈을 꽉 감은 채 아무 말도 하지 않는다. 선생님께는 코피 났던 걸로 양해를 구해 합숙 동안 최대한 일을 하지 않는 방향으로 했다. 그리고 그런 서진을 현민이 간호하기로 했다. 선생님이 서진의 병세를 아는 것은 아니지만, 실력으로 보여주겠다고 자부하는 현민의 모습에 결국 고개를 끄덕일 수밖에 없었다. 현민이 합숙 오기 전에 보여준 모습이 아니었더라면, 선생님은 고개를 끄덕이지 않았을 것이다.

서진은 방에 누운 채 가만히 천장만을 바라본다. 바라보기만 하는데도 어지러운 머리에 갈 데까지 갔구나 싶다. 결국 눈을 감은 채 주변 소리만 듣는다. 가까이에 계곡이 있어서 그런지 졸졸 흐르는 물소리가 정겹게 느껴진다. 천천히 감았던 눈을 뜨면 현민이 곁에 있다. 현민이 없었더라면 아마 이 외로운 공간에서 혼자 버텨야 한다는 강박에 시달렸을 것이다. 천천히 차가운 손을 뻗어 현민의 뺨을 쓰다듬으면 현민은 따스한 손으로 제 손을 감싸준다. 따스함이 몰려오면, 그와 동시에 또 잠이 몰려온다. 눅진한 몸은 기력을 보충할 생각을 하지 않는다. 어지러움을 느끼지 않으려면 누워있는 수밖에는 없다.

머리카락이 푸석해지고 빠진다. 음식 섭취 자체가 힘드니 단백질이 부족해서 가뜩이나 안 되는 세포의 활성화가 더 안 되는 모양이다. 기침 한 번 하면 현민은 깜짝 놀라 허둥대며 서진에게 물을 건넨다. 피식 웃음을 흘리면 현민은 웃지 말라며 눈물을 글썽인다. 진심으로 걱정하는 현민에게는 조금 미안한 말이지만, 현민이 너무 귀여운 탓이다. 그렇게 생각하다가도 문득 더는 좋아하면 안 된다는 생각만 든다. 그럴 때면 서진은 눈에 띄게 침울해져 고개를 숙인다. 서진이 그럴 때마다 현민은 걱정스러워 어쩔 줄을 모른다. 그런 현민을 전부 알면서도 모르는 체할 수밖에 없다.

…미안. 말할 수 없는 말만 입안 가득히 머금는다.

***

합숙 마지막 날, 그때까지 서진은 결국 병상에서 일어나지 못했다. 일어설 수 없었다는 표현이 더 적절할지도 모른다. 다리가 더는 움직이지 않았다. 서진의 자유는 완벽하게 빼앗겨 버렸다. 밤사이 계속해서 열이 오르는 서진을 돌보느라 현민도 꽤 힘들었다. 잘 자지 못해 푸석해진 피부를 두어 번 매만지다 꾸벅대며 고개를 숙인다. 뻐근한 몸을 애써 일으키며 주변을 살핀다. 어스름한 새벽녘에 깬 건 굉장히 오랜만이라, 모든 게 낯설게만 보인다.

서진은 아직 무거워 잠이 덜 깬 눈을 몇 번 깜박이다가 손으로 비빈다. 깊은 하품이 샌다. 차가운 가을밤의 공기가 피부에 닿는다. 소름이 돋은 듯한 팔을 천천히 쓸어내린다. 애써 몸을 일으키자 일으켜진다. 그에 서진은 화색이 된다. 아직 현민이 자고 있다는 것을 한 번 더 확인하고서는 천천히 바깥으로 향한다. 차디찬 공기가 서진의 뺨을 스치고 지나간다. 맑은 공기를 폐부로 들이면 자신도 모르게 건강해진 것 같은 기분이 든다. 배시시 흐르는 미소는 막을 수 없다. 서진은 주먹을 두어 번 주억거린다. 힘이 들어가지 않는다. 지금은 일어선 것만으로도 감사해야 할 판이다.

그래도 넘어져서 현민을 걱정시키면 안 되니까 조심조심 걷는다. 걷는 건 조금 무리라고 생각할 수도 있지만 이 기회가 아니면 또 언제 걸을 수 있을지 몰라서, 포기하고 싶지 않다. 또, 언제 이곳에 다시 오게 될지도 모르고 말이다. 단풍잎이 서진의 앞에 떨어진다. 손을 뻗자 손 위에 안착한다. 붉게 물든 단풍잎의 모습에 웃음이 나온다. 그러다가도 문득 제 처지가 생각나 마음껏 웃을 수가 없다. 긍정적으로 생각하고 싶었는데, 그러자고 마음먹었는데 그게 말처럼 쉽지 않다. 손에 쥔 단풍을 꾹 쥐고서 무작정 걷는다. 질질 끌리는 다리를 애써 모르는 체한다.

얼마나 걸었을까, 멀리 걷지도 못했다. 저 멀리 숙소가 보인다.

그런데도 이렇게 숨이 벅차 더는 걸을 수가 없다. 헉헉대며 서진은 식은땀을 흘린다. 핑 도는 눈앞에 다리도 움직이지 않는다. 마른침을 버석한 목구멍 너머로 삼키며 벤치에 겨우 걸터앉는다. 울렁거리는 속이 무겁다. 어질한 머리를 부여잡고 하늘을 바라보면, 맑고 푸른 하늘이 있다. 천천히 눈을 감아 바람을 느낀다. 오랜만에 느끼는 신선한 바람이다. 또다시 몰려오는 잠은 참기가 힘들다. 이 전경을 눈에 담고 가고 싶은데…. 추가 달린 듯 무거운 눈은 들기조차 힘들다. 서진의 바람은 이루어지지 않는다.

…진….

익숙한 목소리.

…진아.

누군가가 부르고 있다.

서진아.

느릿하게 눈꺼풀을 들어 올린다. 이 목소리의 주인을 알고 있다. 서진은 눈앞에 있는 사람이 저가 기다리고 있었던 사람이라는 것을 깨닫자마자 배시시 미소 짓는다. 손을 뻗어 현민의 목에 감는다. 그러자 현민은 조금 당황스러운 표정을 지으면서도 당연하다는 듯 서진에게 끌려간다. 가까워진 거리에 현민은 천천히 두 눈을 감는다. 살포시 겹치는 입술에서 온기가 느껴진다. 이런 날씨에 바깥에서 잠들었으니 추울 만도 하다. 서진의 입술에서 느껴지는 냉기가 현민의 미간을 찌푸리게 한다. 가지고 나온 담요를 서진에게 덮어주자 서진은 배시시 미소 짓는다. 힘없는 미소다.

벤치 옆자리를 툭툭 치자 현민이 조심스레 옆에 자리한다. 툭, 현민의 어깨에 머리를 기대자 현민은 아무 말 없이 서진의 머리를 감싸 안는다. 현민도 어렴풋이 이게 마지막 순간이라는 것을 느끼고 있다. 그리고 그것을 알기에 더 서글퍼지는 건 어쩔 수 없다. 예비하지 못한 헤어짐은 그때 닥쳐 너무나도 슬프지만, 예기하고 있는 헤어짐은 미리부터 슬프다. 입술을 살짝 깨문 채 서진의 어깨에 얼굴을 묻는다. 흐느낌이 느껴진다. 서진은 여전히 아무 말도 하지 않고 현민의 머리를 토닥인다. 느릿한 목소리가 예쁘지 않게 갈라진다. 현민은 그런 서진의 목소리를 묵묵히 듣고만 있다. 콜록대며 기침하면 물을 건네주고, 추워하면 몸을 더 밀착시킨다. 오로지 서진만을 위한 행동, 표정, 모습. 서진은 그런 현민이 좋다. 좋아하면 안 된다는 것을 알아도 좋아할 수밖에 없는 사람이다. 울컥 흘러나오는 눈물을 감추지 못해 그냥 흘려보낸다.

"…있잖아, 민아."

"응."

"나 사실 너 좋아해."

"알아."

"…그래? 감출 필요가 없었네…."

공기를 가르는 미소가 가볍다. 더는 감추고 싶지 않은 진실을 내뱉으며 느릿한 눈을 깜박인다. 이기적인 마음이더라도 어쩔 수 없다. 그렇다고 되뇔 뿐이다.

"끝까지 숨기려고 했는데… 네가 너무 다정해서. …그래서 감출 수가 없더라."

"안 감춰도 돼."

쪽. 떨리고 있는 서진의 손등에 입을 맞춘다. 다정한 입맞춤에 서진은 떨리던 눈을 결국 내리감는다. 이전에는 들으려 부단히도 노력해야 했던 가쁜 숨소리가 귓가에 선명히 들린다. 욱신거리는 가슴의 통증은 점차 커져만 간다. 가슴께를 부여잡은 채 반대쪽 손으로는 잡은 서진의 손을 놓지 않는다. 생각보다 세게 쥐어서, 확실히 운동하는 애구나 싶다. 느릿하게 두 눈을 깜박이다가 천천히 내리감는다. 따뜻한 현민의 손이 기분 좋다. 이 기분을 계속해서 느낄 수만 있다면, 정말 바랄 것이 없을 것 같은데 하늘은 기어코 그 작은 바람마저 이루어 줄 생각이 없다.

눈앞이 가물가물하다. 통증이 많이 없다는 것에 감사해야 할지도 모른다. 그런데 몸이 계속 차가운 것을 보아하면 저체온증으로 죽는 것 같기도 하다. 혈류가 제대로 돌지 않으니 온몸에 산소를 제대로 전달하지 못해 어쩔 수 없는 저체온에 차가운 공기를 한껏 들이켜 얼어붙은 몸. 현민이 손끝을 계속해서 눌러대지만 이 빌어먹을 몸뚱어리는 따뜻해질 생각을 하지 않는다.

"이제 그만해도 돼, 민아."

"하지만, 하지만…."

"난 괜찮아."

실은 안 괜찮아.

내뱉지 못하는 말을 애써 목구멍 안으로 꾹꾹 쑤셔 넣는다. 눈에 보일까. 현민은 항상 서진이 거짓말을 못 한다고 했으니 거짓말이라는 것을 이미 눈치챘을지도 모른다. 그런데도 아무 말 하지 않아 주는 것은 저를 배려하기 위함일까. 배시시 웃음이 흘러나온다. 이런 다정한 사람을 어떻게 좋아하지 않을 수 있겠는가. 어쩔 수 없다며 고개를 끄덕인다. 그래, 현민을 좋아하는 것은 무조건 반사와도 같다. 좋아할 수밖에 없는 사람이다.

살고 싶어, 민아.

실은 나 죽고 싶지 않아.

미련이다. 감출 수 없는 미련이다. 말하고 싶지만 말할 수 없다. 그게 더 현민을 슬프게 할 길이라는 것을 안다. 이미 늦어버린 사람이 앞으로 앞날이 창창한 사람의 발목을 묶을 수는 없다. 눈물이 나올 것만 같아도 애써 참는다. 힘이 들어가지 않는 입꼬리를 애써 올려 웃는다. 침침해지는 눈에 결국 감는다. 안 보이는 눈으로 힘들여 현민을 볼 바에는, 현민의 목소리를 귓가에 가장 깊이 새기고 가는 게 낫다.

"…있잖아 민아, 사람이 죽을 때는 청력이 가장 마지막까지 남는대. 그래서 사람들이 죽기 직전, 사랑하는 사람에게 남길 말이 있으면 말하라고 하잖아. 사실 그걸 다 듣고 있는 거래."

"…응, 나도 들었어."

"그러니까 나는… 죽기 전에 듣는 목소리는 네 목소리였으면 좋겠어. …부탁해도 될까?"

"…응, 당연하지."

토닥이는 손길이 부드럽다. 서진의 입꼬리가 서서히 올라간다. 억지웃음이 아니다. 자연스럽게 올라간, 부드러운 웃음. 울컥, 흘러나올 것만 같은 울음을 애써 억누르고서 현민은 입을 연다. 울음기에 목소리가 갈라져도 상관없다. 들려주지 못할 바에야 이런 목소리라도 들려주는 게 낫다.

과거를 하나씩 읊어준다. 처음 좋아하게 되었을 때부터, 그 이후로 계속 지켜봐 온 과정, 축구부 매니저로 들어갔다는 소식에 바로 있던 동아리를 탈퇴하고 축구부에 들어갔던 것, 그 이후로도 계속해서 지켜보다가 용기 내서 말 걸으러 갔을 때 하필이면 쓰러져 서진의 백혈병 사실을 알게 됐던 것, 그 이후로 친해져 서진을 마주할 때면 심장이 터질 듯 뛰었던 것, 그런데도 걱정스러운 마음에 밤잠을 쉽게 이룰 수 없었던 것. 서진을 지켜봤던 현민의 모든 흔적을 조곤조곤한 목소리로 낱낱이 털어놓는다.

다정함이 어린 목소리에 서진의 눈이 무겁다. 몰려오는 잠의 깊이가 두렵다. 피할 수 없고, 피해서는 안 된다. 눈을 세게 감아 아예 어둠에 진창 빠지고 싶어도, 그럴 힘조차 없는 세상이 불공평하다. 그런 서진의 마음을 알았는지 현민이 손을 뻗어 햇빛을 가린다. 현민은 지금 어떤 표정을 짓고 있을까. 애써 미소 지어주고 있을까? 아니면 금방이라도 울 것 같은 표정을 짓고 있을까. 마지막으로 현민의 표정을 보고 싶다. 천천히 무거운 눈꺼풀을 들어 올린다. 마지막 힘을 쥐어짜 낸 듯하다.

현민과의 시선이 얽힌다. 얽히고 얽혀 진득하다. 이것이 차라리 운명의 붉은 실이면 좋겠다. 운명 따위 믿지 않지만, 정말로 존재한다면 저와 서진을 묶어 다음 생에도, 그다음 생에도 함께하고 싶다. 시야의 초점을 맞추고 본 현민의 얼굴은 물기 서린 얼굴이다. 그런데도 입꼬리는 올라가 있는, 서글픈 미소다. 그 모습에 서진은 웃음을 흘린다. 거의 바람 빠지는 웃음이지만, 현민은 분명히 알 수 있다. 서진이 좋아하고 있다는 것을. 힘이 제대로 들어가지 않아 덜덜 떨리는 손을 뻗는다. 현민은 그 손을 잡아 제 뺨에 둔다. 살짝 기대면 서진의 움직임이 더 잘 느껴진다. 서진의 눈가에 고여 있는 눈물이 보인다. 천천히 다가가 눈에 입을 맞춘다. 그리고서 살짝 뜬 눈에 보이는 창백한 입술에 입을 맞춘다.

"…많이 좋아해, 민아. …그리고 많이 미안해."

툭. 힘없이 팔이 떨어진다. 현민은 입술을 억세게 깨문다. 결국 터져 나온 피가 입가에서 흘러 내려간다. 서진은 울지 않았다. 그저 눈물을 머금고 있을 뿐이었다. 우는 건 살아있는 사람의 몫이다. 한 번 터져 나온 눈물은 쉴 새 없이 흐른다. 그 목소리에 잠에서 깬 사람들이 하나둘 나오기 시작한다. 웅성대는 소리가 귓가에 들린다. 그래도 서진과의 시간을 방해받지 않아서 다행이라고 할 수 있을까. 현민은 이미 상처로 가득한 입술을 또다시 짓이긴다. 다행일 리가 없잖아. 멎지 않는 눈물을 계속해서 흘려보낼 뿐이다. 청량한 가을하늘은 더럽게 맑다.

"…내가 더, 좋아해. …사랑해."

결국 들려주고 싶었던 말은 하지 못했다.

너는 과연 내 마음을 들었을까.

…들었으면 좋겠다.

들었기를… 바란다.

바라는 것밖에 할 수 없다.

제11화 스키부

소복이 쌓인 눈 위를 걷다 보면 뽀득거리는 소리가 난다. 그 소리는 왠지 맑고 청아하게 들려서, 몇 번이고 반복해서 듣고 싶어진다. 내 발자국에 맞춰 나는 자국은 내가 걸어온 길을 보여준다.

눈을 좋아한다. 눈은 그 누구도 딴지를 걸 수 없는 순백의 색이다. 하얗고, 뭐가 묻으면 바로 티가 나서 거짓말을 못한다. 기이할 정도로 눈에 집착하던 마음은 눈과 관련된 모든 것을 좋아하게 했다. 그 때문에 원하던 대학교에 와서 가장 열심히 하는 일이 동아리 활동이 됐다. 스키부, 합법적으로 눈 속에 파묻힐 수 있는 동아리. 봄, 여름, 가을은 많은 활동은 하지 않고 인공 눈을 사용하는 스키장에 간다든가 하는 식으로 활동한다. 우리가 가장 많이 활동하는 때는 기말고사 직후, 종강하기 직전 부원들을 데리고 스키장에 가는 것이다. 자율 동아리라 스키를 좋아하는 사람끼리 모여서 가능한 일이다.

그리고 이번 종강에도 당연히 부원들끼리 모여 3박 4일로 신설됐다는 스키장에 왔다. 스키는 스키장에 발을 들일 때부터 시작이다. 얼어붙은 공기를 폐부로 들이고, 무거운 장비로 몸의 무게를 늘리고서, 추를 단 것 같은 다리를 공중에 띄우고 올라간다. 그렇게 가장 높은 정상에 올라갔을 때, 가장 낮은 곳으로 내려오면서 느껴지는 쾌감이란 이루 말할 수 없다. 새하얀 눈이 내가 지나온 자리에 흩뿌려지며 자국이 남는 게 좋다. 햇빛을 받아 반짝일 때도, 어둠에 집어삼켜져 별처럼 반짝일 때도. 결국 눈은 빛이 존재하는 한 빛을 잃지 않는다. 그 변하지 않는 빛이 좋다.

"채연, 오늘도 달리게?"
"당연하지! 언니는 쉬려고?"
"응, 어제 너무 달렸나 봐. 연수랑 좀 쉬려고."
"그럼 오늘은 스키 몇 명이나 타려나?"
"오늘은 별로 안 탈 듯? 끽해야 너 포함 서너 명?"
"널널하겠네."
신나는 마음에 장비를 착용한다. 부츠로 흰 눈에 자국을 남긴다. 새어 나오는 웃음을 흘리며 숨을 내쉰다. 얼어붙은 숨이 피부로 스며든다. 상급자 코스 리프트를 타고 올라간다. 그 순간 옆에 앉는 사람에 깜짝 놀라 고개를 돌린다. 분명 나밖에 없었는데. 눈앞에 나타난 사람은 사진학과 도민혁이다.
"어, 민혁 선배?"
"채연이 왜 혼자야."
키득거리는 민혁을 보고 두 눈을 깜박인다. 어제 별로 안 타는 듯싶더니 다른 부원들 다 뻗어 있을 때 혼자 나온 모양이다. 리프트를 타고 올라가며 도란도란 이야기 나눈다. 민혁이 편하게 대해준 덕에 선배인데도 쉽게 이야기할 수 있다. 이전부터 친근하게 대해준 덕에 어렵지 않기도 하고. 집도 그렇게 멀지 않아서 회식 때 종종 집에 데려다주기도 했다.
민혁 덕분에 지루하지 않게 올라올 수 있었다. 올라가자마자 고글을 내리고 아래를 내려다본다. 순백의 색이 가득하다. 와아…! 감탄사가 절로 나온다. 밤에 보는 스키장과 아침에 보는 스키장은 사뭇 다르다. 그 다른 눈의 모습에 또 감격한다. 눈이 멀 듯한 그 아름다움은 이루 말할 수 없다. 두근거리는 가슴을 부여잡고서 민혁을 바라본다.
"누가 먼저 내려가는지 내기할래요?"
"나야 좋지."
설렁설렁 타는 듯하지만 민혁도 짬밥이 있다. 심호흡하고 막대를 움직여 밑으로 향한다. 두 뺨을 스치고 지나가는 찬 공기가 쾌감을 가져다준다. 파하, 참고 있던 더운 숨을 내뱉고서 찬 공기를 들인다. 짜릿함을 느끼며 내려가고 있던 도중, 스피드를 내지 않고 걸어 내려가는 듯한 사람이 보인다. 저 밑으로 빠르게 내려가고 있는 민혁을 한 번, 기어가고 있는 듯한 사람을 한 번. 결국 움직임을 멈추고서 그 사람에게 다가간다.

“저기, 괜찮아요?”

그 말을 듣자마자 고개를 든다. 두 눈을 깜박이며 그 사람을 본다. 분명 고글을 끼고 있는데 눈물이 그렁그렁 매달려 제발 도와달라고 보이는 듯하다. 근데, 눈이 참 예쁘다. 홀릴 듯한 눈동자에 순간 멍하니 있다 정신을 차린다. 초보자인가? 그런데 초보자가 왜 상급자 코스에 있는 거지. 약간 이상함에 고개를 갸웃거린다. 하지만 내 의문보다는 이 사람을 돕는 게 더 중요할 것 같다. 그래도 스키 장비를 착용하고 있으니 어느 정도 내려가면 알아서 내려갈 수 있겠지?

폴대를 제대로 쥐게 하고서 조심스럽게 한 발짝씩 내려간다. 균형이 무너지려 할 때마다 팔뚝을 잡아 저지한다. 눈물이 매달린 눈망울을 볼 때마다 흠칫거린다. 마치 비에 젖은 버려진 고양이 같은 모습에 약간 미묘한 기분이 느껴진다. 으아아. 다른 생각을 하다가 놓칠 뻔했다. 후들거리는 사람을 보며 잠시 볼을 긁적이다가 결국 스키를 벗기로 한다. 이대로 가다가는 이도 저도 안 될 것 같아서, 이대로 걸어 내려가더라도 안전하게 가는 게 나을 것 같다. 스키를 벗겨주자 눈을 반짝이며 고개 숙이고 감사 인사하는데, 왠지 이대로 두고 가면 안 될 것 같은 느낌이다.

같이 갈래요? 그 말에 고개를 세차게 끄덕인다. 풋, 짧은 웃음을 흘리며 몸을 돌린다. 가자는 말에 뒤따라오는 모습이 귀엽다고 느껴진다. 처음 보는 사람한테 귀엽다는 생각이 든다니, 뭔가 잘못됐다는 예감은 들었지만 이미 엎질러진 물이다. 나야 속도 조절을 할 수 있고, 딱히 무섭다고 느껴본 적이 없으니까 같이 내려갈 수 있었다. 내려오고 나서 그 사람은 구해줘서 고맙다며 따듯한 음료 한 잔을 사주고서 자기소개를 했다.

이원대학교 패션디자인학과 일 학년 조현우. 우리 소명대학교 근처에 있는 학교다. 괜스레 반가워져 이런저런 이야기를 나누었다. 원래 현우는 스키를 좋아하지만 고소공포증이 있어서 초급자 코스를 탔는데, 원래 가던 스키장이 아닌 신설된 이곳을 한 번 와봤다가 실수로 상급자 코스 리프트를 타서 이도 저도 못 하고 걸어서 내려오는 중이었다고 한다. 그러다가 나를 만나게 됐다고. 그대로 무시하고 지나쳤으면 꽤 신경 쓰일 뻔했다. 민혁과의 내기에서 지더라도 도와준 게 다행.

…어라?

벌떡 자리에서 일어나 민혁을 찾는다. 그러고 보니 휴대폰에 연락이 잔뜩 쌓여 있다. 실수했다. 부원들 대다수 쉰다고 했으니까 민혁도 혼자 있을 게 분명한데. 머리를 부여잡는다. 잔뜩 쌓여 있는 메시지와 부재중을 보아하니 민혁은 또 저 위로 올라간 모양이다. 아마 여기서 기다리는 게 나을 듯한데, 또 엇갈리면 안 돼서 전화를 거는데도 안 받는다. 민혁이 이런 심정이었을까. 손톱을 물어뜯자 현우가 걱정스러운지 손을 살포시 잡는다. 그래, 그러고 보니까 현우도 있었지. 되레 혼란스러움이 배가 되는 기분이다.

잠시만 기다려달라고 하고 계속해서 전화를 걸어본다. 계속해서 받지 않고 이어지는 수신음에 애꿎은 손톱만 잘근거린다. 그러다 익숙한 벨소리가 점차 가까워지는 것을 느낀다. 고개를 들어 소리가 나는 쪽을 바라보자 민혁이 이쪽으로 오고 있다. 앞에서 멈춰 고글을 벗은 민혁의 얼굴은 땀과 걱정이 한 뭉텅이 묻어 있다. 괜히 미안한 마음에 고개가 내려간다.

"…어디 있었어?"

"죄, 죄송해요. 저 현우라고… 도와주다가, 선배를 까먹었어요."

"그쪽은…?"

"아, 죄송합니다. 저 때문에 일행이랑 떨어지신 모양이네요. 조현우라고 합니다. 채연 누나 덕분에 무사히 내려올 수 있었어요."

"…채연 누나?"

"좀 친해졌거든요. 아무튼… 죄송해요, 선배. 제가 밥이라도 살게요."

"…아니야, 무사했으니까 됐어."

눈 묻은 장갑이 머리를 쓰다듬는다. 머리에 눈이 남지만 상관없다. 차가운 감각이 기분 좋다. 괜스레 미소 지으며 눈이 스치고 지나간 머리를 매만진다. 그 순간 현우와 눈이 마주친다. 고개를 갸웃거리며 미소를 지어주자 확 고개를 돌린다. 보고 싶어서 본 거 아니었나? 또 한 번 고개를 갸웃. 착각이었나 싶어 그저 고개를 돌린다. 민혁에게 한 번 더 사과를 하자 민혁은 괜찮다고 손을 내젓다 뭔가 생각났다는 듯 미소 짓는다. 왠지 모르게 불안한 미소.

"그럼 내기에서는 내가 이긴 거지?"

"네? 아… 네, 뭐."

"그러면 나 소원 빌어도 돼?"

"제가 들어줄 수 있는 선에서는요."

"밥 사줘."

그 한마디에 식당으로 왔다. 그런데 조금 문제점은 현우도 같이 왔다. 민혁은 떨떠름해 보이지만 내 선택이라 존중하는 듯 보인다. 조금 웃긴 것은, 민혁의 밥은 내가 사주는데 내 밥은 현우가 사준단다. 구해준 보답의 연장선이라나 뭐라나. 한사코 거절했는데 나 아니었으면 아직도 저 위에 있을 자신을 생각하면 그냥 넘어갈 수 없다는 말에 결국 어쩔 수 없이 고개를 끄덕였다. 그때 지은 환한 미소가 머릿속에 아른거린다.

슬쩍 곁눈질하며 앞에 앉은 현우를 본다. 아까는 목도리에 고글에 헬멧까지 해서 잘 못 알아봤는데, 꽤 예쁘장하게 생겼다. 피부도 새하얀 게 마치 백설 공주 남자 모습 같다. 그래, 눈을 담은 피부다. 그래서 자꾸만 시선이 간다. 남자가 저렇게 하얀 건 처음 본다. 최민혁처럼 까무잡잡한 애들밖에 주변에 없어서 더 신기하다. 계속 보니까 현우도 시선을 알아차렸는지 순간 눈이 마주친다. 허공에서 얽힌 시선은 금방 떨어질 생각을 하지 않는다. 아까는 마주치자마자 고개를 돌리더니, 이번에는 얼굴을 붉히면서도 계속 보고 있다. 내가 먼저 돌리기 머쓱한데, 계속 보고 있기도 좀 부끄럽다. 어떻게 해야 하지, 고민하던 중 민혁이 말을 건넨다.

"…그래서 정채연, 계속 탈 거야?"

"네? 아, 네. 계속 타야죠. 당연히."

"누, 누나 상급자 코스에서 탈 거예요?"

"어? 그렇지? 그게 재밌으니까."

"그, 그러면 저… 저도 가르쳐 주시면 안 돼요?"

"어? 너 고소공포증 있잖아."

"괜찮아요. 이겨내 볼게요."

결심한 듯한 표정에 더 뭐라 할 수도 없다. 뒷머리를 긁적이며 민혁을 본다. 나보다는 전문 강사가 훨씬 나을 텐데, 굳이 나한테 가르쳐 달라고 하는 이유를 잘 모르겠다. 약간 알에서 나온 조류가 처음 본 것을 보고 어미라고 인지하는 느낌인가. 아닌가, 이거랑은 또 조금 다른 느낌인가. 혼자 고민하고 있는데 민혁은 자꾸만 같이하려는 현우가 마음에 안 든 모양이다. 왠지 모르게 둘이 말다툼하기 시작한다.

"우리는 동아리끼리 온 거라, 그쪽 신경 쓰기는 좀 그럴 것 같은데요?"
"아, 그래요? 근데 다른 부원들 안 보이는 것 같은데요."
"그야 걔네들은 쉬고 있으니까 그렇죠."
"그럼 다들 개별 활동하는 거 아니에요? 누나도 해도 되는 거 아닌가?"
"다른 부원인 나랑 있는데, 굳이 그쪽이랑 개별 활동을?"
꽤 팽팽한 싸움에 흥미진진하기는 한데, 대화 주제 주체가 나인 게 마음에 안 든다. 이 상황을 어떻게 타개해야 할지 잠시 고민한다. 같은 동아리 부원인 민혁을 선택하기에는 혼자 낯선 곳에 와서 고생하는 현우가 마음에 걸리고, 현우를 선택하기에는 같은 동아리 부원인 민혁이 마음에 걸린다. 그렇다고 둘 다 같이 데리고 다니기에는 계속 이렇게 싸울 것만 같다. 둘 중 한 명을 선택하는 게 미래에 더 도움이 될 것 같다.
그래도 현우랑은 앞으로 더 볼지 안 볼지도 모르고, 민혁이랑은 아무래도 같은 동아리니까 계속 같이 보게 될 텐데, 여기서 민혁을 두고 가서 서로 어색해지는 것보다는 지금 민혁을 고르는 게 낫겠지? 아무래도 미래를 위해서는 현우보다는 민혁과 같이 다니는 게 나을 듯하다. 혼자 생각한 결정에 고개를 끄덕이며 민혁과 같이 다니겠다고 하려 했는데, 갑자기 현우가 그 크고 똘망한 눈동자로 나를 담는다. 그래도 나는 민혁을 선택할 것이다.
"현우랑 갈게요."
"…어?"
"선배는 내일 같이 놀아요."
아, 젠장 이게 아닌데. 현우의 눈동자를 보고 결국 거절하지 못했다. 아랫입술을 한 번 잘근 씹는다. 하지만 기분 좋은 현우의 표정을 보면 또 선택은 잘했다는 생각이 든다.
"어? 누나도 하룻밤 묵어요?"
"응, 우리는 삼 박 사 일이야."

"진짜요? 저도 오늘 하루 묵고 가는데."
"아, 그래? 그래도 내일은 선배랑…."
아, 또 초롱이 공격.
"…내일 가서 정하지 뭐."
"뭐? 정채연…!"
"선배."
움찔.
"제 마음이에요."
"…응."
괜스레 화가 난다. 아무리 그래도 내 선택이고, 내 마음이다. 결국 나한테 달린 거고 내 선택이 마음에 들지 않으면 노력해야 한다. 괜히 민혁에게 화를 내며 현우의 손목을 낚아챈다. 지금은 민혁을 보고 싶지 않다. 뒤에서 민혁이 내 이름을 부르는 목소리가 들리지만 지금은 듣고 싶지 않다. 아무리 민혁이 나를 좋아한다는 사실을 알고 있다지만, 그것은 면죄부가 되지 않는다. 오히려 좋아하면 더 잘해줘야지.
화가 나 아무런 생각 없이 무작정 걷는다. 뒤에서 무슨 말이 들리는 것 같은데 들리지 않는다. 팍, 팍. 팍팍 걷다가 또 팍팍 스키 신고서 또 팍팍 올라간다. 씩씩대다가 울먹거리는 목소리에 그제야 현우가 보인다. 현우가 팔을 꼭 잡고 있다. 눈시울이 붉어진 얼굴로 나를 올려다보는데, 굉장히 못된 생각할 뻔했다. 새하얀 피부에 붉어진 눈가는 반칙 아닌가? 혼자 생각하다 고개를 젓는다. 울려고 하는 애를 두고 무슨 파렴치한 생각인가.
심지어 나 때문이다. 고소공포증 있는 애를 또 하필이면 상급자 코스로 데려가고 있는 내 탓. 전부터 화가 나면 아무것도 듣지 못하는 게 화근이다. 익숙하게 상급자 코스로 와버렸지만 현우는 상급자 코스가 익숙하지 않으니까, 최소한 중급자 코스에서 시작해야 할 텐데. 리프트 관리자에게 양해를 구하고 계속 타고 내려가야 하나 싶다. 잠시 고민하고 있는데 그런 고민을 알아차린 건지 현우가 내 팔을 꼭 잡은 채 고개를 젓는다.

괘, 괜찮아요. 어차피 누나한테 배우기로 했으니까… 이대로 올라가서 가르쳐 주세요.

결단 있는 눈. 아까와 같다. 그 모습에 괜히 열정이 생긴다. 나만 따라 와! 내 목소리에 현우도 힘을 입었는지 아까보다 세차게 고개를 끄덕인다. 누군가를 가르쳐 본 기억은 없지만, 현우라면 괜찮을 것 같다는 무언의 확신이 든다. 아직도 맞잡고 있는 손에 힘이 들어간다.

다행히 현우는 운동 신경이 뛰어나다. 스키 자체는 가르치는 대로 족족 잘 탄다. 문제는 고소공포증뿐이다. 잘 내려간다 싶더니 경사가 가파른 곳에서는 낮추다가 결국 넘어지고 만다. 몇 번이고 넘어지다 보니 나도 걱정되고, 미안해진다. 점점 쪼그라든다. 그런 나를 또 알아차렸는지 현우는 괜찮다는 듯 미소 짓는 얼굴로 어깨를 다독인다. 과하지 않은 스킨십에 배려가 깃들어 있다. 아무런 도움도 못 되고 이런 데에 데려온 내게 화를 내지는 못할망정 오히려 나를 위로해 준다. 괜스레 눈시울이 뜨거워져 눈이 묻어있는 차가운 장갑으로 눈가를 벅벅 닦는다. 걱정스러운 눈빛을 하는 현우를 뒤로하고 아자, 아자 하고서 혼자 다독인다.

다시 한번, 제대로. 폴대를 깊숙이 박아 몸을 지탱하고서 스키와 부츠 사이 묻은 눈을 턴다. 스키도 제대로 끼운 후 고글까지 제대로 착용한다. 서로 눈을 마주치고서 고개를 한 번 끄덕인 후, 크게 S자를 그리며 내려온다. 천천히 내려오며 A자 다리를 하는 것도 잊지 않는다. 적당히 속도 조절을 하며 내려가자 현우도 어느 정도 감을 잡았는지 조금씩 속도를 내기 시작한다. 끝에 다다를 때쯤엔 A자를 거의 하지 않고 내려와서, 중급자에 가서 한 번 더 해보기로 했다.

그렇게 중급자에서 한 시간, 카페에서 잠시 쉬다가 또 상급자에서 세 시간. 함께 스키 타는 게 즐거웠다. 사실 남이랑 같이 즐기는 것보다는 혼자 타면서 자유를 느끼며, 눈의 전경을 구경하는 것을 좋아한다. 하지만 현우랑 같이 타는 건 즐겁다. 눈을 구경하지 않아도 현우를 보는 것만으로도 즐겁다. 이런 내가 낯선데, 또 그게 나쁘지만은 않다. 익숙해진 현우와 함께 상급자 코스에서 타다가 실수로 속도 조절을 잘못해 넘어져 버렸다. 그런 나를 보고 놀라 다가온 현우는 나보다 더 익숙해 보인다. 허둥지둥하는 현우에 발목의 통증마저 잊고 웃음을 짓는다. 발목을 삔 듯해 움직이는 게 쉽지 않다. 그런 나를 눈치챘는지 현우는 허리를 숙여 내게 등을 보인다.

업히라고? 그 말에 현우는 고개를 끄덕인다. 잠시 머뭇거리다가 현우에게 업힌다. 생각보다 쉽게 번쩍 들어 올리는 바람에 좀 놀랐지만, 현우의 등이 또 생각보다 넓다는 것을 알게 됐다. 슬쩍 기댄 채 현우의 체온을 느낀다. 상급자 코스는 경사도 가파르고 길어서, 자칫 잘못해서 내려가다가는 스키 타는 다른 사람들과 치일 가능성이 높다. 그래서 현우가 선택한 것은 코스 바깥으로 돌아내려 가는 것. 내려온 지 얼마 안 돼서 넘어진 터라 장비들은 리프트 관리자에게 맡겨두고 코스 바깥으로 향한다. 우뚝 솟은 나무들을 스쳐 지나간다. 분명 내리막길을 걸어 내려가고 있는데 또 안정감 있어서, 마냥 이 시간이 지속되기를 바라게 된다. 현우의 등에는 다스한 온기가 깊게 서려 있다.

해가 질 때쯤에는 다행히도 다 내려왔다. 발목이 아리기는 하지만 그보다도 몸이 좀 찬 것 같아 다시 카페에 들어가 차를 마신다. 오늘 하루만 세 번째 차다. 차도 물릴 때쯤 됐는데, 곁에 있는 게 현우라는 이유만으로 물리지 않는다. 따뜻한 온기를 한껏 느끼며 홀짝인다. 그러며 현우를 바라보는데, 순간 눈이 마주친다. 그러자 현우는 예쁘고 커다란 두 눈을 반으로 접어 또 예쁘게 웃는다. 그런데 그 속에는 또 짙은 슬픔이 서려 있다.

"오늘 고마워요, 누나."

"어? 아, 아니야. 나야말로 고마워. 재밌었어."

"근데 솔직히 내일 근육통 날 것 같아요."

"어, 나도."

"자기 전에 발목 얼음찜질하시고요."

"응, 알았어."

모르는 체하는 게 맞겠지. 어차피 오늘 아니면 또 만날지도 모르는 사이다. 키득거리며 서로 마주 본다. 사실 나흘 동안 완급 조절하면서 마음껏 즐기다 가는데, 오늘 좀 무리한 탓에 내일은 아무래도 스키를 못 탈 것 같다. 자기 전에 등이나 다리에도 파스 좀 붙이고 자야지. 차를 홀짝이며 혼자 생각한다. 계속 보고 있는 현우를 무시하기 위한 방안이기도 하다. 그런 나를 아는지 모르는지, 현우는 또 말을 건넨다.

"누나, 전화번호 주실 수 있어요?"

"어, 뭐… 되지."

"연락해도 돼요?"

"응, 네 마음대로."

번호를 받자 현우는 미소 지으며 휴대폰을 까닥인다. 그 모습이 왜 눈처럼 빛나 보였는지. 이후, 현우는 숙소까지 데려다주고서 자기 방으로 들어갔다. 그렇다고 해봤자 바로 아래층이긴 하다. 정말 한 칸의 오차도 없이 바로 아래층이어서, 뭔가 걸어 다니는 것 하나조차 조심하게 걸어 다닌다. 신경… 쓰인다.

***

다음날, 결국 근육통이 났다. 언니는 스키를 타러 갔는지 자리에 없다. 찌뿌둥한 몸을 일으키자 욱신거리는 느낌이 난다. 몸을 이리저리 돌리고서 결국 다시 푹신한 침대로 몸을 눕힌다. 침대에서 나가고 싶다는 생각이 안 든다. 그냥 오늘은 종일 침대에만 있어야겠다. 그런 생각으로 베개에 얼굴을 파묻는데, 갑자기 휴대폰에서 알람이 울린다.

으으, 짧은 신음과 함께 고개를 들어 휴대폰을 본다. 아직 잠에서 덜 깨 천천히 깜박이던 눈에 힘이 들어간다. 연락한 사람은 다름 아닌 현우다. 어쩜 이렇게 타이밍 맞게 보냈는지, 이것도 신기하다.

-일어났어요, 누나?

-혹시 누나만 괜찮으면 같이 밥 먹을래요?

-조식 시켜놨거든요.

-아, 물론 제가 살게요.

-어제 가르쳐 주신 거 감사하니까.

-응 곧 내려갈게

욱신거리는 몸을 일으키고서 재빠르게 몸을 움직인다. 화장은 가장 간단하게만 하고서 어제와는 다르게 조금 꾸민 듯 입는다. 거울 속 내 모습이 낯설기만 하다. 물론 잘 보이려고 꾸미는 게 아니라, 현우는 패션디자인학과라고 했으니까 평범한 옷 입기에는 눈치 보인다. 내가 그렇다면 그런 거다.

똑똑, 노크를 하자마자 문이 열린다. 현우가 배시시 미소 지으며 나를 맞이한다. 조금 쭈뼛거리며 안으로 들어간다. 패딩이 아닌 얇은 옷을 입고 있는 현우는 역시 멋지다. 패션디자인학과답게 잘 꾸민 모습이 멋지다. 후줄근하게 입고 왔으면 창피할 뻔했다. 과거의 내게 칭찬의 박수를 보내며 현우 방에 들어간다. 혹시 몰라 언니에게 연락도 해놨으니까 괜찮을 것이다. 그런 걱정한 내가 무색하게 얼굴에 홍조를 띤 현우가 침대에 살짝 걸터앉는다. 순결한 소녀의 모습 같아서 괜스레 가슴이 두근거린다.

하얀 침대보, 하얀 현우. 두 가지의 조합은 잘 어울린다. 침을 한 번 꼴깍 삼키다 고개를 젓는다. 현우는 그저 보답할 마음으로 밥을 사는 것뿐인데, 나쁜 마음 품으면 안 된다. 하늘이 그런 나를 알았는지 갑자기 휴대폰에서 또 알람이 울린다. 깜짝 놀라 흠칫 떨고서 휴대폰을 꺼낸다. 민혁이다.

-채연아 일어났어?

-오늘은 나랑... 있기로 했잖아

그런데 현우가 또 그 연락을 본 모양이다.

"…갈 거예요, 누나?"

초롱초롱한 눈망울이 또다시 나를 담는다. 겨우 잠재웠던 두근거리는 심장이 재작동한다.

"…아니."

휴대폰을 거의 던지듯 침대에 놓는다. 허공에서 끈적하게 얽힌 시선이 마주한다. 이번에는 그 누구도 피하지 않는다. 서서히 가까워지는 거리에 두 눈을 감으려던 순간, 갑작스레 들리는 초인종 소리에 하마터면 비명을 지를 뻔했다. 비명을 지르지 않은 대신, 현우를 밀어버렸지만.

"…미안."

"아니에요."

테이블에 조식을 세팅한다. 무릎 꿇고 사과해도 모자랄 마당에 현우는 미소 지으며 괜찮다고 한다. 착해도 너무 착하다. 이렇게 착해서 어떻게 살라고. 고개를 절레절레 저으며 현우 옆에 앉는다. 막 차려진 조식은 군침이 돌 정도로 맛있어 보인다. 맛있게 먹겠다는 내 말에 현우는 미소 짓는다. 현우의 미소에는 다정함이 서려 있다. 그리고 그 다정함은 나를 향해 있다. 왜일까. 현우는 왜 내게 다정함을 보이고, 나를 좋아하는 민혁에게 적대감을 보일까. 사실 그 답은 알고 있다. 내 마음의 답도 알고 있다. 하지만 왜 그런지 모르겠다. 고작 어제 처음 본 사이일 뿐인데. 저 눈에 홀려버린 걸지도 모른다.

현우가 궁금하다. 현우에 대해 조금 더 알고 싶고, 또 현우가 나를 조금 더 알았으면 좋겠다. 이미 다 먹은 포크를 우물거린다. 잠시 고민하다가 말을 꺼낸다. 네가 궁금하다고, 너에 대해 더 알고 싶다고, 네 눈에 서린 슬픔을 알고 싶다고. 그러자 현우는 들고 있던 포크를 내려놓는다. 밖에는 눈이 내린다. 굵직하고 느린. 함박눈이다.

잠시간의 침묵 후, 현우는 목덜미를 긁적인다. 어디서부터 이야기해야 할까요…. 느리게 흩어지는 목소리가 허공을 맴돈다. 마치 밖에서 내리는 함박눈 같은 목소리라서, 나도 모르게 그저 기다리기만 한다. 그런 내 모습에 현우는 피식 웃음을 흘리며 흩어진 머리카락을 정돈해 준다. 그렇게 긴장할 건 아니에요. 그러는 현우의 목소리가 가장 긴장하고 있다.

"그냥, 별거는 아니에요."

느릿하게 속눈썹이 하강한다. 옅게 들어오는 빛은 현우의 얼굴에 그림자를 만들어 낸다. 낮은 목소리가 방에 길게 울린다. 원래 동생이랑 오기로 했거든요, 여기. 슬쩍 방을 둘러본다. 어쩐지, 2인실인데 혼자 있다 했어. 다시 고개를 돌려 현우를 본다. 짙은 슬픔 속 걱정이 어려 있다.

"근데 동생이 못 오게 됐어요."

"…왜?"

"…동생이 지금 깊은 슬픔에 잠겨 있거든요."

"……."

"동생이 좋아하던 애가 죽었대요."

꾸욱, 현우의 손에 힘이 들어간다. 맞잡고 있는 반대쪽 손에 손톱이 파고든다. 그 위에 손을 얹자 그제야 조금 정신을 차렸다는 듯 내 눈을 똑바로 마주한다. 푸하, 머금고 있던 숨을 내뱉고는 서글픈 미소를 짓는다. 누나는 걱정 안 해도 돼요. 이건 내 걱정일 뿐이니까. 그러며 부드럽게 손등을 쓰다듬는 손은 떨리고 있다. 왜 이번엔 그 눈으로 나를 홀리지 않는지, 그 눈을 애써 꾹꾹 감추고 있는지.

왜 나 몰래 눈물을 훔치는지.

"동생이, 많이 슬퍼했어요. 아니, 지금도 슬퍼하고 있어요. 그런 애한테 같이 가자고 말할 수가 없었어요. 그래서 혼자라도 와서, 얼마나 좋았는지 말해주고 나중에는 같이 오자고 하고 싶었어요."

현우가 고개를 들어 나를 바라본다. 그런데 저 혼자서는 잘 못 즐기는데, 누나 덕분에 말해줄 게 생겼어요. 마주한 시선이 또다시 얽힌다. 고마워요. 건네는 인사가 부드럽다. 마주 잡은 손에서 느껴지는 온기가 따스하다. 현우는 동생을 참 많이 사랑하는구나 싶다. 그렇지 않다면 저렇게 깊이 있는 눈을 보여주기란 쉽지 않을 것이다. 위로해 주고 싶다. 현우가 내게 기댔으면 좋겠다. 사랑하는 사람이 죽었다는 아픔을 내가 알지는 못하지만, 현우도 그것을 알지는 못하겠지만 사랑하는 사람이 슬퍼하는 모습만큼은 알고 있다. 그리고 나 또한, 그 심정을 알 것 같다.

적막이 내리 앉은 방, 숨소리만이 우리 사이를 채운다. 한 번, 또 한 번. 조금은 어색한 것 같은 사이에 손가락만 꼼지락거린다. 그 움직임을 느꼈는지 현우는 또 웃음을 흘리며 그 손가락 사이사이 제 손가락을 끼워 넣는다. 차가운 손가락이 냉기를 내뿜으며 찾아오자 움찔거린다. 약간 째려보듯 현우를 바라보자 현우는 배시시 미소 지으며 시선을 아래로 내리깐 채 조곤거린다.

"이제 누나 얘기 듣고 싶은데."

어…. 말꼬리를 흐린다. 내 얘기… 재미없을 텐데. 그 말에도 괜찮다는 듯 두 눈을 똑바로 마주한다. 손가락으로 뺨을 두어 번 긁적이고서는 팔을 쭉 편다. 기지개를 켜자 조금은 찌뿌둥했던 몸이 풀리는 기분이다. 이 얘기를 다른 사람에게 또 하게 될 줄은 몰랐는데. 잠시 머뭇거리고서는 이야기를 꺼낸다. 이제는 추억으로 간직할 수 있을 정도로 먼 이야기다. 아니, 그러고 싶을 뿐일지도 모른다.

***

지금으로부터 삼 년 전, 고등학교 이 학년 때. 중학교 동창이자 절친이 하나 있었다. 도하얀. 신이 도우셨는지 일 학년도, 이 학년도 도하얀과 같은 반이 돼서 도하얀이랑만 붙어 다녔다. 조금 이상했던 점은, 도하얀 주변에는 친구가 많은데 나만 친구가 없었다. 그래도 도하얀만 있으면 됐으니까, 괜찮다고 여기며 같이 다녔다. 그런데 점점, 도하얀은 다른 애들이랑 있는 날이 늘었다. 나랑 아예 안 다니는 건 아니었는데, 그게 더 이상했다. 멀어져야 하나 싶으면 챙겨주고, 다시 가까워졌나 싶으면 멀어졌다. 내가 도대체 뭘 어떻게 해야 할지 몰라서 왜 그러냐고 묻기도 했다. 진지한 물음에도 도하얀은 그저 웃어넘길 뿐이었다.

도하얀은 나를 좋아했다. 그것 하나만큼은 느낄 수 있었다. 먼저 다가와 줬고, 나와 있을 때 진심으로 좋아한다고 느꼈다. 나와 함께할 때 보이는 미소는 거짓이 아니었다. 다만 가끔, 도하얀 눈 속에서 느껴지는 깊고 진한 이질감이 있을 뿐이었다. 그때 당시에는 그게 무엇인지 알지 못했지만 그 일이 있고 나서는 알 수 있게 됐다. 도하얀이 나를 어떤 눈으로 바라보고 있었는지.

내가 이상한 사람이 된 것 같았다. 도하얀은 아무렇지도 않은데, 나 혼자 자의식과잉으로 이상한 생각을 하는 사람. 애들도 도하얀한테 뭐라고 하는 내 모습을 보면 뒷담하기 바빴다. 그런 일상이 반복되자 거의 자포자기하듯 가만히 있었다. 멀어지면 멀어지는 대로, 가까워지면 가까워지는 대로. 그렇게 조금은 내 의지가 아닌 것 같은 일상을 살고 있을 때, 화장실에서 도하얀과 그 무리끼리 나누는 얘기를 듣게 됐다.

"하얀이 너는 왜 정채연이랑 다녀?"
"응? 뭐… 불쌍하잖아."
"헐, 하얀이 너 너무 착하다…. 나 같으면 그런 애랑 못 다닐 것 같은데."
"에이, 아니야. 채연이도 알고 보면 착해."
"너 세상을 너무 좋게만 본다. 정채연이 어떻게 착한 애냐?"
"맞아, 정채연 중학교 때 너 왕따 시켰다며?"
"왕따라기보다는… 채연이가 날 너무 좋아해서, 내가 자기랑만 친하길 바랐던 거니까…."
"그게 왕따야. 네가 친구 못 사귀게 했다며!"
"그런가…."
눈물 젖은 목소리. 난 분명 그런 적이 없는데 뭔가 착각한 건가 싶었다. 그러면서도 계속해서 당해온 도하얀 때문에 머리가 조금 이상해졌던 터라, 정말 내가 그랬는지 의심이 들었다. 사과라도 해야 하나 싶어 문틈 사이로 보던 도하얀은, 웃고 있었다.
"어, 채연아 어디 갔었어. 한참 찾았잖아."
그러고 도하얀은 아무런 일도 없었다는 듯이 내게 다가와 친근하게 말을 걸었다. 역겨웠다. 도하얀을 보자마자 알 수 있었다. 도하얀이 말하던 이야기 속 주인공은 도하얀이 아니라 나였다. 나를 왕따로 만들어서, 자기랑만 친하게 하려고. 왜 그런 생각을 하는지는 알 수 없었다. 그건 오로지 도하얀 본인만이 알고 있겠지. 이해하고 싶지도 않았다. 하지만 그 사실을 알아차렸다고 해서 내가 할 수 있는 일이라고는 없었다. 이미 내 주변 모든 것은 도하얀에게 잠식당했고, 발버둥 쳐봤자 도하얀이라는 늪에 더 빠져들 뿐이었다.
다음 학년이 되고 도하얀과 반이 떨어졌을 때, 그제야 벗어날 수 있는 건가 싶었지만 아니었다. 다 내 오만과 착각이었다. 도하얀은 자기 반 친구들보다도 더 먼저 내 반 친구들을 사귀었고,

나는 또 도하얀의 울타리 안에서 살았다. 도대체 나한테 왜 그렇게까지 하는지, 왜 그렇게 나한테 집착하는지 알 길은 없었다. 그냥 그런 사람이구나 해야 했다. 내가 할 수 있는 일은 고작 그런 것밖에 없었다. 자존심을 고이 접어 쓰레기통에 넣고서 그나마 도하얀에게 조르고 졸라 같은 반 친구를 소개받고, 걔하고는 어느 정도 연결점이 생겼지만 깊은 사이로 이어지지는 못했다. 당연하게도 어쩔 수 없는 일이었다.

"하얀아, 네가 친하게 지내달라고 부탁해서 노력하고는 있지만 나 역시 학폭 가해자랑 잘 지내기는 조금 그래…."

"아… 그럴 수도 있겠다. 내가 너를 배려하지 못한 것 같아. 이번 연도까지만 조금 부탁해도 될까?"

"…알았어. 네 부탁이니까 들어주는 거야."

"응, 고마워."

그 말을 들으면서도 아무런 얘기를 할 수 없었다. 화장실 문에 기대 그 얘기를 가만히 듣고만 있었다. 힘없는 자의 최후였다. 결국 졸업할 때까지 도하얀 그늘에서 벗어나지 못했다. 벗어날 수 없었다.

"그렇게 겨우 대학 와서야 벗어났어."

"……."

현우는 아무 말이 없다. 그저 제 손을 꽉 쥘 뿐이다. 그렇게 쥔 손에는 붉은 자국만이 자리해서, 걱정이 되지만 아무런 말도 할 수 없다. 물러서고, 뒷걸음질 치고, 나는 그런 사람이다.

"그래서 눈을 좋아해. 눈은 거짓이 없으니까."

마주 보는 시선이 진득하다. 그 속에 자리한 짙은 슬픔에 잠식될 것만 같다. 제 손을 압박하던 손은 어느새 내 손 위로 자리해 부드럽게 어루만진다. 그 온기에 왠지 모르게 가슴이 울렁거린다.

"제가… 감히 누나 심정을 다 헤아리지는 못하겠지만, 그냥…

힘들었다는 것 정도는 알 것 같아요. …많이 힘들었죠."

누구나 할 수 있는 말이다. 누구나 할 수 있는 위로고. 그런데 왜 그 널리고 널린 위로에 눈물이 나는 걸까. 울컥, 흐를 듯이 새어 나온 눈물은 눈가에 겨우 버티고 멈춘다. 그런데 현우의 딱 한 마디에, 겨우 멈춰놨던 눈물이 흐르고 만다.

고생했어요.

현우는 왜 지금 이 순간 내가 듣고 싶은 말만 들려주는 걸까. 울컥, 결국 눈물이 흐른다. 흐르는 눈물은 두 뺨을 적시다 못해 잠겨버리게 한다. 차가운 날씨에 맞지 않게 뜨거운 눈물이다. 더불어 차가운 공기에 맞지 않게 따뜻한 체온이다. 슬픈 순간에 혼자가 아니라는 것은, 사람의 온기가 필요할 때 누군가에게 기댈 수 있다는 것은 큰 축복이라는 것을 안다. 그러니까, 현우는 내게 축복이다. 정말 너무나도 크나큰 축복이라서 왜 내 곁에 있는 건지 알 수 없을 정도로.

"앞으로도 누나를 더 알고 싶어요. …허락해 줄래요?"

맞잡은 손에서 떨림이 전해져 온다. 현우가 내 허락을 기다리며 긴장하고 있다. 풋, 새어 나오는 웃음에 고개를 끄덕인다. 환히 미소 짓는 얼굴엔 햇살이 깃든 듯하다. 현우의 따스한 뺨을 한 번 쓸어내린다. 하얗고 차가운 눈과는 대비되게 하얗고 따스한 뺨이다. 햇살이 깃드는 방, 햇살이 깃드는 현우, 그리고 그 햇살이 비추는 나. 앞으로도 이 평온이 지속되면 좋겠다. …행복하다.

***

"현우야!"

"아, 누나. 왔어요?"

볼 때마다 느끼는 거지만 바깥에서 보는 현우는 또 사뭇 다르다. 매번 다른 모습에 반해버릴 것만 같다. 아니, 이미 반했나? 고개를 갸웃거리며 현우를 바라보자 현우도 미소 지으며 고개를 갸웃거린다. 그런 귀여운 모습에 웃음을 흘리며 현우와 손을 맞잡는다. 사귀는 건 아니다. 단순히 썸이라고 하던가. 친구와 연인 사이의 어중간한 경계에서 주는 설렘이 나쁘지 않다.

이전부터 알고 있던 사실이지만 현우는 좋은 사람이다. 내가 부족한 게 있을까 봐 이것저것 챙겨주기도 하고, 굽 높은 신발을 신고 오면 다칠까 봐 최대한 실내에서 다닌다. 아닌 척해도 느껴지는 세세한 배려가 좋다. 현우와 손을 맞잡고 거리를 걸으면 아무리 추운 겨울이라도 따뜻한 봄 날씨처럼 느껴진다. 나뿐만 아니라 모두에게 다정한 사람이라 가끔 질투 날 때도 있지만, 그 모습마저 좋다. 현우가 따뜻한 사람이라는 것처럼 보인다. 따뜻한 눈, 현우는 그런 사람이다.

"어, 누나 잠시만요. 저 학생 소매치기당할 것 같아서…."

"어, 응?"

그러며 곧장 달려 나가는 현우의 뒷모습을 멍하니 바라만 본다. 현우가 향한 곳은 휠체어를 타고 있는 한 여학생이다. 아직 앳된 티가 나는 모습에 옛 생각이 새록새록 난다. 그 여학생에게 다가가는 수상한 사람을 제지하고서 상태를 살핀다. 여학생은 두 눈을 동그랗게 뜨더니 곧 반으로 접어 웃는다.

"감사합니다!"

"혼자 있어도 되겠니? 여기 사람이 많아서 다니기 힘들 텐데."

"괜찮아요. 곧 남자 친구가 올 거거든요."

"도연아!"

"왔어?"

달리기가 참 빠른 친구 같다. 순식간에 다가온 남학생과 여학생이 손을 맞잡고 웃는다. 웃고 있는 두 학생의 모습이 풋풋하고 예쁘다. 남학생은 현우에게 자초지종을 듣더니 두 눈을 동그랗게 뜨며 고개를 숙인다.
"도연이 도와주셔서 감사합니다. 다음에 뵈면 꼭 보답할게요."
"아니야, 남자 친구가 씩씩하니 다행이네."
"도와주셔서 감사해요. 가자, 태현아."
"응."
"둘 다 조심히 가."
고개 숙여 인사하는 학생들을 향해 부드럽게 미소 지으며 손 흔들어주는 현우의 모습이 보인다. 다정한 미소 속 스며들어 있는 따스함이 내게 와 닿는 듯하다. 겨울은 춥다. 그런데 현우 곁은 봄이다. 사계절 내내 봄이다. 분명 겨울인데 겨울처럼 느껴지지 않는 건 현우 덕이다. 현우한테는 꽃샘추위도 없는지, 항상 따뜻하다. 그리고 그게 좋다. 남들이 보기에는 우리도 저 애들과 같은 모습일지 궁금하다. 손을 맞잡은 채 깍지를 낀다.
현우는 고개를 갸웃거리며 나를 바라본다. 다정한 미소도 잊지 않는다. 조금 서투른 깍지에 현우는 손을 제대로 맞잡는다. 손가락 사이사이 곳곳에 스며드는 온기가 따스하다. 그 온기는 손끝에서부터 흘러들어와 나를 잠식한다. 조현우라는 온기가 정채연이라는 몸을 잠식한다. 울렁거리는 가슴 속에서 몽글거리는 것이 피어오른다. 겨울에 만개한 눈꽃이다.
"우리, 사귈까?"
너를 향해 피운 눈꽃,
나만을 위한 따스한 눈.

***

"조심히 들어가요."
흔들. 다정하게 흔드는 손이 평소보다 신난 듯 보인다. 결국 사귀기로 한 게 그렇게도 좋은 모양이다. 그게 너무 잘 보여서,

그게 또 좋다. 배시시 미소 지은 채 현우를 향해 손을 흔든다. 거실에 불 켜지는 거 보고 들어가겠다길래 빠르게 계단을 올라간다. 그런데 집 앞에 도착한 순간 발걸음을 멈추고 주저앉는다. 바닥에서부터 올라오는 한기가 온몸을 감싼다. 어쩔 수 없는 비명이 샌다. 그 비명을 들은 건지 곧바로 현우가 올라오는 소리가 들린다. 귀를 틀어막고 쓰러져 있자 현우가 제 몸으로 나를 끌어안는다. 현우의 품에서 얼마나 울었을까, 결국 지쳐 잠들어 버렸다. 그리고 깨어났을 때, 나는 현우 집에 있었다.

"여기는…."

"…아, 깼어요 누나? 제집이에요. 안심해도 돼요."

욱신거리는 머리를 부여잡는다. 현우가 곁에 있는데도 차디찬 겨울바람이 스며드는 듯하다. 그 겨울바람은 너무나 차서, 나를 얼어붙게 한다. 현우는 떨고 있는 내 손 위에 제 손을 겹쳐 쓰다듬는다. 이전과 같은 상황이다. 사레가 들려 쿨럭대자 곧바로 물을 떠다 준다. 아까 봤던 그 끔찍한 광경이 머릿속에 남아 떠나지 않는다. 도대체 누구지, 누가 그런 짓을….

"누나."

"…아, 어?"

"이런 거 묻기 조금 조심스러운데… 아까 그거 뭐예요? 아는 거 있어요?"

"…나도 잘 모르겠어."

현관문에 빼곡할 정도로 붙어있던 내 사진. 그중에는 현우와 함께 있는 사진도 꽤 있었다. 이런 짓을 할 사람이라고는 딱 하나밖에 생각나지 않는다. 도하얀. 그런데, 현우는 또 어떻게 알고 그랬는지 모르겠어서 뭐라 함부로 말할 수가 없다. 도하얀은 고등학교 이후로 모든 것을 차단해 연락조차 하지 않고, 현우를 알게 된 지는 아직 보름도 안 됐다. 현우와 내 관계를 알만한 사람은 그때 스키장에서 같이 봤던 민혁밖에는 없는데.

…어?

도민혁.

도하얀.

…설마?

…아니야, 아니겠지. 아무리 그래도 민혁 선배를 의심하다니, 그건 멀리 갔잖아. 민혁 선배가 나한테 얼마나 잘해줬는데. 게다가 민혁 선배는 나를 좋아하잖아. 좋아하는 사람한테 그런 몰상식한 짓을 할 사람이 어디 있어.

근데 민혁 선배 사진부잖아.

오싹, 소름이 돋는다. 금방이라도 울렁거리는 속을 게워낼 것만 같다. 입을 틀어막고서 심호흡한다. 내 곁에는 현우가 있다. 현우에게 기댄 채 눈물만 흘려보낸다. 아닐 수도 있지만, 옛날에 도하얀이 자기한테 두 살 차이 나는 오빠가 있다고 했다. 민혁의 지금 나이는 스물세 살. 아니라고 믿고 싶어도 정황들이 있다. 민혁은 나를 좋아하고, 현우가 눈엣가시일 것이다. 사진부라서 사진 찍는 것도 익숙할 것이고, 도하얀이 고등학교 때 보이던 집착과 민혁이 함께한다면 그 결과물을 만들어 내는 것도 무리는 아니다.

하지만 민혁이 찍었다고 하기에는 조금 서툴다. 민혁의 사진을 몇 번 봤지만, 깔끔하고 감정이 담겨 있는 사진이었다. 그때 집 앞에서 봤던 더럽고 흐릿한데 집요한 사진은 아니었다. 사람보다는 풍경 위주로 찍는 민혁의 스타일이 아니었다. 물론 민혁이 사람을 찍은 사진은 못 봤지만, 그렇지만.

그렇지만 민혁이 아니라면 누구란 말인가.

울렁거리는 속에 결국 목젖에 신물이 닿는다. 화장실에서 몇 번이고 속을 게워 낸다. 현우는 그런 내가 걱정되는지 안쓰러운 얼굴로 물을 따라놓을 뿐이다. 현우에게는 사귄 지 첫날부터 이런 꼴을 보여 미안하지만 어떡할 수가 없다. 나한테는 아무런 힘도 없다. 몸에 새겨진 공포가 깊게 스며들어 떠나질 않는다. 결국 나는 아직도 도하얀의 그림자 속에 살고 있다. 그 늪에서 벗어난 적이 없었던 것이다. 모든 것은 착각과 오만.

"누나, 누나만 괜찮다면 당분간 저랑 같이 지내는 게 어때요?"

"그, 그래도 돼…?"

"당연하죠. 누나만 괜찮다면 전 좋아요."

고개를 끄덕인다. 어디론가 전화를 걸고서 방으로 들어간다. 대화하는 것을 들어보니 아무래도 동생인 듯하다. 그러고 보니 지난번에 동생이 있다고 했었지. 가물거리는 머리에 안개가 뿌옇게 낀다. 따끔거리는 눈이 무겁다. 두어 번 끔벅이고서는 천천히 내리감는다. 몰려오는 잠의 무게를 이기기란 어렵다. 추가 달린 듯 무거운 눈꺼풀은 결국 그림자를 그려내 그 속에 나를 가둔다.

검은색이다.

***

"누나, 일어났어요?"

"으응…."

"안녕하세요 누나."

"아, 현민이도 안녕… 거기 가는 거야?"

"네."

조 씨 형제랑 함께 산 지도 어느새 나흘이다. 다행인지 불행인지 해외 출장으로 부모님은 안 들어오신 지 좀 됐다고 했다. 덕분에 마음 놓고 있을 수 있었다. 현민은 거의 집에 들어오지 않는다. 현우에게 슬쩍 듣기로는 그 좋아하던 여자애 납골당에 가는 듯하다. 뭐라 할 말이 없어 그저 가만히 있었다. 현민에게는 미리-라고는 할 수 없지만 현민이 집에 돌아오기 전에 허락을 구했으니- 허락을 구해 큰 트러블 없이 집에 얹혀살 수 있었다.

물론 그냥 얹혀사는 건 아니고, 집안일 같은 걸 조금 하기는 한다. 그마저도 현우가 고생시키기 싫다고 못하게 하지만.

여전히 민혁과 도하얀에게는 연락이 없다. 그날 이후로 혹시나 하는 마음에 차단을 풀어놨는데, 따로 오는 연락은 없었다. 다행이면서도 그러면 누구인지 모르겠는 마음에 답답하다. 휴, 한숨을 내쉬며 휴대폰을 내려놓는다. 끔벅이는 눈이 느릿하다. 어느새 신년이다. 바깥을 바라보며 숨을 내쉰다. 분명 방안은 따뜻한데 숨이 얼어붙는 기분이다. 모두가 살얼음 위를 걷고 있는 기분이다. 그 얼음은 언제 부서질지 몰라서, 그게 가장 무섭다. 깊게 내쉬는 한숨의 깊이는 살얼음 밑 수면의 깊이와 비슷하다. 그렇게 멍하니 있다 보면, 어느새 현우가 곁에 다가온다. 뒤에서 살포시 안아주면 느껴지는 온기에 기댄다. 현우가 없다면 아마 버틸 수 없었을 것이다.

"아…."

"또 연락 왔어요?"

"응…."

"…질리지도 않나."

중얼거리는 현우의 목소리를 애써 모르는 체한다. 여전히 그 사람들은 포기하지 않았는지 매일같이 사진을 붙인다.

"다녀올게요."

"조심히 다녀와. …미안해."

"아니에요. 누나를 도울 수 있어서 기뻐요."

쪽. 이마에 짧은 입맞춤을 하고서 현우는 밖으로 나간다. 창가에 다가가 바깥을 보고 있으면 현우가 길거리로 향하는 모습이 보인다. 그런 나를 발견하고 웃는 얼굴로 손을 흔들어 준다. 욱신거리는 가슴을 부여잡은 채 손을 두어 번 흔들고서 고개를 돌린다. 집주인 아주머니께 매일같이 연락이 온다. 그날 이후로 하루도 빠진 적이 없다. 매일 현우가 사진을 떼어놓지만 매일 또

붙어있다.
-사진을 보냈습니다.
-이것봐 아가씨
-오늘도 붙어있어
-이걸 어쩔거야 정말
-죄송합니다… 바로 떼러 갈게요.
-내가 뭐라하는게 아니라
-입주민들 항의가 거세서 그래
-거 보니까 요즘 집에도 잘 안 들어오는 것 같던데
-이참에 방 빼는것도 한번 고려해봐
-네… 그럴게요.
하아. 깊은 한숨이 온몸을 감싸는 듯하다. 창밖에 흔들리는 나무를 물끄러미 바라보다 비척거리며 다가가 창문을 연다. 차가운 바람이 온몸을 강타한다. 도대체 어떤 누가 나한테 억하심정이 있어서 이러는지 모른다. 차라리 누군지라도 알면 찾아가기라도 할 텐데. 내쉬는 한숨은 이 상황을 타개할 방법을 못 찾았다는 듯 짙다. 무릎을 꼭 끌어안은 채 창문 앞에 앉는다. 푸른색이 짙은 하늘은 검은색을 흩뿌려 놓은 듯 어둑하다. 눈을 감으면 현우가 아른거리며 떠오른다. 현우가 있어서 다행이다. 현우가 보고 싶다.
잠깐 존 모양이다. 전화 소리에 깜박이며 무거운 눈을 뜬다. 발신자는 현우다. 반가운 기색을 보이며 전화를 받는다. 잠들어 있던 터라 목이 조금 잠겼지만 괜찮다. 여보세요? 그 목소리에 현우는 기다렸다는 듯이 탄성을 내뱉는다.
"누나! 범인 잡았어요!"
"…뭐?"
그런데 너무 놀라서 바로 뛰쳐나가는 바람에 그 연락은 못 봤다. 그 연락을 먼저 봤어야 했는데.

-어머 아가씨
-오늘은 다른 청년이 왔네

그대로 달려가 경찰서로 향했다. 손을 흔드는 현우 옆에 앉아 있는 사람은 민혁이다. 순간 울분이 끓어올라 참지 못하고 민혁의 빰을 쳤다. 짝. 날카로운 파열음에 모두의 이목이 쏠렸다. 하지만 그것보다도 중요한 건 민혁이 내 기대를 저버리고서 나를 배신했다는 점이다. 그게 너무 속상하고 화가 난다.

"선배가 어떻게 이럴 수 있어요?"

"채, 채연아 내 말 좀…."

"어떻게, 어떻게 그럴 수 있냐고요! 아무리 저를 좋아해도 그렇지, 이런 짓이 말이 된다고 생각해요? 이건 범죄예요!"

"그거 내가 한 거 아니야."

"…네? 그럼 도대체 누가…."

"…미안, 일단 사과부터 할게. 누구인지 알지는 잘 모르겠지만, 도하얀이라고…."

가장 보고 싶지 않은 사람의 입에서 가장 듣고 싶지 않은 사람의 이름이 나온다. 온몸이 굳어 움직이지 않는다. 시간이 멈춘 듯하다. 귓가에서 들리는 이명이 머리를 아리게 한다.

"…내 동생이야."

알고는 있었다. 눈치는 챘다. 하지만 그렇다고 해서 확신을 가지지는 않았다. 그랬다가는 정말로 무너질 것만 같았다. 그런데 그토록 피하고자 했던 진실을 마주해 버렸다. 바닥만을 쳐다보고 있는 선배의 머리가 시야에 들어온다. 아랫입술을 강하게 깨문다. 비린 맛이 입안 가득히 퍼진다. 그런 나를 알아차린 것인지 현우가 손을 맞잡는다. 냉기가 사라지고 온기가 느껴지자 그제야 진정되는 기분이다. 현우를 보자 눈이 마주친다. 다정한 미소가 나를 감싼다. 후하, 심호흡하고서 천천히 말을 이어간다.

"…변명이라도 해보세요. 듣고 결정할 테니까."

"…응."

민혁의 말은 이랬다. 민혁은 사진부답게 평상시에 사진을 자주 찍는다. 나 또한 그건 알고 있었다. 그런데 도하얀-민혁의 동생-이 스키장을 다녀온 날을 기점으로 어떻게 알았는지 내 안부를 묻기 시작했다. 그러면서 동시에 자신한테 사진 찍는 법을 가르쳐 달라고 했는데, 뭔가 미심쩍으면서도 진심처럼 보여서 가르쳐 줬다고 했다. 그렇게 어느 정도 배우는가 싶더니 어느 순간부터 필요 없다고 했고, 그날을 기점으로 카메라가 사라졌다. 더불어 밖에 나가면 잘 들어오지 않았다.

도하얀이 뭔가 이상하기도 하고, 수상하기도 해서 도하얀의 뒤를 몇 번 밟았지만, 크게 수상한 점은 발견하지 못했다. 단지, 그럴 때마다 나를 자주 발견했다고 했다. 그리고 요 며칠-나흘 정도- 사이 도하얀이 잠깐 외출했다가 금방 들어와 패턴이 달라졌다는 것을 느낀 민혁은 오늘 다시금 도하얀의 뒤를 밟았다가 놓쳤다. 그런데 문득 익숙한 곳이라는 걸 알아차렸고, 내 집 부근이라는 것을 눈치챘다. 그러던 와중 근래에 도하얀이 내 안부를 물었던 점과 도하얀의 뒤를 밟을 때마다 나를 보았던 기억이 난 것이다. 혹시나 하는 마음에 내 집 앞으로 가보았고, 그 상황을 발견하고서 사진을 떼어내려는데 현우와 마주친 것이라 했다.

"하얀이… 한테 연락했으니까, 아마 곧 올 거야."

"제정신이세요? 어떻게 가해자랑 피해자를 한 자리에…!"

"채연이도 얘기해 볼 권리는 있어. 네가 무조건 감싼다고 해결되는 일이 아니야."

"선배 말이 맞아 현우야. 나, 한 번 얘기해 볼게."

"누나…."

"…그래도, 무서우니까 같이 있어 줄 거지?"

"…네, 당연하죠."

맞잡은 손에서 느껴지는 온기에, 더는 두렵지 않은 것 같다. 확신이 든다. 이번에야말로 이겨낼 수 있을 것 같은 확신. 더는 내 오만과 착각이 아닌, 진정한 확신. 현우와 손을 맞잡은 채 시계 초침 소리를 듣는다. 이내 낯설고픈 익숙한 목소리가 귓가를 울린다.

"채연아."

"…도하얀."

이제 정말 모든 것을 정리할 시간이다.

***

"네가 한 짓은 범죄야."

"응, 그게 뭐 어때서?"

"…그걸 지금 말이라고 하는 거야?"

아마 현우가 곁에 없었더라면 저 경찰서 내부에 앉아있는 건 민혁이 아니라 내가 됐을지도 모른다. 현우의 손을 꽉 쥔 채 심호흡한다. 아니, 솔직히 말해서 아무리 심호흡해봤자 마음이 안정되는 것 같지는 않다. 그냥 일정한 행위를 반복할 뿐이다.

"네가 나를 피했잖아. 나를 안 만나줬잖아."

"그야 당연히…!"

"그러니까 네 잘못이야, 채연아. 네가 계속 내 곁에 있었으면 되잖아."

속이 울렁거린다. 머리를 각목으로 얻어맞은 듯 띵하다. 도대체 내가 도하얀이랑 어떤 대화를 나눌 수 있을까. 애초에 대화가 통하는 상대였더라면 이런 상황까지 오지 않았을 텐데. 아무 말도 못 하고 있자 손을 꽉 잡은 현우가 한 발짝 앞서 나와 내 앞에 선다. 현우의 모습에 가려져 도하얀이 보이지 않는다. 툭, 현우의 등에 이마를 대고 잠시 기댄다. 두 눈을 감으면 차가운 공기가 화를 식혀준다. 아, 다행이다.
"말 같지도 않은 소리를 하시네요."
"너는 그냥 꺼지지 그래? 채연이한테 일절 도움도 안 되는 주제에!"
"그건 당신이고요."
"하, 웃기는 소리. 나는 채연이를 그 누구보다도 사랑해. 나만큼 채연이를 사랑하는 사람은 없다고!"
"정말로 사랑한다면, 누나를 행복하게 해줘야죠."
"행복하게 해줬어. 채연인 내 곁에서 가장 행복하다고."
"…말이 안 통하네요."
"이제 그만해, 현우야."
"누나."
"너도 그만해, 도하얀."
"채연아, 너도 알잖아. 내가 너를 얼마나 사랑하는지…!"
"…아니, 그건 집착일 뿐이야. 더 이상 내가 사랑하는 사람한테 뭐라고 하지 마. 나는… 너랑 함께한 사 년이 인생에서 가장 힘들었어."
"…뭐?"
"난, 너랑 친구 했던 걸 후회해."
이만 가자, 현우야. 한 점의 후회도 없이 몸을 돌린다. 어쩌면 가장 사랑했을 수도 있는 친구를 잃었다. 얼어붙은 숨을 내쉬며 하늘을 올려다본다. 검은 밤하늘 속에서 흰 눈이 내린다.
경찰서에 들어가 경찰분들께 사정을 설명하고 증거 사진도 보여줬다. 증인은 민혁이었고, 아주머니가 매일 보내주신 사진 덕에 증거 자료도 보여줄 수 있었다. 그뿐만 아니라 현우가 모아둔 사진들도 전부 폐기하지는 않아서 사건은 일사천리로 정리됐다. 도하얀은 내 말에 충격받았는지 한동안 아무 말도 하지 않다가 자기가 저지른 모든 일을 실토했다고 했다. 이번 일뿐만 아니라

고등학교 때 있었던 일까지 전부.

나는 그날 이후로 방을 뺐다. 현우와 함께 살게 됐고, 다행히 얼마 있지 않아 현우 부모님이 돌아오셔서 현민은 부모님과 함께 살게 됐다. 현민은 딱 한 마디 했다. 둘은 행복해. 그 말에 눈물이 났다. 현우는 아무 말 없이 현민을 꼭 끌어안았다. 현민은 징그럽다면서 현우를 밀쳐내고서는 납골당에 가러 밖으로 나갔다. 귀 끝이 붉었던 걸 보면 징그러운 게 아니라 부끄러웠던 모양이다.

민혁은 이 주 동안 아무런 연락이 없다가 갑자기 휴학한다고 했다. 사족을 덧붙이지는 않았지만 아무래도 내 얼굴을 보기 껄끄럽기도 하고 미안하기도 했던 모양이다. 그래도 마지막 연락 덕분에 민혁은 미워하지 않을 수 있을 것 같다.

-미안, 고생 많았어.

-고마워요. 선배도요.

겨울이 다 가고, 봄이 온다. 현우의 어깨에 기댄 채 하늘을 올려다본다. 더 이상 숨은 얼어붙지 않는다. 영원한 겨울 속에 갇혀 있던 것 같았는데, 현우와 함께하고서 봄이 온 것 같다. 손을 맞잡은 채 두 눈을 내리감는다. 그러면 현우도 내게 머리를 맞댄 채 눈을 감는다. 햇살이 들어오는 방은 따스하다. 이 모든 어려움이 현우를 만나기 위한 과정이었다면 어느 정도는 웃으면서 넘길 수 있을 것 같다.

"고마워, 현우야."

"아니에요. 누나야말로 버텨줘서 고마워요."

"네 덕분에 버틸 수 있었던 거지."

키득거리는 웃음이 안정감 있다. 이런 일상만 반복되면 좋겠다. 아주 평화롭고, 조용하고, 안정감 있는 일상. 천천히 두 눈을 뜨고서 현우를 바라본다. 그러면 현우는 고개를 갸웃거리며 나를 마주 본다.

"우리, 다음 겨울에 또 같이 스키장 갈까?"
"전 좋아요."
배시시 미소 짓는 얼굴이 부드럽다. 현우의 얼굴을 두어 번 쓸어내린 후 짧게 입을 맞춘다. 현우는 하얗다. 현우는 거짓말을 못 한다. 현우는 눈이다. 그런데 따스하다.
나만의 눈.
따스한 눈.
현우가 겨울이라면, 그 겨울 속에서 영원을 버텨도 괜찮을 것 같다. 현우는 분명 봄 같은 나만의 겨울이 될 테니까. 현우가 있는 겨울은 따스하다. 어쩌면 현우는 신이 내게 내려준 축복이다.

아니, 어쩌면
나만의 신.